ちくま新書

人類5000年史Ⅲ

——1001年～1500年

出口治明
Deguchi Haruaki

1287-3

第八章　第五千年紀前半の世界（一〇〇一年から一五〇〇年まで）

（1）宋と東ローマ帝国の繁栄（一〇〇一年～一二〇〇年）

（2）十字軍の時代（一二〇一年～一三〇〇年）

『人類５０００年史Ⅰ――紀元前の世界』目次

『人類５０００年史Ⅱ――１００１年〜１５００年』目次

図版作成＝朝日メディアインターナショナル株式会社

第八章

第五千年紀前半の世界（一〇〇一年から一五〇〇年まで）

第五千年紀の初めは、気候の温暖化に伴い、ユーラシア全域にわたって人口が増大しました。ヨーロッパでは、人口圧力が十字軍と呼ばれた東方世界への侵略をもたらす遠因となります。また、ローマ皇帝（ドイツ王）に従属していたローマ教皇が自立を模索し始め、両者の軋轢（あつれき）が叙任権闘争という形で顕在化しました。中国では、江南の豊かな経済力を背景に宋が繁栄を極めます。澶淵（せんえん）システムと後に呼ばれるようになりますが、北方の遊牧民と漢民族の宋が上手に棲み分けて三〇〇年の平和を実現した時代でした。

ユーラシアの中央部ではテュルク（トルコ）系の人々の活動が活発となり、セルジューク朝をはじめとするいくつもの大帝国が誕生します。南宋が滅んだ後、一三世紀のユーラシアでは空前の地理的スケールを持つ寛容なモンゴル世界帝国が成立しました。交易を重視したモンゴル世界帝国のもとで、人類は、グローバリゼーションの自由を存分に謳歌したのです。タタールの平和あるいはパクス・モンゴリアと呼ばれた一三世紀後半から一四世紀初頭まで、人や物の交流が盛んとなり、経済や文化が大いに発展しました。

しかしその直後、気候が不順となり、ユーラシア規模でペストなどの病原菌が猛威を奮ったのです。グローバリゼーションの負の側面が表にでてきたのです。モンゴル世界帝国は、短い光芒を放って瓦解しました。その後は、退嬰的な明が中国を支配し、中央ユーラシアでは、ティムール朝などトルコ系の人々が再び台頭します。イスラーム勢力は、インドやサブサハラの中央アフリカにも覇権を確立し、ヨーロッパでは、バグダード〜カイロ〜アル・アンダルス（やシチリア）を経由して、古代ギリシャやヘレニズムの文化が再発見され、イタリアのフィレンツェを中心に、各地でルネサンスが、何度も花開くようになりました。

この時代は、また、個性的な巨人が各地で登場しました。不世出の政治家、王安石。世界の驚異と呼ばれたローマ皇帝、フェデリーコ二世。フランスとイングランド、二つの王国の王妃となったアリエノール。モンゴル軍を撃破し十字軍に実質的な止めを刺したイスラーム世界の英雄、バイバルス。そして、間違いなく人類史上最高の君主の一人であったクビライ・カアンなど枚挙に暇（いとま）がありません。英仏百年戦争が戦われ、ジャンヌ・ダルクが短い生涯を流星のように駆け抜けた時代でもありました。

(1) 宋と東ローマ帝国の繁栄(一〇〇一年〜一二〇〇年)

✝宋の近代性

中国の歴史では、商(殷)から周に王朝が移ったとき(BC一〇二三年)、政治と文化の両面で大変革が起こりました。その中心は、祭政一致体制から祭政分離体制への転換でした。商は天上の神を帝と呼び、自分たちの祖先と同一視していたのに対し、周は神を天と呼び、人と神を分けて考えたのです。政治や社会の主人公が神から人間に変わったのです。また、「帝辛」などから「文帝」などへと修飾語が前にくるようになり語順も変化しました。この大変革を商周革命と呼んでいます。

この商周革命に匹敵する大変革が、唐代から五代十国を経て宋の時代になるときに起きます。この変革は、古代・中世の社会から一気に近代社会に移行するような大きな社会文化の大革命で、歴史上、これを唐宋革命と呼んでいます。ここで留意すべきことは、宋は唐やモンゴル帝国のような絶対的な覇者ではなかったことです。武力ではなく、平和的な政策で国内と対外関係をコントロールし、三〇〇年の繁栄を実現しました。しかし、その国家運営は必ずしもスムーズにはいきませんでした。

また宋の文化は、浄土信仰や禅に象徴されるように、日本の文化や日本人の生活に、現代に至るまで大きな影響を及ぼしています。では、少し遡りますが、宋の建国から話を始めましょう。

唐が九〇七年に滅んだ後、中国は五代十国時代（九〇七—九六〇）に入ります。五代十国とは、中央（中原の地）に五つの王朝が生まれ、地方に十の国が生まれたという意味です。中国には晋滅亡の後に五胡十六国（三〇四—四三九）と呼ばれた乱立時代もありました。しかし、この五とか十という数字は、必ずしも史実通りではなく、陰陽五行説の影響ではないかという指摘もあります。

ところで、この五代とは、唐を倒した朱全忠（在位九〇七—九一二）が河南省の大運河の結節点、開封（汴州）を都として建国した後梁を皮切りに、後唐、後晋、後漢、後周と続いた五つの王朝の総称です。

この中で後唐、後晋、後漢の三国はトルコ系の王朝（突厥系沙陀族）でした。朱全忠の宿命のライバルであった沙陀族のリーダー、李克用の一族が建てた国が後唐で、以下三代、沙陀族

世宗（後周）

の重臣に引き継がれる形で、中国の地にトルコ系の王朝が続きました。トルコ系諸部族の行動範囲の大きさに改めて驚かされます。

後晋を建国した石敬瑭（在位九三六―九四二）は、キタイ（遼）に中国の北部、現在の北京（燕州）から大同（雲州）を結ぶ、燕雲一六州を献じて盟約を結び、後唐を滅ぼしました。しかし、後唐が滅亡すると燕雲一六州をキタイに渡しませんでした。立腹したキタイ軍は、後晋に乱入して約束を果たさせました。

このトラブルの真っ最中に、始皇帝が作製したといわれる伝国璽（皇帝の玉璽・印章）が紛失してしまったというエピソードが残っています。紛失した伝国璽には特徴がありました。漢は一時的に王莽（在位八―二三）に簒奪されました。王莽は外戚です。伝国璽を求めた王莽の使者に、姑母の王政君が怒りにまかせて伝国璽を投げつけ、そのときに一部が欠損したと伝えられていますが、その欠損の跡は後晋の時代にも判別できたそうです。

話を戻します。五代の最後、後周の二代世宗（在位九五四―九五九）は五代屈指の名君でした。キタイと戦い、燕雲一六州の内、二州を占領しています。彼が健在であったら、おそらく中国を統一していただろうといわれています。しかし若くして病没し、後継者の恭帝が幼少であった趙匡胤（在位九六〇―九七六）を擁立しました（陳橋の変）。

このとき、幼少の恭帝と趙匡胤のあいだで禅譲の儀式が行なわれました。魏の曹丕（文帝）が先例をつけた皇位を譲る儀式で、原則として公開の場で行なわれます。

恭帝「皇位を受けてほしい」

趙匡胤「いえいえ、私には無理です」

こういうやりとりを数回繰り返します。つまり、この政権移譲は平和的に行なわれるのだ、暴力で奪取（簒奪）するのではないぞと人々に納得させる儀式です。そして中国における禅譲の儀式は、これが最後となりました。もっとも、後周の一族は南宋が滅ぶまで三〇〇年以上も勅命で優遇されました。これは他の禅譲では見られなかったことで、南朝の宋の劉裕（武帝）以降、前王朝の一族はほとぼりが冷めたところで、抹殺されるのが常でした。

趙匡胤

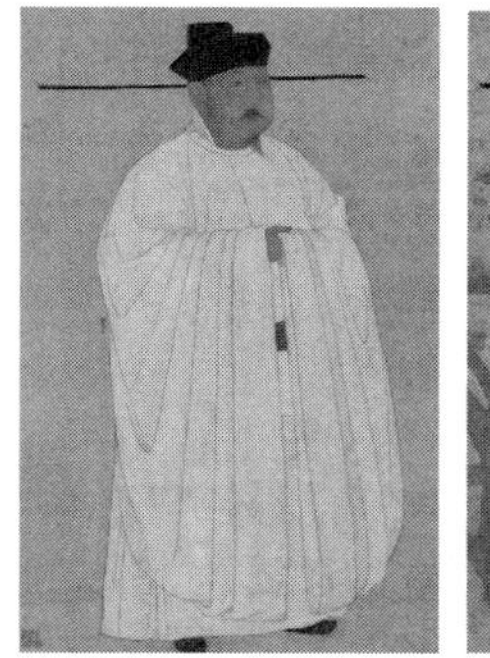
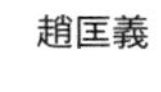
趙匡義

伝国璽が失われ、禅譲の儀式も最後となり、古代王朝の伝統が消えていく中で、新王朝の宋（九六〇―一二七九）

が誕生したのです。

宋は豪放磊落な兄の趙匡胤（太祖）と冷静沈着な弟の趙匡義（太宗。在位九七六―九九七）の組み合わせでスタートしました。

趙匡胤は巧みな談合によって節度使を廃止し、その軍隊を取り上げます。

彼は、建国の後、自分を推挙してくれた節度使たちと祝宴を開きますが、その席上で、芝居気たっぷりにこぼしました。皇帝になったのに、気が休まらない、つらい、つらい。節度使たちはなぐさめます。権力はあなたが握っている。自分の思う通りにやればいいじゃないですか。

そこで趙匡胤が次のように語ったと伝えられています。

「そんなことをいっても、みんな地方に帰ったら自分の軍隊を持っているじゃないか。いつ裏切られるかと思うと、心配の種は尽きないのだよ」

「それなら軍隊はお返しして都に住みましょう。誰もあなたを裏切ろうなんて考えていませんよ」

こうして趙匡胤は、辺境の節度使の軍隊をすべて国軍（禁軍）に組み入れてしまいます。兵士もリストラして、全体で四〇万人程度に抑えました。そして節度使たちには、開封に大邸宅を与え手厚く遇することで、彼らの厚意に報いました。内乱の芽は根本から抜き去られたのです。さらに趙匡胤は、科挙の制度に殿試を設けました。皇帝が合格者全員と直接に面接をして、一番、二番と成績の順位を定めるのです。そうすると合格者は感激して、皇帝に一所懸命忠義を尽くすようになります。このことは同時に、朝廷内部で貴族や外戚の活躍する余地がなくなったことをも意味しました。宋は世界に先駆けて、近代的な統治システムを完成させたのです。官僚の数は最初のうちは一万人くらい、増えても二万人程度でした。

官僚の人数が少なすぎると思われるかもしれませんが、官吏という言葉があるように中国では官＝官人と吏＝胥吏（しょり）は違うのです。官人は、いわばキャリアで、税金から報酬が支払われますが、胥吏は庶民から希望者を募ったノンキャリアで、俸禄がない。ならば胥吏はどうやってご飯を食べていたのかといえば、地方の役所に詰めていて、たとえば何らかの申請をしにやって来る住民のためにその代行をして、何がしかの報酬、要するに賄賂（わいろ）を貰う。胥吏は、知恵を絞りさえすれば、それなりにご飯が食べられたのです。

この仕組みだと賄賂が横行して住民が困りそうにも見えますが、たとえば、申請に来た人に代行料としてたいそうな額を吹っかけたとしたら、そのときは高収入が得られても、あとが続かなくなる。しかも、役所には胥吏がひとりしかいないわけではなく、同業者同士の競争もある。ですから、あまり欲をかきすぎると、稼げなくなるのです。そうして代行料の市場価格は適正なところに落ち着いていくというわけです。

俸給の必要な官人の数は少なくして、あとは俸給不要の胥吏に仕事をやらせる。胥吏という言葉自体は南北朝時代にできたものですが、この基本的な枠組みを考えたのは中央集権化を進めた秦の始皇帝と思われます。始皇帝はグランドデザイナーとして、本当に偉大な存在です。現代の中国でも、賄賂の横行が政治課題になっていますが、賄賂にも二千年の伝統があると知れば、別に不思議ではありません。

このような仕組みですから、先に述べた官僚の数は、吏を除いた官の数だけをカウントしたものです。のちにそれが膨れ上がってしまうことについては、追い追い触れていきます。

ところで、この時代の日本は、藤原道長（ふじわらのみちなが）の時代、源氏物語誕生の時代です。道長が外戚として権勢を振るい、娘に天皇の赤ちゃんを生ませて政権を思うがままにしていました。宋と比較すると古代と近世のような大差がありました。

弟の趙匡義は、中国の三大ワークホリッカーのひとりとされています。他の二人は始皇帝と清の雍正帝（ようせいてい）です。趙匡義の時代に中国は統一され、兄の描いたグランドデザインを、弟がしっかりと踏み固めたのです。

†澶淵システムの誕生

しかし名君が三代続くのはむずかしいといわれるように、趙匡義の子どもの三代真宗（しんそう）（在位九九七―一〇二二）は、凡人でした。

一方、北の強国キタイは名君聖宗（在位九八二―一〇三一）の時代となって極盛期を迎えつつありました。何百人もいる中国の皇帝の中で、廟号（天子を祀る廟に諡とともに贈られる称号）に聖という字が付く皇帝は、清の最盛期をつくった聖祖康熙帝と、このキタイの聖宗以外には見当たりません。この漢字にふさわしい優れた皇帝は、ほかにはいなかったということでしょう。そのキタイが大軍を南下させ、攻撃に出たのです。

あわてふためく真宗へ、王欽若という茶坊主の政治家が、安全で豊かな長江の南へ逃げるよう献策します。北から蛮族に攻められたら江南へ逃げるのは、中国の歴代王朝のパターンです。しかし、この献策に対して寇準（九六一―一〇二三）という気骨ある政治家が反対します。皇帝が戦う前から逃げたのでは士気にかかわる。彼我の戦力を比較すれば大差はないのだから、出陣して実力を示しましょう。そう説得すると真宗に大軍を率いて北へ向かわせました。そして河南省の澶淵の地で、両軍は対峙します。

ところが陣中に寝起きする日々が、真宗には恐くてたまりません。彼は夜になると部下の宦官に寇準の寝所を見に行かせます。そして、寇準が大いびきをかいて寝ていると聞いて、ようやく安心して眠れるといった具合でした。

寇準

しかし寇準も、戦火を交えることを目的とはしていませんでした。まずキタイに対して毅然たる態度を示すことが出陣の目的でした。「なめるなよ」という姿勢です。一方の聖宗もすぐれた政治家でした。キタイの南下にもまた、宋の出方を試す意図があったのでしょう。つまり、寇準も聖宗も両軍合わせて数十万の軍勢が、実際に戦うことを望んではいませんでした。そして両者は、お互いに妥協してあゆみ寄り、澶淵の盟という条約を結びました（一〇〇四）。

澶淵の盟は現代風に言えばODA（Official Development Assistance 政府開発援助）と同様の仕組です。兄の宋から弟のキタイへ、毎年一定額のお金（銀一〇万両）や一定量の絹布（二〇万疋）を贈与する。国境は現状維持とするというものでした。経済大国宋にとって、それはさほどの負担にはなりません。そしてキタイはそのお金で、豊かな先進国である宋から生活物資や文明の利器を購入するのです。こうして戦争をしないで、お金で平和を買って住み分けるという澶淵システムは武力の北と経済の南という双方を安定させ、モンゴル帝国の登場まで宋の三〇〇年の時代を支えます。

四〇年ほどして、宋は、四川・青海地方に、李元昊（在位一〇三八―四八）が建国したタングート族の西夏（正式の国号は大夏）とも、澶淵の盟に似た条約を結びます（慶暦の和約。一〇四四年）。黄巣の乱で唐を支援したタングートは、李姓をもらって節度使に任じられ、実力を養っていたのです。キタイが金に滅ぼされたあとも、宋は金と同じような条約を結んで国の安定を図ります。

北の軍事力と南の経済力がバランスした和平路線で安定した時代が、三〇〇年近く続いた——それを可能にした体制を澶淵体制とか澶淵システムと呼んでいます。一一二七年、宋は金に追われて中国南部に移りますが（南宋）、このシステム自体は基本的に変わりませんでした。宋とは、どのような時代であったかを一言であらわすなら、この澶淵システムの時代といえるでしょう。

こうして宋はお金で平和を買い続けますが、キタイも西夏も軍事力が強力ですから（西夏の軍事力を支えた鉄器の精巧さは有名でした）、対抗するために宋の軍隊も膨れ上がっていく。太祖の時代には四〇万人程度だった軍隊が、真宗の跡を継いだ第四代皇帝、仁宗（在位一〇二二―六三）の時代には、一二〇万人になっていたといいます。平和をお金で買ったのだから軍隊は減らしてもいいはずなのに、やはり強力な遊牧国家に対する不安は消えないのです。

さらに、少なめに抑えられていた官吏の数も次第に増えてゆき、真宗の時代には「余分な官吏が一九万五〇〇〇人」といわれたほど。大きな軍隊と大きな政府が相まって、国家財政が膨れ上がりました。そこに、宋という国の病巣が広がっていったのです。

ところで、澶淵システムの仕掛人だった寇準にはその後不幸が訪れます。

逃げましょうと献策した王欽若は、結果的に大恥をかかされました。彼は真宗にささやきかけます。お金で平和を買うなんて恥ですよ、貢物(みつぎもの)を蛮族に届けるなんて負けたも同然ですよ、寇準は辞めさせましょう。真宗には澶淵の盟の本当の価値がわかりません。戦場で恐かった記憶しかなかったのかもしれません。彼は王欽若にそそのかされて、寇準をクビにしてしまいました。

しかも真宗は、自分の面目も寇準につぶされたと思っています。なんとか面目を取り戻したいと王欽若に相談します。それに対する王欽若の答が、封禅(ほうぜん)の儀(ぎ)を行なうことでした。

泰山

封禅の儀とは、山東(さんとう)省の聖山泰山(たいざん)（世界遺産）で始皇帝を含む歴代の皇帝が天と地を祀(まつ)った行事のことです。ところで、この行事を最後に行なったのは、唐の玄宗です。それは真宗の時代から二七〇年も昔のことでした。多くの臣下を引き連れ、神様へのたくさんの供物(くもつ)を持って泰山まで出かけて行き、滞留する。莫大なお金と人手のかかる祭祀でした。こういう浪費は、政治が進歩して官僚が力を得てくると、誰も認めなくなっていきます。要するに祭祀が合理的になるのですが、真宗は時代に逆行して封禅の儀を実行したのでした（因みに、次の封禅は、国力があり余っていた清の康熙帝と乾隆帝の時代になります）。

このように名臣を切り捨て、無駄な出費を行なった真宗でしたが、澶淵の盟という実利を伴うシステムに助けられて、宋は安定に向かいます。なお、唐の太宗の政治を語った『貞観政要』と並ぶ帝王学の古典『宋名臣言行録』（ちくま学芸文庫）が復刊されたことは、とてもうれしいことです。この平和な時代が中国に唐宋革命と呼ばれるさまざまな変化を生み出します。その内容は多岐に及びますが、それでは分野別に見ていきましょう。

†さまざまな変化を生んだ唐宋革命

(1)政治革命・軍事革命

殿試を取り入れて科挙を完成させたことによって、始皇帝がグランドデザインした文書行政による中央集権国家が最終的に完成しました。優秀な官僚が補佐する天子の独裁制が確立したのです。宋以降、大貴族や外戚の活躍する余地はなくなりました。

また、藩鎮制（節度使）を廃止したことによって、軍事権も天子が独占するようになりました。

(2)農業革命

温暖化したこの時代にチャム族のチャンパ王国（ベトナム中部。占城、昔の林邑）からチャンパ米（占城稲）という長粒種の稲が、中国に入ってきます。それまでの中国のお米は、日本と同じジャポニカという学名の短粒種でした。しかし実りの早い早稲のチャンパ米が入ってきて、短粒種は栽培されなくなり、チャンパ米だけが生き残っていきます。

チャンパ米は収穫が早いので、長江周辺では米と麦の二毛作が可能になりました。埋め立てなどによる新田開発にも拍車がかかりました。要するに食料生産が二倍となり、それに伴って人口も倍増したのです。中国では、漢や隋・唐時代の六〇〇〇万人がこれまでのピークでしたが、宋の時代になると、人口は一億人近くまで増加していきます。

青花蓮池魚藻文壺（景徳鎮窯・大阪市立東洋陶磁美術館蔵）

(3) 飲茶革命・火力革命

七六〇年頃、唐の時代に陸羽によって『茶経』という茶の本が出版されましたが、その当時のお茶は貴族階級がたしなむものでした。ところが宋の時代になると広く市民がお茶を飲むようになりました。そのために茶碗など陶磁器の需要が急増し、生産も大規模になりました。現在でも有名な江西省にある窯業都市の景徳鎮は、漢代から窯が開かれていましたが、この時代の年号、景徳（一〇〇四―〇七）から地名が付けられました。また、磁器の名産地、河北省の磁州は、宋代に開かれたといわれています。宋の青磁や白磁は輸出品としても珍重され、今日まで名を残しています。

また石炭やコークスが燃料に使用され始めたのも、この時代です。そのために陶磁器の製造もさらに生産性が高まり、茶器の需要を満たしました。この火力革命によって、高温で食物を炒めたり揚げたりする中華料理の原型が出来上がりました。

(4) 海運革命

唐から宋に移る頃にジャンク船が登場します。この船は大きな竜骨を持っていて、船体が密閉された小部屋を並べたような（防水隔壁を持つ）構造となっています。そして木にタールを塗って、全体に防水加工をしていました。そのために、なかなか沈まず、遠洋航海が可能となりました。また羅針盤も実用化されており、ジャンク船とセットになって海運革命の武器となりました。

ジャンク船

こうして中国は積極的に海に出ていくのですが、これには前史がありました。唐の後期に、長安がトゥプトに占拠されたり、ウイグルや南詔に西方や南方へのルートを遮断され、草原の道が途絶えたので（シルクロード交易は昔から微々たるものでした）、交易をしようとすれば海に向かうしかなかったのです。

宋の時代以降、古代中国の首都であった内陸の長安や洛陽が再び首都になることはありませんでした。宋の都の開封は、隋の煬帝がつくった大運河に接している都市でしたから、そのまま海につながっていました。モンゴル帝国のクビライが建設した大都（北京）も、天津を通じて運河によって海と結ばれていました。

媽祖像（台湾の馬祖島）

広州、泉州、明州（いまの寧波）などの大きな港湾都市も、この時代に整備されました。宋は、早くも九六六年に南海貿易を管轄する広州市舶司（税関）を設置しています。また媽祖と呼ばれる福建省の漁師の娘（林黙娘）が、道教の海の女神になったのもこの時代のことでした。林黙娘は、海で遭難した父親を助けに行って自分も還らぬ人となり馬祖島に打ち上げられて女神となりました。船乗りの守護神が必要になるほど、海に出ていく中国人が増えたのです。

(5)宗教革命

唐までの時代の仏教は、龍門の石窟に彫られた毘盧遮那仏（武則天をモデルにしたという伝承が近世まで残されていました）に象徴されるような、全世界を光明で満たす国家を鎮護する仏教が中心でした。また武則天は全国に大雲経寺をつくらせました。日本の奈良の大仏や国分寺は、これらを真似たもので、仏教は国家に保護されていたのです。しかし、三武一宗の法難（中国の四人の皇帝による仏教弾圧）に見られるように、保護と弾圧は紙一重です。

そこで仏教は、国家に頼ることなく自力で生きていこう、信者を獲得しようと真剣に模索を始めます。そして浄土教と禅が盛んになりました。南無阿弥陀仏と唱えれば救われると説くシンプルな教えの浄土教は庶民層に広まり、生きることの意味を問うなど難しい理屈の多い禅の教えは士大夫(したいふ)層に広まりました。この布教に大きな役割を果たしたのが木版印刷でした。この当時の印刷技術の進歩には目を見張るものがあり、信者を得るためのアジビラや宗教文書の大量印刷が可能になっていたのです。

印刷技術を発展させたのは、宗教でした。この印刷技術の発達が科挙の全国展開を可能にしました。四書五経をはじめとする参考書が全受験者に行き渡るようになったので、初めて全国統一試験が実施できたというわけです。ちなみに、年代と日付が特定できる最古の木版印刷物は、敦煌で発見されたお経(金剛般若経)で、八六八年のものとされています。このような仏教の大衆化に伴い、村落などの祭祀の対象も、没個性的な豊穣の精霊などから地元密着型の人格神へと移行していきました。

なお士大夫とは、科挙官僚たちを生み出した地主(豪族)かつ文人(知識人)層のことです。また、この時代の浄土教と禅が日本に伝わり、日本の仏教界の中で今日でも主流を占めています。鈴木大拙(すずきだいせつ)はその著書『日本的霊性』の中で、この両者が日本人の宗教意識を形造ったと述べています。

(6)三大技術革命

この時代に中国で発達して、世界に大きな影響を与えた三大技術革命があります。それは羅針盤と印刷術と火薬です。

唐代に黒色火薬が使い始められ、宋代に火器として武器に使用され始めました。日本に来襲したモンゴル軍の火器を、鎌倉武士たちは「てっぽう（てつはう）」と呼んで恐れたそうです。

(7)都市文化革命

唐の都長安は、人口一〇〇万人ともいわれた世界有数の大都市でした。しかし長安は城壁都市で、市内の各区画も城壁で区分けされていました。そして夜になると市門は閉じられ、出入りは不可能でした。長安には、シルクロードを旅してきた白人の女性が接待をしてくれる歓楽街もあったのですが、全体としては暗い町だったのです。

それに対して宋の開封は、大運河の結節点にあり、運河に向かって開かれている都だったので、夜になっても出入は自由でした。交易で豊かになった多くの商人を中心に、人々が夜遅くまで活動していました。国際ビジネスに従事するユダヤ人街もありました。茶館が立ち並び、娯楽が市民に広く浸透し、講談や芝居、大道芸人たちに人気が集まっていたのです。

なかでも包拯（ほうじょう）という名裁判官が、強欲な役人やお金持ちを懲（こ）らしめる話は大人気でした。日本の大岡越前守（おおおかえちぜんのかみ）の物語のほとんどはここに原典があります。また、日本の講談や人形浄瑠璃（じょうるり）や歌舞伎なども開封（宋）の文化の影響を受けています。

その様子をみごとに描いた絵巻が「清明上河図」です。春が訪れる頃の開封郊外の市民生活を生き生きと描いています。また『東京夢華録』（孟元老著、平凡社・東洋文庫）という書物には、最も華やかだった頃の開封（洛陽から見て東にあったので東京と呼ばれました。長安が西京＝西安です）の町の様子、名勝や年中行事などその繁栄振りが丁寧に著述されています。

清明上河図（故宮博物院蔵）

(8) 唐宋革命の負の遺産、女性の地位の低下

市民にとって良いことの多かった唐宋革命ですが、割を食ったのが女性ではないでしょうか。唐の時代は武則天に代表されるように、自分で政治を執ったり陰謀をも企む強い女性が多かったのですが、宋代になってGDPが増えると、男性がひとりで二人分を稼げるようになり、もう女性は働かなくてもいいという風潮が強くなりました。そしてこの時代は、男尊女卑の儒教が浸透していく時代でもありました。

生活が豊かになり男性の稼ぎが大きくなって、かつ儒教の教えが広まったことで、女性は家の奥深くで暮らし、男性の支配下に置かれるようになっていきました。極言すれば、男性の愛玩物のような女性観が強まったのです。

女性はなよなよと歩くのがセクシーだからと、子どもの頃から足の指をしばって小さい足にする、纏足という奇習が生まれたのは宋の時代のことでした。

(9) 唐宋革命と平清盛

唐宋革命の日本への影響については、これまでのところでも触れてきました。日本の伝統となっている文化は、この宋の時代に平清盛や、禅の五山の僧たちによって持ち込まれたものが源流となっています。「わび・さび」という美意識も、宋の白磁や青磁に見られるシンプルで飾らない美しさと関連しているようです。唐の時代の唐三彩にある華やかさとは、あきらかに一線を画しています。

なお平清盛は、日宋貿易に着眼し（宋は南宋の時代に入っていました）、海外との交易の重要性を視野に入れていた稀有な政治家です。清盛がほんの少しの間ですが、京都から福原（神戸）に遷都したのは、そのような構想があったからでしょう。日本の貨幣経済は、清盛が本格的に宋銭を輸入し始めたことによってその幕をあけました。日本の政治家で、平安京遷都以降京都から都を移そうとしたのは、清盛と明治政府だけでした。清盛はよく源頼朝と比較されますが、スケールの大きさや先見性（軍事警察権の掌握や守護と地頭の前身を置くなど清盛の六波羅幕府が、鎌倉幕府のロールモデルとなりました）では明らかに清盛がまさっていると僕は思います。

中国の周辺諸国の動き

キタイや西夏は、これまでの北方遊牧民とは少し異なっていました。鮮卑拓跋部などの先行遊牧民とは違って、遊牧民の伝統を守ろうとする勢力が常に政権の主流を占め続けたのです。両国とも、まず、独自の文字を創りました。キタイは、割譲を受けた燕雲一六州を統治する南面官を設け、遊牧民を担当する北面官と区分したのです。つまり、二元統治により、遊牧民の伝統を守ろうと企図したのです。しかし、毎年、宋から送られる巨額の財貨は、尚武の気風を少しずつ蝕んでいきました。

九一八年の建国後、科挙を導入し、文民（文班）優位の政体を築いていた高麗は、国力を増大させたキタイの侵略を何度も受け（一〇一一年には、首都開城が陥落しています）、宗主国を、宋とキタイとの間で交替させながら、懸命の外交努力を続けていました。その高麗では、印刷術など高い文化が花開きました。宋の大蔵経を真似て、有名な高麗大蔵経の彫板が始まったのは、一〇二〇年のことです（一〇八七年頃完成）。高麗の大蔵経は、後にわが国でも珍重される

西夏文字

キタイ文字

ことになるでしょう。

宋初に発明された活字（陶活字）は、一三世紀の初めに、高麗で世界初の金属活字となりました。グーテンベルクに先立つ事、約二〇〇年です。しかし、字数の多い漢字文化圏では、木版の方が遥かに便利だったのです。高麗の青磁も、宋に劣らない発展を遂げました。ただし、宋とは異なり、高麗では、科挙の合格者が貴族化しました。支配階級、両班（文班・東班と武班・西班）の始まりです。高麗は Korea の語源となりました。

北ベトナム（大越）では、一〇〇九年、李公蘊（在位一〇〇九—一〇二八）が、昇龍（現ハノイ）に李朝（—一二二五）を開きました。九世紀後半、南詔が安南都護府を一時占拠し（八六三—八六六）、唐の支配が緩んだ北ベトナムでは、五代十国以降、呉権（九三九年）、丁部領（九六八年）、黎桓

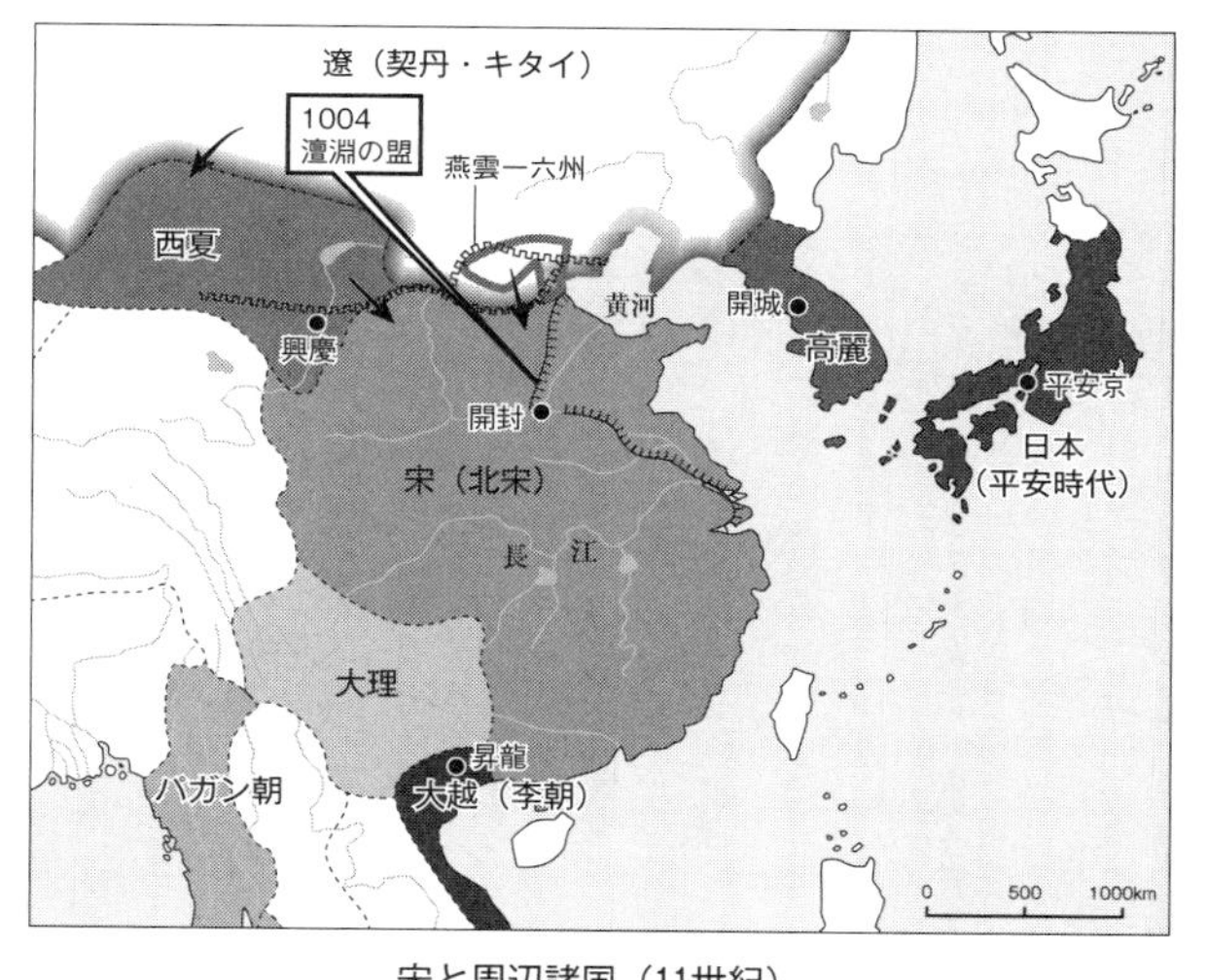

宋と周辺諸国（11世紀）

（九八〇年）が、それぞれ短期王朝を開いていましたが、李朝は、北ベトナム初の長期王朝となりました。一〇五四年、即位した三代、聖宗は、国号を大越（だいべと）としました。宋は、事実上、李朝を黙認しました。すでに広州など自前の港湾を整備していた宋にとって北ベトナムの港湾の重要性は明らかに減じていたのです。宋がベトナム李朝の六代、英宗を安南国王として、高麗と同格の称号を与えたのは、一一七四年になってからのことです。

一方、九三七年に成立したチベット系の雲南の大理は、早くから宋に朝貢したので、両国の関係は平穏に推移しました。

また、一〇四四年、ミャンマーでは最初の王朝、パガン朝（―一三一四）が成立しました。パガン朝では、それまでの大乗仏教に替えて、スリランカから上座（上座部）仏教を取り入れました。上座仏教は、これを嚆矢として、タイ（スコータイ朝）や、カンボジア、ラオスへと拡がっていくことになります。大乗仏教（中央アジアを経由して中国、朝鮮、日本へ）、チベット仏教（密教。チベットからモンゴル、満洲へ）に次ぐ仏教伝播の第三の波が始まったのです。

日本では、一〇六八年に後三条天皇が即位して摂関政治が終わりました。そして一〇八六年には白河上皇による院政が始まりました。これは、上皇が治天の君として全権を掌握するもので、天皇は実質的にはＮｏ・２の存在になりました。

†聞き入れられた提言「万言書」——王安石の登場

中国の科挙は、一〇年かけて受験勉強してやっと合格するというほどの難関で、現在の日本の司法試験などの比ではなかったようです。ですから、実家によほどの資産がないと合格できない。その代わり合格すれば、つぎこんだ資産の何倍ものリターンがある。一族全員を養っていけるほどなので、受験のために一族が総がかりで援助をしても元が取れる。それで全国から優秀な子弟が集まったのです。

范仲淹（九八九―一〇五二）もそのひとりでした。「先憂後楽」という後楽園の名前の元になった文章で知られる『岳陽楼記』を著した人物です。唐宋八大家のひとりで名文家として知られる欧陽脩（一〇〇七—七二）もそうです（ちなみに王安石も唐宋八大家のひとりです）。こうした科挙出身者たちが、宋がこのままずるずると大きな政府になっていくのを防ごうと慶暦の改革を行おうとします。一〇四三年のことでした。しかし、これは反対派の妨害でほとんど実現せず、范仲淹らは失脚します。ちょうどその頃、官僚になったのが王安石でした。

王安石（一〇二一—八六）が生まれた一〇二一年頃は、澶淵システムで宋の社会は安定していました。王安石は慶暦の改革が行われた二二歳のとき、科挙を四番で通って官界入りしています。それだけの優秀な頭脳を持ちながら、彼は中央での勤務を断って、地方官を転々としている。一説には、実家が裕福ではなかったため、給与が割高の地方勤務を希望したともいわれています。平安貴族も、地方に赴任する受領となったほうが実入りがよかったといいます。

王安石

王安石の場合は、本当の政治を行うには広い中国の地方の実情を見て勉強しておかなければ、と考えたのかもしれませんが、これればかりは本人に聞いてみなければわかりません。とにかく、王安石は、科挙合格以来一六年も黙々と地方回りを続けたのです。

そして地方勤務の経験を活かして、名文の誉れ高い万言書（げんのしょ）を政府に提出しました。このまま大きな政府を続けていくと統制がとれないし、いずれ財政は破綻しますよと、皇帝に向けて直訴したのです。

ところが当時の皇帝、仁宗は聞く耳を持ちません。「地方投人が何か書いてきたな。文章はめっぽううまいが、一体誰が書いて寄越したのだ」と、王安石のことを側近にたずねてみたものの、王安石のことは誰も知らない。そもそも中央にはいなかったのですから、当然といえば当然です。

それから一〇年ほど経って六代、神宗（しんそう）（在位一〇六七―八五）が即位したとき、若い皇帝はこの万言書を目にします。意欲に燃えていた神宗は王安石を呼び寄せ、皇帝の側近、翰林（かんりん）学士に抜擢。王安石は二年後には副宰相、その翌年には宰相となるのです。

王安石は二つの政治手法を採り入れます。ひとつは、優秀な若手官僚を集め、彼らにフリーディスカッションをやらせて政策をまとめる。もうひとつは、新たにつくった法律を施行する段階では、まず一つの地方で試してみて、効果を確認してから全国一斉に施行したのです。

王安石が考えた政策を一言でいえば、大地主や大商人の利益を抑えて中間層を増やさなければ国は栄えない、というものでした。それは、地方勤務が長かったことが大いに関係していたでしょう。さらに、産業を興し、合理的な経営手法を導入する。これらの大改革は一気呵成に取りかからないと、必ず守旧派が抵抗するとわかっていたので、王安石は皇帝の信任を得たうえで、反対する人びとを次々に遠ざけました。

とはいっても、反対派の政治生命までは断たない。政治生命どころか、ほんとうの命を取ってもおかしくない時代でしたが、彼は「みんな立派な人ばかりだから、少し仕事を休んでいただこう」という姿勢で接したのです。お陰で反対派の急先鋒、司馬光（一〇一九―八六）などは、休んでいる間に『資治通鑑』という歴史書を完成させることができました。ここで王安石が心を鬼にしていれば、司馬光は守旧派の領袖にならなかったともいえます。ただし、王安石と司馬光は政敵でしたが、文人としては互いに尊敬し合う仲でした。

†整合性のとれた王安石の改革

王安石は理性的で、ものの見方が非常に近代的な人でした。当時のヨーロッパ諸国などが及びもつかない先進的な政策を実行しています。新法と総称される王安石の政策を具体的にみてみましょう。その柱となる法律を時系列で列挙すると、次のようになります。

一〇六九年　青苗法、均輸法
一〇七〇年　募役法、保甲法と保馬法
一〇七一年　三舎法
一〇七二年　市易法

(1) 農民を守る青苗法

農民が稲を栽培するには種もみ（苗）が必要です。苗を買うお金を地主から借りて収穫時に返すのですが、利息制限法などはない時代ですから、地主は平気で一〇割以上の高利をつける。そして返せない農民の土地を取り上げてしまう。こうして自営農民は没落していったのです。

王安石は、種もみ（苗代金）を政府が農民に貸し出すようにしました。地主が高い金利を取っていたのを三割以下で貸し出しました。もちろん地主の恨みは買いましたが、こうして中間層の農民たちを守ろうとしたのです。

(2) 食料品などの物価調整を企図した均輸法

宋は、食料など物品のほとんどを江南に頼っていました。物品を江南から開封まで運河で運んできて、そこで売るわけですが、その価格に業者たちが高いマージンをつけたため、開封の人々は、仕方なく高価な物品を買い求めていたのです。

王安石は、このマージンに上限をつけ、また必要な物資は、商人を介在させずに政府が直接調達するようにしました。均輸法です。これは大商人の怒りを買いましたが、彼らの儲けが減った分、開封の市民は暮らしやすくなったのです。

(3) 特権階級の職役逃れをなくした募役法

当時、公的な仕事に必要な職役（物資の運搬や会場設営などの労務作業）は市民や農民の義務でしたが、士大夫などの特権階級はこの職役を免除されていました。この職役は非常に重かったので、特権階級を含む全員から保有資産に比例して銭納させ、そのお金で政府が人夫を雇うことにしたのです。この銭納システムを募役法といいますが、この制度も特権階級の怒りを買いました。

(4) 保甲法と保馬法

この二つは強兵策です。保甲法は常備軍を補完する治安維持組織（民兵）の立ち上げを狙った政策で、農民を組織化しようとしたものでした。一〇戸を一保、五保を大保、一〇大保を都保＝一単位、保甲とし、それぞれに長を置いて軍事訓練を施し、警防の任に当たらせたのです。兵士は、一人以上成人男子のいる戸から一人の兵士を出すと定められました。保馬法は軍馬の不足を補うために、農民に官馬を飼育させたものです。この制度は、後の明や清にも受け継がれていきます。

(5) 科挙と学校の内容を変えた三舎法

王安石は、新しく官僚養成校を設けて、キャリアとノンキャリアだけではなく、その中間のミドルキャリアを育成しようとしました。これが三舎法です。加えて科挙の内容も変えました。それまでの科挙の試験では、上手に書を書き、美文で詩を書くことが最後の決め手になっていたのですが、王安石は、現代風にいえば経済や法律のような実務に直結する科目中心の試験に切り換えました。いわば科挙は、文学部の試験から法経学部の試験へと変貌を遂げたのです。また、学校での教育内容をこれに準じて詩や修辞学に片寄らない、広く実務能力に秀でた人材を登用できる教科中心に変更しました。

(6)商人にもお金を貸し出す市易法

小売の商人は仕入れのためにお金が必要です。元手資金は、質屋から借りていましたが、ここでも青苗法と同様に暴利によるトラブルが多発していました。返せないと使用人にされて一生浮かばれなくなります。そこで、政府が低金利でお金を貸すようにしたのです。

政策金融公庫をイメージすればわかりやすいでしょう。

(7)礼制の改革。国の祭祀は天壇と地壇のみに限定

王安石は官制の改革にも努め、官僚組織の簡素化を進めました。その典型が、国の礼制の改革です。祖先を祀ることを始めとして、多くの礼制が行われていたのですが、これを天を祀る天壇と地を祀る地壇の二つに簡素化しました。これによって、祭礼にかかる費用を大幅に節約したのです。

王安石の凄いところは、これら矢継ぎ早につくった法律が、全体として完全に整合的で少しの破綻もなかったこと。目的は中間層の育成ひとつ、政府を効率的に再編し、フェアな市場をつくろうというものだったからです。これだけ緻密でみごとに整合した制度設計がなされたことは、中国の長い歴史の中でも類例がほとんど見当たりません。宰相としての王安石の能力がいかに傑出していたかという証左でしょう。

ところが不幸なことに、一〇七四年に大旱魃が起こります。これによって、天が悪政を戒めるという易姓革命の理論が頭をもたげます。司馬光に代表される守旧派、旧法党は、旱魃は王安石のせいだと訴え出ました。それも王安石びいきの神宗にではなく、皇太后即ち神宗の実母にご注進に及んだのです。新法はあまりにも整合的な政策であったが故に、その効果は絶大でした。即ち大地主や大商人の受けた打撃も、その分大きかったのです。彼らも必死でした。

神宗は英明でしたが、その母親は我が子が可愛い普通の人です。旧法党の言い分を鵜呑みにして、王安石を更迭するよう息子に圧力をかけます。そうなると神宗も弱い。旱魃は、ひょっとしたら王安石の政治のせいかもしれないと思い始めて、とうとう彼を地方へ左遷してしまったのです。

もっとも、王安石もそのままへこんではいません。彼が書いた『三経新義』は、儒教の聖典とされる『周礼』『書経』『詩経』に註釈をほどこしたものですが、科挙受験者必携の参考書になります。そうなれば、王安石が宰相をクビになっても、あるいは死んでしまっても、新法のスピリッツは受け継がれる。科挙を改革して教科書をいいものにすれば、必ず優秀な官僚が生まれてくるという王安石の考えが、この『三経新義』には込められていたのです。

彼の確信には根拠がありました。世界史の教科書などでは新法対旧法の争いと解説されていますが、旧法党には理論がない。たとえば青苗法に対しても、儒教を建前にして「国が商売をするのはおかしい」という言い方でしか反論できなかったのです。これに対して王安石は完膚なきまでに論破しています。自分は長く地方の実態を見てきたが、大地主が私腹を肥やすばかりで民にできることは何もなく、こうして二極化が進めば国力は弱くなる一方なのだ、と。『21世紀の資本』（みすず書房）で話題をさらったトマ・ピケティも、真っ青ではありませんか。

一〇七五年、神宗はもう一度、王安石を宰相に呼び戻します。しかし、皇太后のもとには守旧派が固まっていてプレッシャーをかけ続けたので、王安石もさすがに嫌気が差し、息子が亡くなったこともあって一年で辞職してしまう。やがて隠棲生活を送ることになります。

そして神宗が死去した翌年、王安石もこの世を去ります。司馬光が宰相になりますが、ほどなく彼も没してしまう。あとは新旧両派の泥仕合が繰り返されて宋は混乱に陥り、これが一一二七年の北宋滅亡の引き金になったといわれています。

では、新法は死んだのでしょうか？

答えはＮＯです。王安石が『三経新義』を著したあとに科挙にパスした人は、みんなこの参考書で学んでいますから、熱心に勉強した優秀な官僚ほど新法党になるわけです。南宋が金やモンゴルという強力な遊牧民に対して一五〇〇年も国を守れたのは、豊かな江南の経済力に加えて、こういう開明派の官僚がいたからだといえます。

王安石の思想は、資本主義の理論に修正を求めたケインズの近代経済学を支持する人々（ケインジアン）や、重商主義や富国強兵策を、国による統制を前提として推進したコルベールの考えに近かったと思います。時代を何百年も先取りしていました。

王安石の政策を宋がずっと継続していたら、この時代に中国は近代国家になっていたかもしれないという歴史学者もいます。しかし、あまりにも時代に先んじていたがゆえに挫折したのでしょう。

神宗の子である八代、徽宗（在位一一〇〇―一一二六）は、王安石の功績を称え、孔子廟に祀りました。孔子の生地、魯の国（現・山東省）にある孔子廟には、孔子に次いで一番弟子の顔回や孔子の後継者というべき孟子が祀られていますが、王安石はそれに次ぐ地位が与えられたのです。いかに彼が高い評価を得ていたかがわかります。ただし、祀られていたのは一三世紀の中頃までのこと。そのわけは後で話します。

一〇七六年、陝西省の藍田で、呂大鈞（一〇二九―八〇）が教化と修養、相互扶助を目的とした郷約（郷人が守るべき規約）を作成しました。そして郷約の実行を見守るために、毎月会合を持つようになりました。自助的、自立的な村落が生まれようとしていたのです。なお、日本で村落が形を整え始めるのは三〇〇年後の室町時代に入ってからのことになります。

「唐宋八大家」 優れた文章を残した唐の韓愈、柳宗元、宋の欧陽脩、蘇洵、蘇軾、蘇轍、曾鞏、王安石の八人を指します。蘇洵の長子で旧法党の蘇軾（蘇東坡）は、宋代最高の詩人、書家でもあり、東坡肉や杭州西湖に今も残る蘇堤（白堤は、白居易によるもの。杭州は、二人の著名な文人知事の赴任地でした）でも有名です。蘇轍は、蘇軾の実弟です。

†イスラームのインド、アフリカ浸透とセルジューク朝の台頭

突厥やウイグル（回紇）という大遊牧民国家を樹立したトルコ族は、ウイグルがキルギスによって滅ぼされた後、西方に移動しました。西域はすでにイスラーム化していましたので、彼らは集団単位でイスラームを受容しました。イスラームに改宗した集団をトゥルクマーンと呼びます。トゥルクマーンは、マムルーク輩出の母体となりました。サーマーン朝のマムルークであったトゥルクマーン出身のアルプ・テギーンは、九六二年に独立してガズナ朝（―一一八七）を建てました。

九九八年に即位したガズナ朝の英主、七代、マフムード（在位―一〇三〇）は、ホラーサー

ンの支配権を確立すると、矛先をインドに向けました。九九九年には、サーマーン朝がカラハン朝（おそらく突厥の後裔で、中央ユーラシアで最初にイスラーム化したトルコ族の王朝。八四〇―一二一二）によって滅ぼされています。ウマイヤ朝、アッバース朝以来、西インドには、海路、イスラーム教が伝えられ、シンド地方（インダス川河口、カラチの周辺）は、イスラーム世界に組み込まれていました。また、グジャラートにもイスラームのコミュニティが存在していました。

一〇〇〇年、インド侵入を開始したマフムードは、ペシャワール（一〇〇一）、シンド（一〇一〇）と併合を進め、一〇一八年には、ガンジス河畔の首都、カナウジを落として、北インドのプラティハーラ朝を滅ぼしました。インドの心臓部に、初めてイスラームが到達したのです。

その頃、父、ラージャラージャ一世（在位九八五―一〇一六）の雄図（ゆうと）を受け継いだチョーラ朝の英傑、ラージェーンドラ一世（在位一〇一二―一〇四四）が、スリランカやオリッサ地方など南インドでさらに勢力を拡大していました。この父子は、宋に三回使節を送っています。海のインドと海の中国の交流です。ラージェーンドラ一世は、いずれ、オリッサ地方を北上してガンジス川まで軍を進めることになるでしょう（一〇二二年、遠征軍をおくりました）。

北インドと南インドで、ガズナ朝とチョーラ朝は、極盛期を迎えつつありました。ガズナ朝は、トルコ人マムルークとペルシャ人官僚に支えられていました。この基本構図は、後のデリ

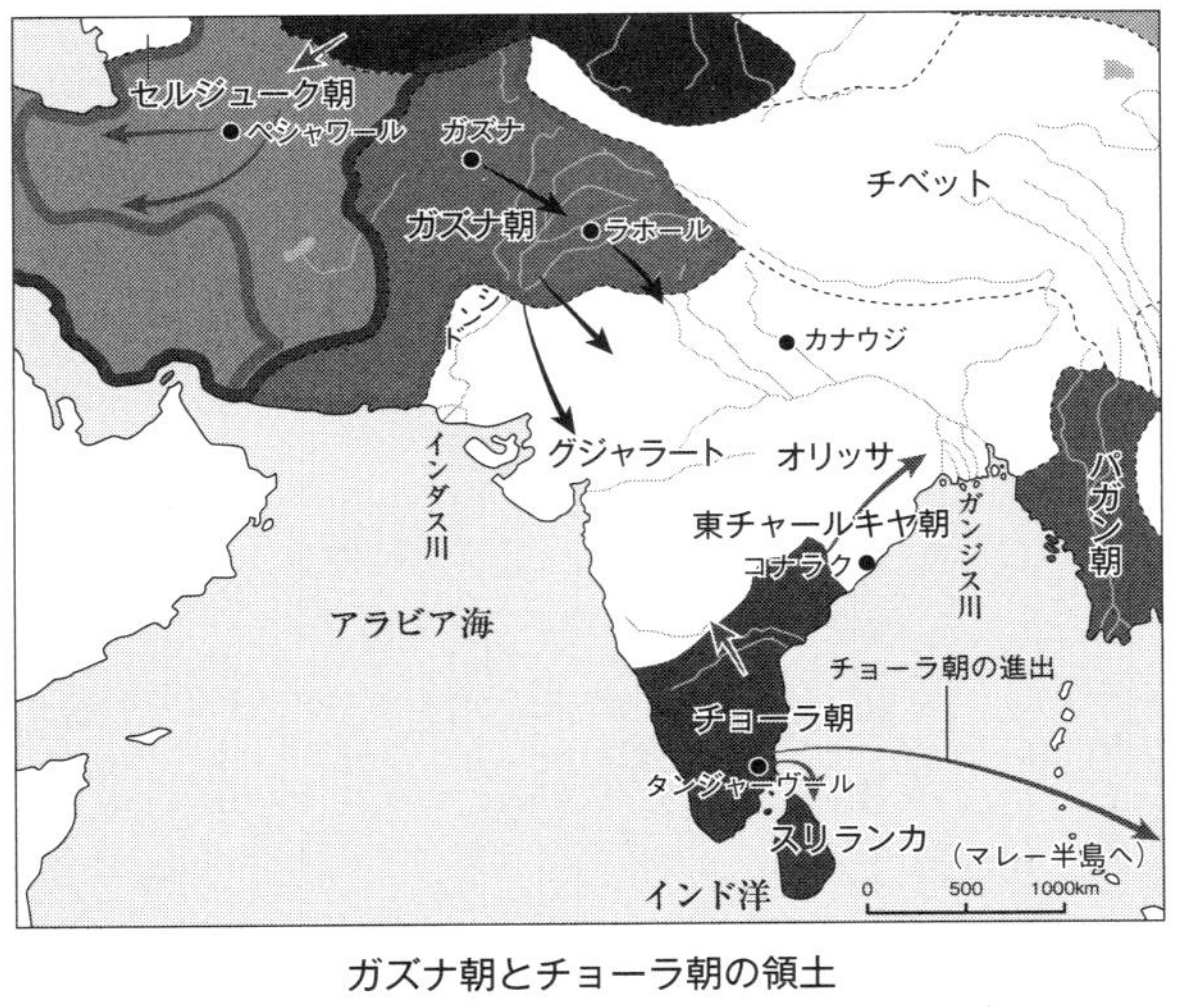

ガズナ朝とチョーラ朝の領土

ー諸王朝にも受け継がれることになります。首都、ガズナ（現在のアフガニスタン）は、インドの富に溢れ、華やかな宮廷文化が花開きました。マフムードは、また、アッバース朝のカリフからスルターン（権力、権威の意味で王や皇帝を指す言葉）の称号を最初に授けられた君主としても知られています。

ペルシャの国民的詩人、フェルドウスィー（九三四－一〇二五）は、マフムードに『王書（シャー・ナーメ）』を捧げました。これは、運命の車輪に翻弄される伝説のペルシャ王や、英雄の物語であって、この後、平家物語のように、広くイラーン各地で謡われ語り継がれて行くことになるでしょう。

また、アリストテレス哲学を極めた万能の人、イブン・スィーナー（九八〇－一〇三七）と並ぶ稀代の大科学者ビールーニー（九七三―一〇四八）は、マフムードに従ってインドに赴き『インド誌』を遺しましたが、これは、長くイスラーム世界のインドに対する百科事典となりました。

チョーラ朝の栄華は、新首都、タンジャーヴール（タンジョール）にラージャラージャ一世が造営したシヴァ寺院、ブリハディーシュヴァラ（世界遺産）に偲ぶことができます。チョーラ朝下の南インドでは、ナタラージャ（宇宙の踊りを踊るシヴァ神）に対する信仰が強まり、ブロンズのナタラージャ像が数多く造られました。一〇二四年、マフムードは、ヒンドゥー教の聖地の一つであるグジャラートのソームナート寺院を攻略し、破壊、略奪を行いました。インド独立後の一九四七年、内相パテールはソームナートを訪れ、ヒンドゥー寺院の再建を呼びかけます。これは、ヒンドゥー至上主義の小さな出発点でした。一〇二五年、ラージェーンドラ一世は、当時、マラッカ海峡を支配していたシュリーヴィジャヤ王国（六五〇―一三七七）に遠征軍を送り、マレー半島の中部を一時占領しました。海のインド、チョーラ朝の領土は、極大化したのです。

ナタラージャ像

中央アジアから西アジアにかけて勃興を始めたトゥル

クマーンの中で、最初に台頭したセルジューク勢力は、マフムードに一蹴されましたが、その死後、国勢を回復し、一〇三八年、トゥグリル・ベク（在位一一〇六三）が、ニーシャープールで、セルジューク朝（一一一九四）を開きました。一〇四〇年にはダンダーンカーンの戦いでガズナ朝を破り、ホラーサーンを支配下に置きました。北方のカラハン朝は、一〇四一年、東西に分裂しました。群雄割拠のバグダードでは、秩序の回復を願って、アッバース朝のカリフ、カーイム（在位一〇三一―七五）が、一〇四二年、トゥグリル・ベクをバグダードに招請しました。

トゥグリル・ベク

一〇五五年、トゥグリル・ベクはバグダードに入城し、カリフからスルターンの称号を授けられました。チグリス川を渡るとき、臣下が「感無量です。これまでトルコ人はマムルークとしてこの川を渡りましたが、貴方は初めて君主として渡るのです」と語ったというエピソードが伝えられています。セルジューク朝は、一〇六二年に、ブワイフ朝を滅ぼし、イラーン、イラク全土を支配下に収めました。

一一世紀に入り、アフリカでは、イスラーム教のエジプトからスーダンへの布教が進んでいました。その頃西アフリカでは、原始宗教の古ガーナ王国が最盛期を迎えていました。一〇五六年、セネガル河口の小島のラービタ（城塞修道場）の騎士修道士（ムラービトゥーン）のリーダー、アブー・バクル（在位—一〇八八）が、ベルベル系のムラービト朝（—一一四七）を建国しました。アブー・バクルは、モロッコの征服を従弟のユースフ・ブン・ターシュフィーン（在位一〇六一—一一〇七）に委ね、自らは、新たな布教を目指して南下し、古ガーナ王国の征服に乗り出しました。

一〇七六年、古ガーナ王国は滅び、イスラームの教えは、陸路、西アフリカ、中央アフリカに根を下ろすことになりました。一方、東アフリカには、海路、ムスリム商人によってイスラーム教が伝えられたのです。こうして、イスラーム教はエジプト、モロッコ、東アフリカの三方からアフリカを席巻したのです。ところで、ムラービト朝の後事を託されたユースフもまた、傑出した指導者でした。自ら、首都マラケシュの建設（一〇六二）に携わり、間もなくモロッコ全土を手中に収めたのです。

一〇六六年、セルジューク朝では、二代スルターン、アルプ・アルスラーン（在位一〇六三—七二）が、一族の有力者に重要な州をイクターとして授与しました。これがセルジューク朝の分立化、地方分権化の遠因となりました。

アルプ・アルスラーンは、ペルシャ人のアタベク（養育係）、ニザーム・アル＝ムルク（ニザームルムルク。一〇一八—九二）をワズィール（宰相）として政権の強化に努め、東ローマ帝国へ進軍、一〇六五年には、アルメニアの首都、アニを落とし、一〇七一年には、マラズギルトの戦いでローマ軍に大勝し、ローマ皇帝ロマノス四世（在位一〇六八―七一）を捕虜にしました。アナトリア半島からローマ軍が一掃されたのです。

手薄になったアナトリアには、無頼のトゥルクマーンが侵入し始め、これ以降、アナトリアのトルコ化が、進むことになるのです。一〇六七年、優れた学者でもあったニザームは、バグダードに、スンナ派の最高学府、ニザーミーヤ学院を設立しました。カイロを拠点とする、イスマーイール派（ファーティマ朝を興したシーア派の一派）の教宣活動に対抗しようと企図したのです。

ニザーミーヤ学院では、ガザーリー（一〇五八―一一一一）など当代一流の碩学が教鞭を執りました。ガザーリーは、アルガゼルの名で西ヨーロッパにも知られた大哲学者で、その著『誤りから救うもの』は、アウグスティヌスの『告白』と並ぶ自伝的名著です。ガザーリーは、アリストテレス哲学の頂点を極めたイブン・スィーナーを、経験論的立場から批判しましたが、後に、アリストテレス注釈の最高権威イブン・ルシュド（一一二六―九八）から批判されることになります。

ニザーミーヤ学院は、イスファハーン、ニーシャープール、ヘラート、メルブなどにも開設され、セルジューク朝没落後も、一四～一五世紀まで、命脈を保ちました。セルジューク朝の時代には、モスクに代わってマドラサ（教育機関）で、教育が行われるようになりましたが、マドラサを中心とした複合的な公共施設は、ワクフ（寄進財産）によって賄われました。ニザーミーヤ学院は、そうしたマドラサの頂点に位置するものだったのです。

一〇七二年、三代スルターン、マリク・シャー（在位一〇七二―一〇九二）が即位しましたが、大宰相ニザームの権威は揺るがず、スルターンの仕事は狩猟だけと噂される有様でした。一〇七四年、マリク・シャーは帝国の中央に位置するエスファルーンに王都を定めました。この時代に、セルジューク朝は、絶頂期を迎えたのです。

ニザームは、著名な天文学者ウマル・ハイヤーム（一〇四八―一一三一）に、ジャラーリー暦（グレゴリウス暦より正確な太陽暦。なお、ウマルは、四行詩集『ルバイヤート』の作者としても有名です）を作成させました。また、自らも帝王の事績等を集めた『統治の書』（一〇九一年）を著わしました。『統治の書』は岩波書店から邦訳が出ています。

地方政権が自立し、国勢が衰え始めたファーティマ朝では、一〇七二年、アルメニア人軍団長、バドル・アルジャマーリーがワズィールに就任、以降、軍人出身のワズィールが実権を掌握することになりました。一〇七七年、セルジューク一族のスライマーン（在位一〇七七―一〇八六）が、アナトリアで自立しました。この地方政権を、ルーム・セルジューク朝（一〇七七―一三〇八）と呼びます。ルームとはローマの意味です。

シリア方面では、先行してシリアやエルサレムなどを荒らしていたトゥルクマーンを制御すべく派遣されたマリク・シャーの弟、トゥトゥシュ（在位一〇九五）が、一〇八五年、シリア・セルジューク朝を開いて、ファーティマ朝の勢力を一掃しました。しかし、ルーム朝とシリア朝が争い、また、シリア朝も分裂するなど、中近東におけるセルジューク朝の勢力はバラバラになりつつありました。

一〇八六年、スペインのイスラーム諸国に請われて、アンダルスに出兵したムラービト朝のユースフは、カスティージャ王、アルフォンソ六世（在位一〇七二─一一〇九）率いるキリスト教諸国の連合軍をサグラハス（サラカ）の戦いで打ち破りました。しかし、アフリカに引き揚げたユースフは、アンダルスのイスラーム政権が、あい争い、せっかくの勝利を台無しにしかねないことを深く憂慮していました。堕落した（とユースフには見えたのです）アンダルスの分裂政権に彼自らが取って代わるしか、最終的な解決法は見つからないでしょう。

一〇九〇年、イスマーイール派の分派ニザール派のハサン・サッバーフ（生年不詳─一一二四）が、アラムートの山城を奪取して、根拠地としました。一〇九二年、セルジューク朝の大宰相ニザームが暗殺されました。暗殺者は後継者争いを巡って対立していたマリク・シャーの妃ともニザール派ともいわれています。ニザール派は、暗殺教団として恐れられ、スンナ派からは、大麻吸引者（ハッシシーン）と軽蔑されました（暗殺、アサッシンの語源）。

同年、マリク・シャーも没し、その後、スルターン位を巡ってセルジューク朝（本家）には、深刻な内紛が生じました。母を異にするマリク・シャーの子どもたちが争ったのです。後述する十字軍にとっては、これ以上の状況は望めないような事態が生じていたのです。

ニザームの暗殺

†レプブリケ・マリナーレ（海の共和国）

ユーラシアの気候の温暖化は、辺境の西ヨーロッパでも、人口の増加をもたらしました。一一世紀に入って重量犂（すき）が普及し、農業の生産性が向上しました。こうした富の蓄積は、まず教会の建築（ロマネスクの聖堂）に向けられたのです。

一一世紀初頭（一〇一六）には、ジェーノヴァとピサが協力して、西地中海のイスラーム海軍（スペインの小王国群タイファ諸国の一つ、デニアの遠征隊）を打ち破り、サルデーニャ島を防衛しました。九世紀以降、台頭してきたイタリアの四つの「海の共和国」（レプブリケ・マリナーレ）が、表舞台に登場してきたのです。他はアマルフィ、ピサ、ジェーノヴァ、ヴェネツィア。

イタリアでは、七七四年にフランク王、シャルルマーニュがランゴバルド王国を滅ぼし、ロンバルディアの鉄王冠（コーローナ・フェッレア）を戴いてイタリアの王位に就きました。首都はパヴィアです。ただし領土はイタリア半島の北部に限られ、フィレンツェやローマは含まれませんでした。イタリア王国は、八五五年、シャルルマーニュのひ孫にあたるローマ皇帝ロドヴィコ二世（ルートヴィヒ二世）（在位八五〇―八七五）の時代にフランク王国から独立しましたが、王権は弱体で独立した政体として機能したのは一〇〇年足らずでした。一〇世紀には東フランク王国の傘下に置かれ、ドイツのザクセン朝がイタリアを支配しました。

鉄王冠（コーローナ・フェッレア）

九五六年、ザクセン朝のオットー一世から、国王証書で独自の慣習と所有権を保証されたジェーノヴァは、一〇〇五年に共和国（都市領邦）として自立、さっそく海に乗り出しました。

イタリア中部では、八一二年にトスカーナ辺境伯領が成立しました。首都はルッカに置かれましたが、北ティレニア海の主要港であったピサが台頭し、早くも九世紀には北アフリカのイスラーム勢力を脅かすまでになりました。そして、一〇〇三年にはルッカから自立しました。

美しい海岸線で有名なアマルフィは、もとは東ローマ帝国系のナポリ公国の支配下にありましたが、八三九年に自立して、一〇世紀の後半に最盛期を迎えます。レプブリケ・マリナーレの先陣を切ったアマルフィは、しかし、一〇七三年に南イタリアに侵入したノルマン人の首領、ロベルト・イル・グィスカルド（一〇一五―八五）によって征服され独立を失いました。

レプブリケ・マリナーレの中で、唯一アドリア海に面したヴェネツィアは、イタリアに侵入したフン族やランゴバルド人たちに対抗した沿岸湖沼地帯の相互扶助組織からスタートしたと考えられています。伝承によると六九七年に最初のドージェ（統領）が誕生したとされていますが、歴史的には七二六年にドージェ、オルソ・イパートが東ローマ帝国からドゥクス（公）の称号を与えられたのが最初の記録です。

四つの海の共和国の旗を入れたイタリア海軍旗

当時はエラクレーアに本拠が置かれていましたが、後にマラモッコに移ります。九世紀始めに侵入したフランク王国軍に追われ、さらにヴェネツィア本島へと本拠を移しました。八一〇年、フランク軍を退けたヴェネツィアは、独立を達成しました。そして、八二八年には、福音記者マルコの遺体をアレクサンドリアからヴェネツィアへと運び町の守護聖人としたのです。

九九一年にドージェに就任したピエトロ・オルセオロ二世（在位九九一―一〇〇八）は、東ローマ皇帝バシレイオス二世（在位九七六―一〇二五）から金印勅書を獲得して、東ローマ帝国内での免税特

ハーキム

権を得ることに成功しました。現在でも行われている海との結婚の儀式を始めたのもピエトロの時代です。アドリア海の女王、ヴェネツィアの時代が始まろうとしていました。

†ヴァイキングのイングランドへの侵入

一〇〇二年、後ウマイヤ朝の極盛期を築いた名宰相、マンスールが没し、スペイン北部のキリスト教国は安堵しました。後ウマイヤ朝の胸を撫で下ろしました。この後、後ウマイヤ朝は、二九年の間に一〇人のカリフが擁立されるという内紛が生じ分裂に向かって行きます。

一〇〇五年、エジプトのファーティマ朝の六代カリフ、ハーキム（在位九九六―一〇二一）は、カイロに、知恵の館（ダール・アル＝イルム）を建設し、バグダードから、知の都を奪う決意を示しました。カイロでは、光学の父、イブン・アル＝ハイサム（九六五―一〇四〇）などギリシャ、ヘレニズム以来の自然科学が目覚ましく発展しました。ハーキムは、厳格なイスマーイール派の教義を信じており、飲酒や歌舞音曲を禁止して、これまでキリスト教徒の自治に委ねられていたエルサレムの聖墳墓教会を破壊しました。ある夜、いつものように砂漠に散歩に出かけたハーキムは、そのまま行方不明となりました。ハーキムはお隠れ（ガイバ）に入ったとし、復活の日にマフディー（救世主）として再臨すると信じてハーキムを神格化した分派が、今日のドゥルーズ派となったのです。

一〇〇八年、ユングリング家のオーロフ・シェートコヌング（在位九九五―一〇二二）が受洗し、北欧で最も遅くまで異教の影響力が残っていたスウェーデンのキリスト教化が進み始めました。因みにデンマークではゴーム家のハーラル一世青歯王（在位九五八頃―九八五頃）、ノルウェーではユングリング家のオーラヴ一世（在位九九五―一〇〇〇）がそれぞれ受洗してキリスト教化を進めています。北欧は、俗にヴァイキング時代と呼ばれるように、群雄割拠の状況にありました。

イングランドでは、八世紀末以降本格的な侵入を開始したデーン人とアングロ・サクソン七王国（ヘプターキー。ただし七という数字は象徴的なもので実際には多数の群小王国があったものと考えられています）との間で争いが続いていましたが、八七八年にウェセックス王アルフレッド（在位八七一―八九九）は、デーン人の首領グスルム（イーストアングリア王。在位八七九―八九〇）とウェドモーアの和議を結び、デーン人を北東部地域（デーンロウ）に押しとどめました。さらに八八六年、アルフレッドはロンドンを奪回して、第二の和約を結びました。

しかし、その後も、ヴァイキングの侵入は止まず、ハーラル一世青歯王の子、スヴェン一世

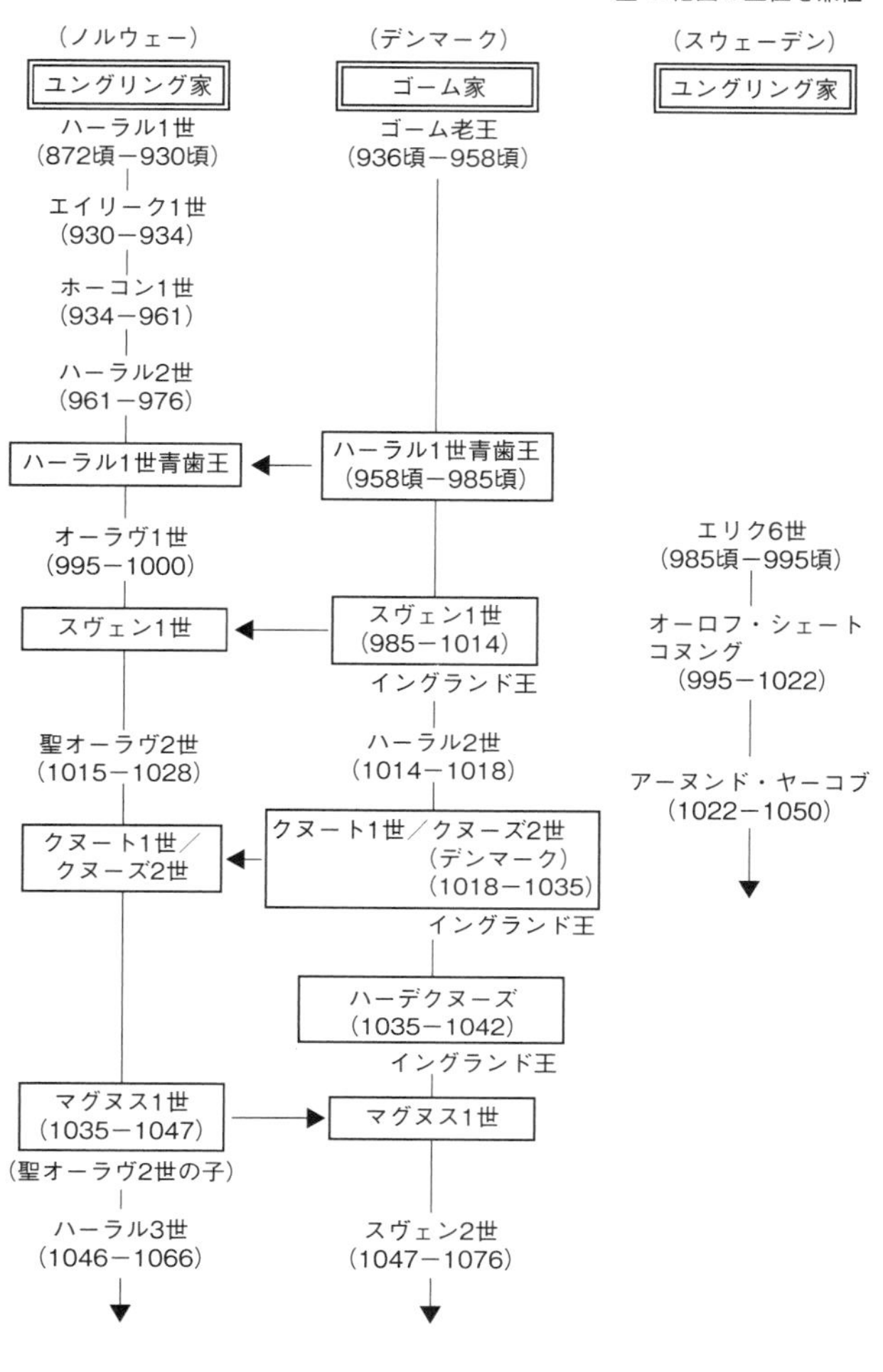
□ は他国の王位を兼任
（ノルウェー）
ユングリング家
ハーラル1世
（872頃－930頃）
エイリーク1世
（930－934）
ホーコン1世
（934－961）
ハーラル2世
（961－976）
ハーラル1世青歯王
オーラヴ1世
（995－1000）
スヴェン1世
聖オーラヴ2世
（1015－1028）
クヌート1世／
クヌーズ2世
マグヌス1世
（1035－1047）
（聖オーラヴ2世の子）
ハーラル3世
（1046－1066）
（デンマーク）
ゴーム家
ゴーム老王
（936頃－958頃）
ハーラル1世青歯王
（958頃－985頃）
スヴェン1世
（985－1014）
イングランド王
ハーラル2世
（1014－1018）
クヌート1世／クヌーズ2世
（デンマーク）
（1018－1035）
イングランド王
ハーデクヌーズ
（1035－1042）
イングランド王
マグヌス1世
スヴェン2世
（1047－1076）
（スウェーデン）
ユングリング家
エリク6世
（985頃－995頃）
オーロフ・シェート
コヌング
（995－1022）
アーヌンド・ヤーコブ
（1022－1050）
北欧王家の初期系図（ヴァイキング時代）

（在位九八五―一〇一四）は、一〇一三年にウェセックス王エゼルレッド二世（在位九七八―一〇一三）を破り、イングランドの王位に就きました。スヴェン一世は、一〇〇〇年にオーラヴ一世をスヴォルドの海戦で破り、ノルウェー王位に就いていましたので、これで三王国を支配したことになります。北海帝国が出現したのです。しかし、スヴェン一世は翌一〇一四年に急死します。デンマーク王位は、息子ハーラル二世（在位一〇一四―一〇一八）が、ノルウェー王位はユングリング家の聖オーラヴ二世（在位一〇一五―一〇二八）が継ぐことになりました。

イングランドではエゼルレッド二世が復位しましたが、（エゼルレッドの死後はエドマンド二世が後を継ぎました）スヴェン一世の子で父とともにイングランドに渡っていたクヌート一世（在位一〇一六―一〇三五）が一〇一六年、アングロ・サクソン諸侯に推挙されてイングランド王に就任、エゼルレッド二世の妻であったノルマンディー公の娘エマ（ノルマンの宝石と称えられました）と結婚します。二人の間には一人息子、ハーデクヌーズが生まれました。

デーンロウ

クヌート一世は、一〇一八年に兄のハーラル二世が没するとデンマーク王位をも継承します。その後はノルウェーやスウェーデンに遠征して勢力を拡大し、一

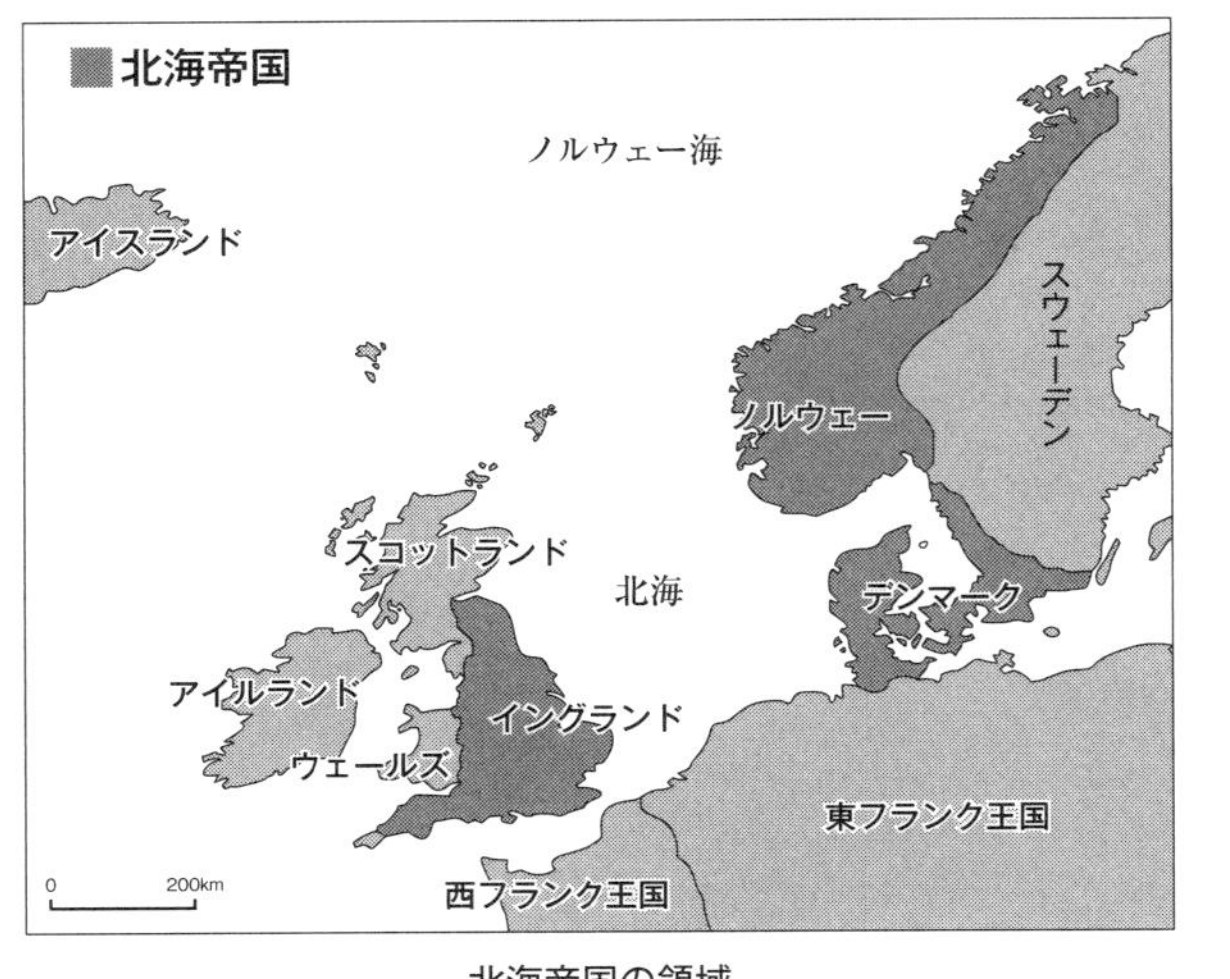

北海帝国の領域

〇二八年には聖オーラヴ二世をキエフに放逐してノルウェー王位をも手に入れました。ここに、海を越えた巨大な北海帝国（クヌート一世による同君連合）が再度、成立をみたのです。

ドイツでは、オットー一世（大帝）を生んだザクセン朝が一〇二四年に断絶し、オッペンハイムの諸侯会議でコンラート二世（在位一〇二四－一〇三九）がドイツ王に選出されました。ザーリアー朝が始まったのです。ザーリアーの名称はクローヴィスを生んだフランク族のサリー部族から来ているといわれています。フランク王国の正統を任じる気概がうかがえます。

なお、コンラート二世はオットー大帝の女系の玄孫にあたります。コンラート二世は、ザクセン朝が推進したイタリア政策を引き継ぎ、一〇二六年にイタリア遠征を敢行しました。そして、一〇二七年、ローマでローマ皇帝として戴冠しました。

この戴冠式にはクヌート一世も列席しています。以降、約一〇〇年にわたってザーリアー朝がドイツ王、ローマ皇帝位を世襲することになるのです。コンラート二世は自らが建設させたシュパイアー大聖堂に葬られましたが、ここはザーリアー朝の帝廟となりました。

一〇三五年、クヌート一世が没すると、後継者争いが起こりました。クヌート一世とエマの一人息子ハーデクヌーズは、クヌート一世が死去した時デンマークに在住しており、直ちにデンマーク王として即位しましたが、追放されていたオーラヴ二世の子マグヌス一世（在位一〇三五―四七）がノルウェー貴族に迎えられてノルウェー王に即位したため、二人の間で争いが生じてハーデクヌーズはイングランドに出発できなくなってしまったのです。

それに乗じて、クヌート一世の先妻、エルギフの子、ハロルド一世（在位一〇三七―四〇）がイングランド王位を称しました。怒ったエマは一〇三六年にノルマンディーに亡命していた（先夫との間に生まれた子ども）エドワードと反乱を企てましたが、失敗してフランドルに亡命しました。

コンラート2世（中央）

マグヌス一世との間で合意を取りつけたハーデクヌーズが、一〇三九年にフランドルに到着し、エマとイングランド侵攻の準備をしている最中に、ハロルド一世は病死してしまいます。一〇四〇年の出来事でした。ハーデクヌーズはハロルド一世の死体を掘り起こし、首を切って、沼地に放擲したと伝えられています。

独身だったハーデクヌーズは、母エマの子で異父兄に当たるエドワードを後継者としました。こうしてハーデクヌーズの死後、イングランドでは、エゼルレッド二世の子、聖エドワード懺悔王（在位一〇四二―六六）が王位についたのです。ウエストミンスター寺院を建立したエドワードはアルビノ（白子症）でしたが、後に列聖されて聖人となりました。

シュパイアー大聖堂

エドワードは二〇年ほど母エマの故郷があるノルマンディーに亡命してその宮廷で過ごしていましたので、ノルマンディー公ギヨーム二世（在位一〇三五―八七）とは親しい仲でした。後にギヨーム二世は、子どものいないエドワードから後継に指名されたと主張することになり

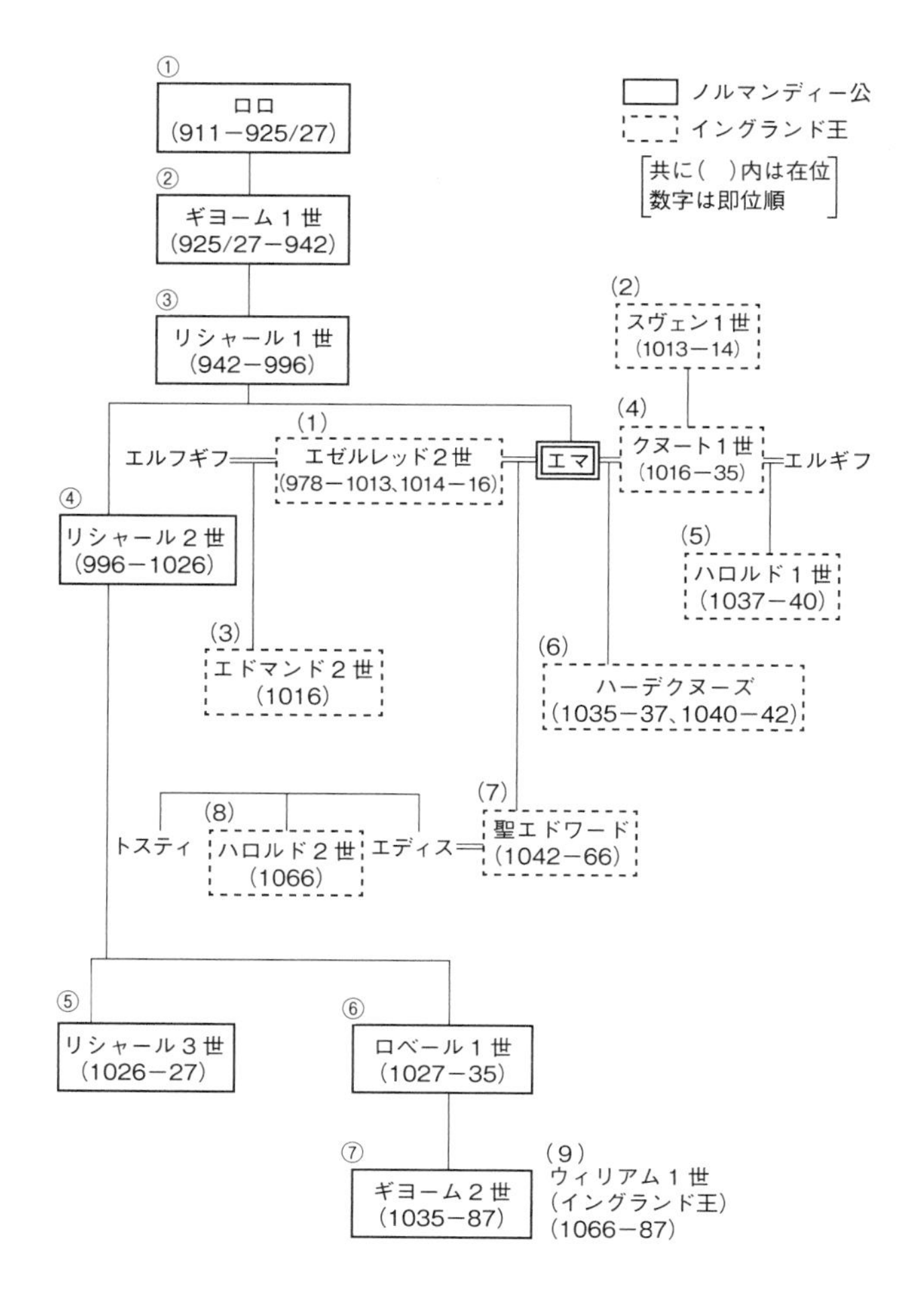

ノルマンディー公の系図

ます。

一〇六六年にエドワードが亡くなると義兄のハロルド二世（在位一〇六六）が後を継ぎました。これに対してハロルド二世の弟トスティは、マグヌス一世を実力で追放したノルウェー王ハーラル三世（在位一〇四六–六六）と組んでスタンフォード・ブリッジの戦いに臨みますが、ハロルド二世に敗れて二人共戦死しました。

こうして北方からの脅威は去りましたが、直後に、ノルマンディー公ギヨーム二世がイングランドに上陸、ヘイスティングズの戦いで今度はハロルド二世が戦死、ギヨーム二世がイングランド王位に就き、ウィリアム一世と名乗ることになります。ギヨーム二世は、ハロ

ヘイスティングズの戦い（バイユーのタペストリー）

ルド二世がノルマンディーを訪れた際、臣従の礼を取り、ギヨーム二世のイングランド王位継承を支持することを約束していたと主張、ローマ教皇もそれを認めました。ギヨーム二世は万全の備えでイングランドに乗り込んだのです。これをノルマン・コンクェストと呼んでいます。

ここから現在のエリザベス二世へと続くイングランド王室の歴史が始まったのです。イングランドはアングル人の国という意味ですが、実態に即していえば、ノルマンランドと呼んだ方が正確でしょう。こうしてフランス王の臣下の一人（ノルマンディー公）が、イングランドの王位を兼ねることになったのです。

†東ローマ帝国の最盛期とノルマン人の南イタリア征服

ここで話を少し戻します。一〇一八年、マケドニア朝の東ローマ皇帝バシレイオス二世（在位九七六—一〇二五）が、三〇〇年以上続いたブルガリア帝国を滅ぼし、全バルカン半島を再び東ローマの支配下に置きました。大勝した一〇一四年のクレディオンの戦いでは、捕虜の両目を潰して送還し、それにショックを受けたブルガリア皇帝サムイルは卒倒して死去したといわれています。このことから、バシレイオス二世には「ブルガリア人殺し」というニックネームがつけられました。南イタリアも再び傘下に入り、マケドニア朝の下で東ローマ帝国は最盛期を迎えたのです。しかし、独身で没した偉大な皇帝

バシレイオス２世

の後を受けた後継者達は無能で、国勢は傾き始めました。一〇三一年、後ウマイヤ朝が滅び、スペインのイスラーム政権は、四〇を超える小王国（タイファ）の時代に入りましたが、スペイン・イスラームの文化は、これから最盛期を迎えることになります。小王国の中では、セビージャ、トレード、サラゴーサなどが有力でした。

一〇三五年、カスティージャ王国とアラゴン王国が成立しました。一〇五四年、ローマ教皇とコンスタンティノープル総主教は、南イタリアの教会の帰属等を巡って相互に破門し合い、東西教会は最終的に分裂しました（大シスマ）。相互破門状態が解消されたのは、一九六五年のことになります。

イタリアでは、地中海貿易に従事するアマルフィやピサが全盛期を迎えていました。一〇六三年には、ピサの大聖堂の建設が始まっています。ところで、ノルマンディーの片隅にオートヴィルという村があり、子沢山（十二人）のタンクレードという領主が治めていました。小村ではご飯が食べられないと考えた息子たち、鉄腕グリエルモ一世、ドロゴーネ、ウンフレード、ロベルト・イル・グィスカルド、ルッジェーロ一世たちは、夢を求めて南イタリアに渡ってきました。当時の南イタリアは、ランゴバルド系の三公国や東ローマ帝国の領土などが輻輳しておそれに争い、シチリアはイスラーム教徒の手中にありました。ノルマン人は、傭兵として歓迎されたのです。

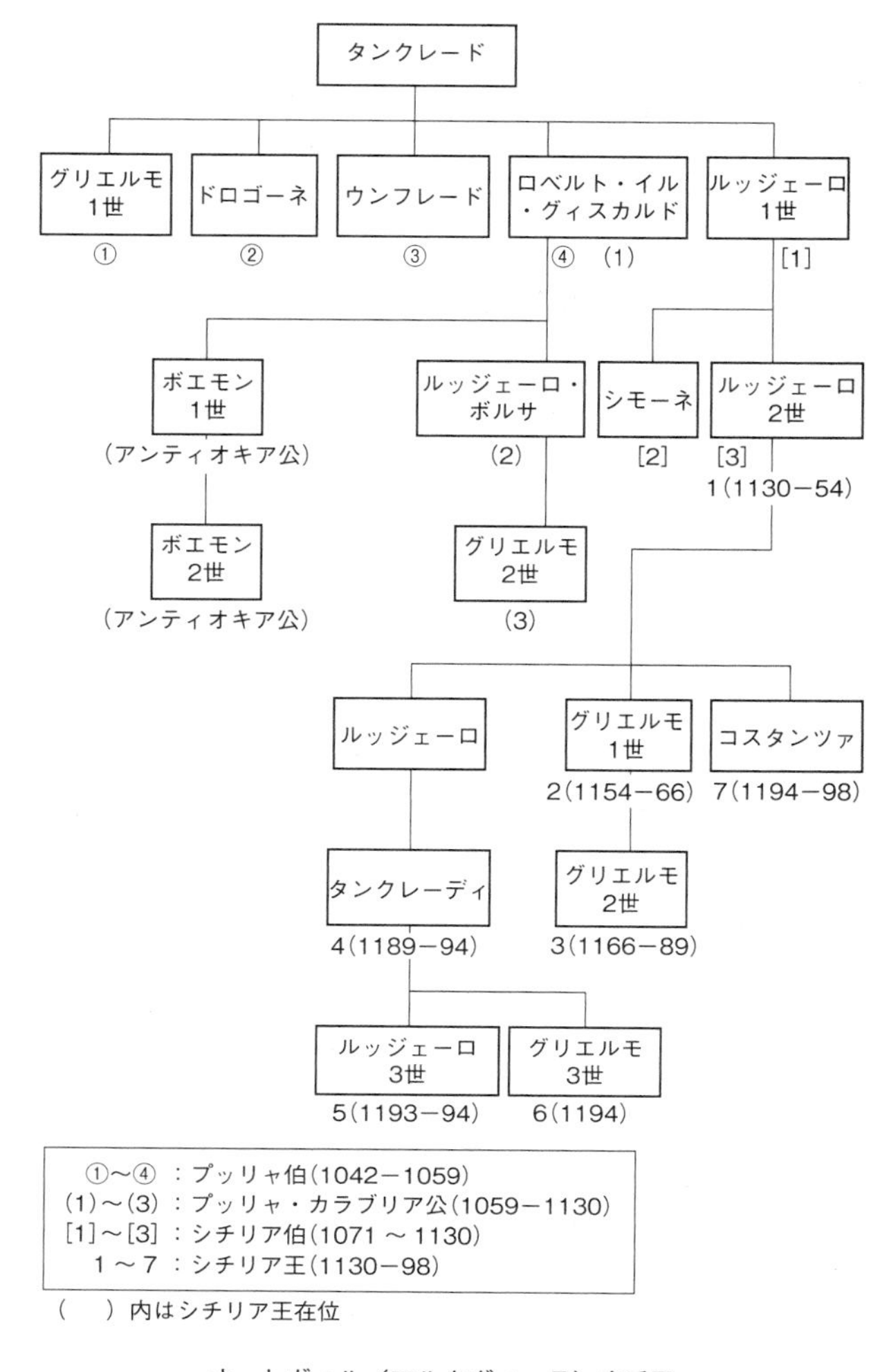
タンクレード
グリエルモ 1世
①
ドロゴーネ
②
ウンフレード
③
ロベルト・イル・グィスカルド
④ (1)
ルッジェーロ 1世
[1]
ボエモン 1世
(アンティオキア公)
ボエモン 2世
(アンティオキア公)
ルッジェーロ・ボルサ
(2)
グリエルモ 2世
(3)
シモーネ
[2]
ルッジェーロ 2世
[3]
1(1130−54)
ルッジェーロ
タンクレーディ
4(1189−94)
ルッジェーロ 3世
5(1193−94)
グリエルモ 3世
6(1194)
グリエルモ 1世
2(1154−66)
グリエルモ 2世
3(1166−89)
コスタンツァ
7(1194−98)
①〜④ ：プッリャ伯(1042−1059)
(1)〜(3) ：プッリャ・カラブリア公(1059−1130)
[1]〜[3] ：シチリア伯(1071 〜 1130)
1 〜 7 ：シチリア王(1130−98)
(　) 内はシチリア王在位

オートヴィル（アルタヴィッラ）家系図

ロベルト・イル・グィスカルド（プッリャ・カラブリア公）

ルッジェーロ１世（シチリア伯）

ところで、ノルマン人が南イタリアを訪れるようになったのは一〇世紀末頃からではないかと考えられています。その頃から西ヨーロッパでは聖地巡礼が盛んとなり、エルサレムに詣でたノルマン人の一部が帰途南イタリアで傭兵として働くようになったのです。

東ローマ帝国は、一〇三八年から一〇四〇年にかけてイスラームのカルビ朝が支配するシチリア遠征を敢行しましたが、グリエルモ一世（一〇一〇―四六）はシラクサ包囲戦で活躍して「鉄腕」と称されました。そして一〇四二年、ノルマン人によって指導者（プッリャ伯）に選出されました。この地位は、ドロゴーネ、ウンフレードと兄弟間で継承されることになります。

一〇四七年にノルマンディーを出たロベルト（一〇一五―八五）は、一〇五七年にウンフレードの後を継いでプッリャ伯となり、弟のルッジェーロ一世（一〇三一―一一〇一）とともに、南イタリアの征服を進めます。一〇五九年には、ロベルトの支援により登位したローマ教皇ニコラウス二世（在位一〇五九―六一）が、ノルマン人をさらに手懐けようと考えてロベルトをプッリャ・カラブリア公に封じました。もっとも、プッリャやカラブリアは東ローマ帝国の影響下にあり、実際は「攻め取れば公になれる」という意味でした。

ロベルトは一〇七一年の春に、東ローマ帝国の南イタリア支配の拠点であったバーリを陥落させ、イタリア半島から東ローマ帝国の勢力を追い払います。一〇七一年は、東ローマ帝国にとって災禍の年となりました。バーリの喪失後、四カ月後にはマラズギルトの戦いでセルジュ―ク朝に大敗して、アナトリアをも失うことになったからです。これ以降、東ローマ帝国は軍事力よりも外交に力を注ぐようになります。

一〇七二年にパレルモを落としたロベルトは、ルッジェーロ一世をシチリア伯に任じました。その後、ロベルトは、一〇七三年にアマルフィを、一〇七七年にはランゴバルド系のベネヴェント公国やサレルノ公国を支配下に収め、ほぼ南イタリア全域を統一しました。政略に長けたロベルトは、ロベルト・イル・グィスカルド（狡猾な人）と呼ばれるようになりました。

†叙任権闘争

一〇三二年に登位したローマ教皇ベネディクトゥス九世は、退位と復位を繰り返し前後三期にわたって在位した特異な教皇で、私生活が極端に乱れていたようです。一〇四五年には三人の教皇が鼎立する異常事態となり、ザーリア朝二代目のローマ皇帝ハインリヒ三世（在位一〇四六―五六）が調停に乗り出し、ストリで開かれた教会会議で三人を罷免して混乱を収拾しました。そして、一〇四九年には父コンラート二世の縁者であったトゥール司教聖レオ九世（在位―一〇五四）を教皇に推挙しました。

レオ九世は、熱心に教会改革に取り組み、ドイツやフランス各地を歴訪しては、シモニア（聖職売買）やニコライスム（聖職者妻帯）の禁止を訴えました。また、クリュニー修道会出身者や、トスカーナ生まれのイルデブランドなどの俊秀を教皇庁に呼び寄せました。

レオ九世は、一〇五三年には、ノルマン人と戦って捕虜となり獄中で罹患したマラリアがもとで一〇五四年に死去しました。レオ九世は、コンスタンティノープルの全地総主教ミハイル一世（在位一〇四三―五九）のもとに使節（フンベルト枢機卿）を送っていましたが、互いが相手を非礼だとして一〇五四年に破門し合ったことが東西教会の分裂（大シスマ）を引き起こしました。ただし、フンベルトがレオ九世の名前でミハイル一世を破門した時点で、すでに三カ月前にレオ九世は死去していたのです。

一〇五九年にロベルトの支援を得て、対立教皇を倒して即位したニコラウス二世は、クリュニー修道院の改革運動に強い影響を受けたイルデブランドの尽力もあって、教皇は枢機卿から選ばれるという規則を定めました。これは、ドイツ王であるローマ皇帝の干渉を排除することが主たる目的でした。当然のことながら、ザーリア朝のハインリヒ四世（一〇五六年からドイツ王。ローマ皇帝在位一〇八四―一一〇六）とは対立するようになります。

一〇六四年、後ウマイヤ朝崩壊を目の当たりにした万能の大学者、イブン・ハズム（九九四―）が没しました。『鳩の頸飾り』という珠玉の恋愛論が残されています。同じ一〇六四年、アキテーヌとノルマンの連合軍がムスリム王国、サラゴーサを目指してスペインに侵入しました（これが、最初の本格的な十字軍だったという説もあります）。

さて、アキテーヌとはどこかといえば、フランス南西部、ワインで知られるボルドーを擁する地域のことです。十世紀後半には、この地域をポワトゥー（ポワティエ）伯家出身のギヨーム三世がアキテーヌ公として治めるようになり、十一世紀後半、ギヨーム八世（在位一〇五八―八六）の時代にピレネー山脈を越えて、当時、イスラーム世界ではアンダルスと呼ばれていたイベリア半島に攻め入ったのです。

イベリア半島では、それまで半島を支配していた後ウマイヤ朝が一〇三一年に滅亡して、その後はタイファと呼ばれる四十カ国ほどのイスラーム都市国家が分立する時代を迎えていました。この混乱に乗じて、イスラーム教徒の手からイベリア半島を奪回するレコンキスタ（国土回復運動）の戦いが激しさを増していました。

アンダルスの都市国家は、『アラビアンナイト』にもよく描かれているように、歌舞音曲が大好きなアラブ人の後裔です。しかも、ウマイヤ朝時代にはペルシャを支配していた経験があるので、君侯たちはペルシャの英雄伝説を題材にした演劇を好んで上演していました。いってみれば、このアンダルスの地に、玄宗と楊貴妃がつくった自分たち専用の劇団、梨園に似たものを各々の君侯がつくっていたのです。

そうした劇団の歌姫のことをキヤーン（qiyan）といいました（呼び名にはいろいろあって、単数形で「カイナ」、あるいは「カリーナ」、「ジャラータ」などというのもあったようです）。

キヤーンは、観客であるアラブの君侯や妃を慰めるために、恋物語や英雄譚をアラビア語で演じます。彼女たちは数多くの詩を暗記するだけではなく、クルアーンやアラビア語についても、かなり高度な教育を受けていたようです。ただし、現地アンダルスの女性なので、普段はラテン語の口語がもとになったロマンス語を話していました。

ギヨーム八世は、このアンダルス版梨園の歌姫を拉致して、アキテーヌに連れて帰りました。キヤーンが語ったり歌ったりするのはアラビア語の叙事詩（ムワッシャフ）ですが、ハルチャといって、物語や詩の合間に入る合いの手はロマンス語でしたから、彼らフランス人も理解できたのでしょう。そして、ハルチャのほとんどは恋歌でした。

そのような歌姫が、ギヨーム八世の宮廷に囲われたのですから、息子のギヨーム九世（在位一〇八八―一一二六）がキヤーンの歌を子守唄がわりにして育ったのは自然のなりゆきでした。

ギヨーム九世は「ヨーロッパ最初の吟遊詩人」といわれています。フランスでトルバドゥール、ドイツではミンネジンガーと呼ばれるヨーロッパ各地の吟遊詩人のおおもとにはキヤーンがいて、やがてワーグナーのオペラ『タンホイザー』で描かれる歌合戦に至るというわけです。そして、このギヨーム九世の直孫が、いずれ登場するアリエノール・ダキテーヌなのです。

†カノッサの屈辱

ギヨーム9世

一〇七三年、王安石が新法改革に邁進していた頃、聖グレゴリウス七世としてローマ教皇に即位（在位―一〇八五）したイルデブランドは、司教の任命権（叙任権）は、教皇にあることを強く主張、ドイツ王ハインリヒ四世と激しく対立しました。グレゴリウス七世は、世俗権力と教会権力を峻別（もちろん後者を上位に位置付けました）しようと試みたのです。これをグレゴリウス改革と呼びます。この他に、聖職者の独身や戦闘行為の禁止を強制しました。

後にドイツの詩人フライダンク（生年不詳―一二三三頃）は、「神は三つの身分をつくりたもうた。祈る人、戦う人、耕やす人である」と歌うことになりますが、一〇世紀末頃にはすでにこの三身分思想はかなり広まっていたようです。おそらく、三位一体思想からヒントを得たのでしょう。

この思想を徹底すると、祈る人（司教や大修道院長）は祈る人のトップ（ローマ教皇）が任命するのが自然だという考え方に導かれます。それまでは、イエスの代理であるローマ皇帝が司教などを任命していました。ローマ教皇は使徒ペテロの代理に過ぎなかったからです。

一〇七六年、グレゴリウス七世は、ハインリヒ四世の廃位と破門を宣告しました。ザーリア朝の権勢は、ハインリヒ三世の時代に頂点に達していましたが、皇帝権力の増大に伴い、ドイツ諸侯の反発も強くなっていたのです。破門宣告を聞いたドイツの諸侯は大いに力づき、驚いた二六歳の国王は、一〇七七年、難を避けて後ろ盾であるトスカーナ女伯マティルデの居城、カノッサに滞在していたグレゴリウス七世の下に出向いて許しを請いました。これが「カノッサ事件」あるいは「カノッサの屈辱」と呼ばれる出来事です。

なお、人口に膾炙（かいしゃ）した、雪の中でハインリヒ四世が裸足で三日間立ち尽くしていたという記録はありません。教皇は、破門を解除しましたが、叙任権闘争に勝利を収めたわけではありませんでした。満を持したハインリヒ四世は、一〇八四年、ローマを占領し、自ら擁立した対立教皇クレメンス三世によりローマ皇帝に戴冠されました。

ところで、南イタリアを統一したロベルト・イル・グィスカルドは、「世界の恐怖」と綽名されるようになりました。ロベルトは東ローマ帝国の征服を夢見るようになり、一〇八一年にはコルフとアルバニアを占領、息子ボエモン（後のアンティオキア公）はギリシャで戦います。当時の東ローマ帝国は、コムネノス朝（一〇八一―一一八五）を開いたアレクシオス一世（在位一〇八一―一一一八）の時代でした。

しかし、ハインリヒ四世に圧迫されてサンタンジェロ城に逃げ込んだグレゴリウス七世を救出するため、ロベルトは軍をイタリアに返します。アレクシオス一世は金印勅書を発出し、それまでの免税特権に加えて関税特権などを与えてヴェネツィアと結び、ボエモンをギリシャから追い払うことに成功しました。しかし、この金印勅書でヴェネツィアをさらに優遇したことが、長期的に見れば、東ローマ帝国の商工業の衰退につながっていくのです。なお、コムネノス朝は中央集権化の進んだマケドニア朝とは異なり、イクター制とよく似たプロノイア制を始めました。これは軍事奉仕と引き換えに一代限りで所有地の徴税権を有

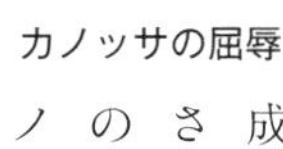
カノッサの屈辱

力貴族に与えるものでした。

イタリアでは、ロベルト軍の接近によってハインリヒ四世が軍を引いたため、逃亡に成功したグレゴリウス七世でしたが、ローマには帰れずサレルノで憤死しました。そもそも論で考えると、教会が富を蓄積し世俗の権力を奮う限り、皇帝や国王の介入は、歴史の必然であり、教会権力が真に自立するためには、教会自らが、まず世俗権力への執着を断たねばならなかったのですが、ピピンの寄進によって領土を得てしまったローマ教会にとっては、それはできない相談でした。

この頃までに、イタリアは、地中海の中央という地勢を生かして、ヨーロッパ最大の貿易国になっていました。そして、経済の発展はコムーネと呼ばれる自治都市の勃興を促したのです。

†東ローマ皇帝の救援依頼

セルジューク朝のスルターン、マリク・シャーからアナトリアの統治を命じられた一族のスライマーン一世（在位一〇七七—八六）は、一〇七四年から一〇七五年の間にニカイア（現在のイズニク）を占領し、一〇七七年に独立を認められてニカイアを首都とするルーム・セルジューク朝（一〇七七—一三〇八）を開きました。首都、コンスタンティノープルの眼前にイスラーム政権が成立したことは、コムネノス朝を開いた東ローマ皇帝アレクシオス一世の心胆を寒からしめました。

そこで、アレクシオス一世は、ローマ教皇に支援を要請することにしたのです。時の教皇ウルバヌス二世（在位一〇八八―九九）は、クリュニー修道院の院長を務めた後、グレゴリウス七世の右腕として教会の自己改革を推進した優れた政治家でした。

ウルバヌス二世は、皇帝ハインリヒ四世に対抗するため、反皇帝派で知られたトスカーナ女伯のマティルデ・ディ・カノッサとバイエルン大公ヴェルフ二世（在位一一〇一―二〇）との結婚（一〇八九）を取り持っています。こうして教皇とドイツの名門、ヴェルフ家が結んだことにより、教皇派を一般にヴェルフ（ゲルフ、グェルフィ）と呼ぶようになりました。正確にはヴェルフ家の支持者ということで、後述しますが、ホーエンシュタウフェン家に対抗するグループの呼称です。

「ドイツの部族大公」　一〇世紀にカロリング朝が断絶したとき、かつての部族単位に以下の五つの大公領が成立しました。

・フランケン大公（フランク族。ドイツ中西部のマイン川流域を支配。コンラート家）

・ザクセン大公（ザクセン族。イングランドのサクソン族と同根。北部ドイツ一帯を支配。リウドルフィング家あるいはオットー家）

・バイエルン大公（バイエルン族、バヴァリア族。ドイツ南東部を支配。オットー家と対立。最終的にはヴェルフ家）
・シュヴァーベン大公（スエビ族→アラマンニ族。ドイツ南西部を支配。最終的にはホーエンシュタウフェン家）
・ロートリンゲン大公（フランク王国のロタリンギアが前身。部族としてはフランク族。現在のロレーヌ地方を支配。大帝オットー一世の弟であるケルン大司教聖ブルーノが上下両国に分割）

一〇八五年、東ローマ遠征に執着していたロベルト・イル・グィスカルドが死去、その後は弟のルッジェーロ一世が継ぎました。ルッジェーロ一世は一〇九一年にシチリア全島を完全に征服しました。続いて、マルタ島も征服されました。オートヴィル家の一族は約半世紀をかけて、教皇に授封(じゅほう)された土地を実力でわがものとしたのです。

同じ一〇八五年、カスティージャ王アルフォンソ六世（在位一〇七二―一一〇九）は、古都トレードを攻囲し、ムスリムより統治権を得ました。有名なトレードの翻訳学派の始まりです。文化都市トレードには山のような蔵書がありました。ここに、西欧が、バグダードの知恵の館以来、連綿と蓄積されてきたギリシャ、ヘレニズムの知の宝庫（アラビア語の文献）にアクセスするルートが開かれたのです。

アルフォンソ六世は一気に軍を南下させましたが、セビージャなどの南方のタイファ諸国はムラービト朝のユースフに助けを求めました。一〇八六年、アルフォンソ六世とユースフの間で戦われたサグラハスの戦いはイスラーム連合軍の圧勝に終わりましたが、後継者を戦さで失ったユースフは、モロッコに戻っていきました。

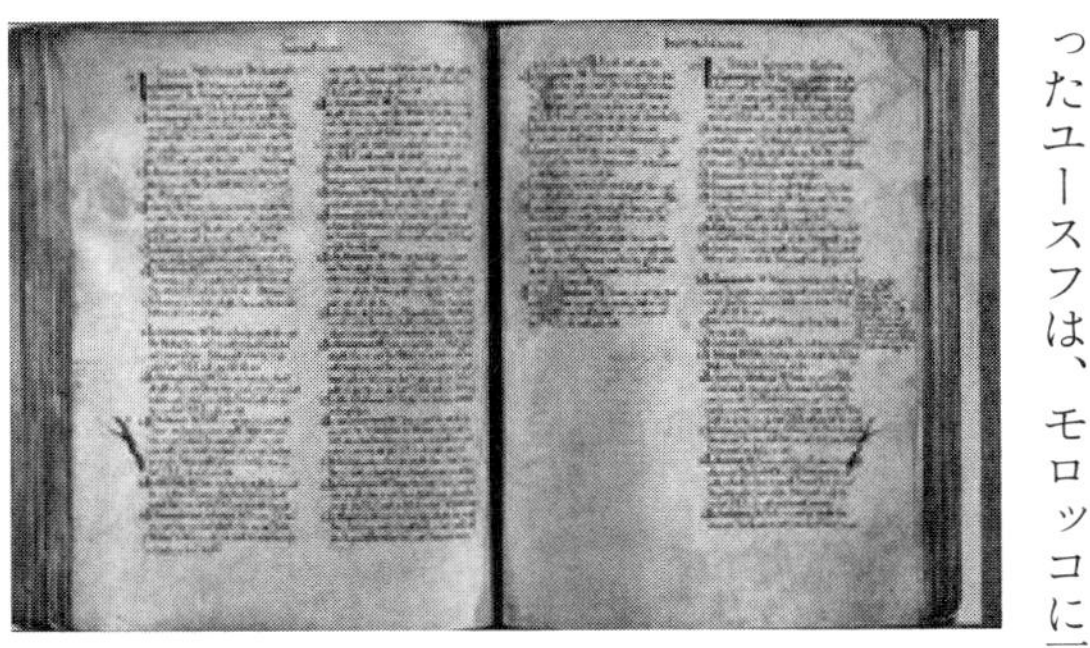

ドゥームズデイ・ブック

一〇八五―八六年、イングランドではウィリアム一世が行った検地の結果を記録した土地台帳、ドゥームズデイ・ブック（ドゥームズデイは、最後の審判の日、世界の終末の日の意味です）が作られました。これは家畜や財産などを含めて記録したもので、イングランドの課税標準となりました。ノルマン人は早くから中央集権化を進めており（船上のヴァイキングにとって、リーダーに従い一糸乱れぬ行動をとることは、生死に直結していました）、イングランドや南イタリアでも中央集権化が推進されたのです。

ドゥームズデイ・ブックを見るとほとんどの領主がノルマン人で占められ、アングロ・サクソン人は数%に過ぎません。イングランドは今でもアングロ・サクソンの国だといわれますが、すでに一一世紀の時点でノルマン化がほぼ完了していたのです。

一〇八八年、ヨーロッパ最古の大学、ボローニャ大学が創立されました。ほどなくして、パリ大学やオックスフォード大学が後に続きました。

一〇九一年、ユースフ率いるムラービト軍が再上陸してアンダルスを席捲（再統一）、マンスールの死後、分裂して、キリスト教国に押されていたスペインのイスラーム勢力は、新たな血を得て甦りました（セビージャに、副都が置かれました。首都は、引き続きマラケシュに置かれました）。ユースフは、分裂しては相争うタイファ諸国の有様を見て、自ら乗り出す以外に本格的な解決策はないと思い定めたのでしょう。

(2) 十字軍の時代（一一〇一～一二〇〇年）

✝第一回十字軍あるいはフランクの侵略

ローマ皇帝、ハインリヒ四世に対抗するために一〇九五年の春に開かれたピアチェンツァの公会議に、アレクシオス一世はルーム・セルジューク朝に対抗するための支援を求める使節を派遣しました。教皇ウルバヌス二世は、東西の教会分裂（大シスマ）を終わらせる好機ととらえました。ハーキムによる聖墳墓教会の破壊やルーム・セルジューク朝の狼藉も脳裏をかすめたことでしょう。

クレルモン教会会議のウルバヌス二世

そして、秋に開かれたクレルモン教会会議で十字軍（原義は十字架の印をつけたもの）による東方遠征を呼びかけたのです。この歴史に残る大アジテーションの正確な記録は残っていませんが、一二世紀の年代記作者によると、東方のキリスト教国（東ローマ帝国）の苦難を述べ、異教徒に対する聖戦が必要であり、エルサレムの奪回を訴えたといわれています。加えて東方の豊かさ（人口の増えすぎたフランス人にとって乳と蜜の流れる聖地こそが必要）と、仮に落命したとしても贖宥（しょくゆう）（犯した罪が償われること）が与えられると人々を鼓舞したのです。

オートヴィル家の兄弟たちがはるばる南イタリアに出向いたのも、一生部屋住みの生活を嫌ったからでした。同様の理由で大勢のフランス人が十字軍に参戦したのです。主なメンバーとしては、トゥールーズ伯レーモン四世、南イタリアのボエモン（ロベルト・イル・グィスカルドの息子）、下ロートリンゲン公のゴドフロワ・ド・ブイヨン、その兄弟であるブローニュ伯ウスタシュ三世、ボードゥアン一世、などがあげられます。

ウルバヌス二世は各地で司教たちにも十字軍を勧誘させたので、民衆の間にも急速に十字軍熱が高まりました。十字軍運動の高まりは反ユダヤ主義の暴発につながり、マインツやケルンなどのラインラント地方を中心にユダヤ人共同体が襲われ大殺戮が行われました。これがヨーロッパにおける組織的なユダヤ人迫害（ポグロム）の嚆矢となりました。

ユダヤ人は保護を求めて宗教に寛容なポーランド王国（ピャスト朝。一〇二五年、ボレスワフ一世の時代にポーランド公国から王国に昇格）に移住しました。ポーランドは一二六四年に、「ユダヤ人の自由に関する一般憲章」（カリシュの法令）を制定してユダヤ人の安全と個人の自由を保障したので、ポーランドはヨーロッパで一番ユダヤ人の多い国となりました。ポーランドのユダヤ人は後にアシュケナジム（ヘブライ語でドイツの意味）と呼ばれるようになります。

ところで、十字軍熱に浮かされて興奮した民衆は、アミアンの司祭、隠者ピエールに引率されてバルカン半島を横切り、一〇九六年七月末にコンスタンティノープルに到着しました。これを民衆十字軍と呼んでいます。大群衆の到来に驚いたアレクシオス一世は、アナトリア（アジア側）に渡らせます。統制を欠いた民衆十字軍は、一〇九六年一〇月のキボトシュの戦いでルーム・セルジューク軍に完敗して壊滅しました。

一〇九六年一二月に、十字軍本隊がコンスタンティノープルに集結しました。生き残ったピエールも合流します。アレクシオス一世の娘のアンナ・コムネナ（一〇八三―一一五三）がこの時代の記録を残しています。当時セルジューク朝の側では、ルーム・セルジューク朝とシリア・セルジューク朝が戦い、本家のセルジューク朝もマリク・シャーが一〇九二年に没した後は、内紛で弱体化していました。十字軍にとっては願ってもない状況が生まれていたのです。

一〇九七年にアナトリアに入った十字軍は、別働隊を率いたボードゥアン一世が一〇九八年にエデッサ伯国を建て、次いでボエモンがアンティオキア公国を建設しました。

一〇九九年六月、エルサレムの包囲を開始した十字軍は、一カ月後にファーティマ朝の守るエルサレムを陥落させ、市民の無差別虐殺を行いました。犠牲者七万人というローマ教会側の記録があります。圧倒的に豊かな東方の略奪は、大いに十字軍を喜ばせました。彼らの大多数は略奪した宝物や聖遺物を持ってヨーロッパに戻っていきました。その結果、十字軍国家は人手不足に悩むようになり、騎士修道会が聖地の防衛や巡礼者の保護支援に当たるようになりました。

一〇二三年頃アマルフィの商人がエルサレムの洗礼者ヨハネ修道院の跡地に建てた病院兼宿

泊所を淵源とする聖ヨハネ騎士団（一一一三年、教皇パスカリス二世が承認）、神殿の丘に宿舎を持ち聖ベルナールが会則をまとめたテンプル騎士団（一一二八年、教皇ホノリウス二世が承認）、エルサレムのドイツ病院を前身とするドイツ（チュートン）騎士団（一一九九年、教皇インノケンティウス三世が承認）の三つが有名です。

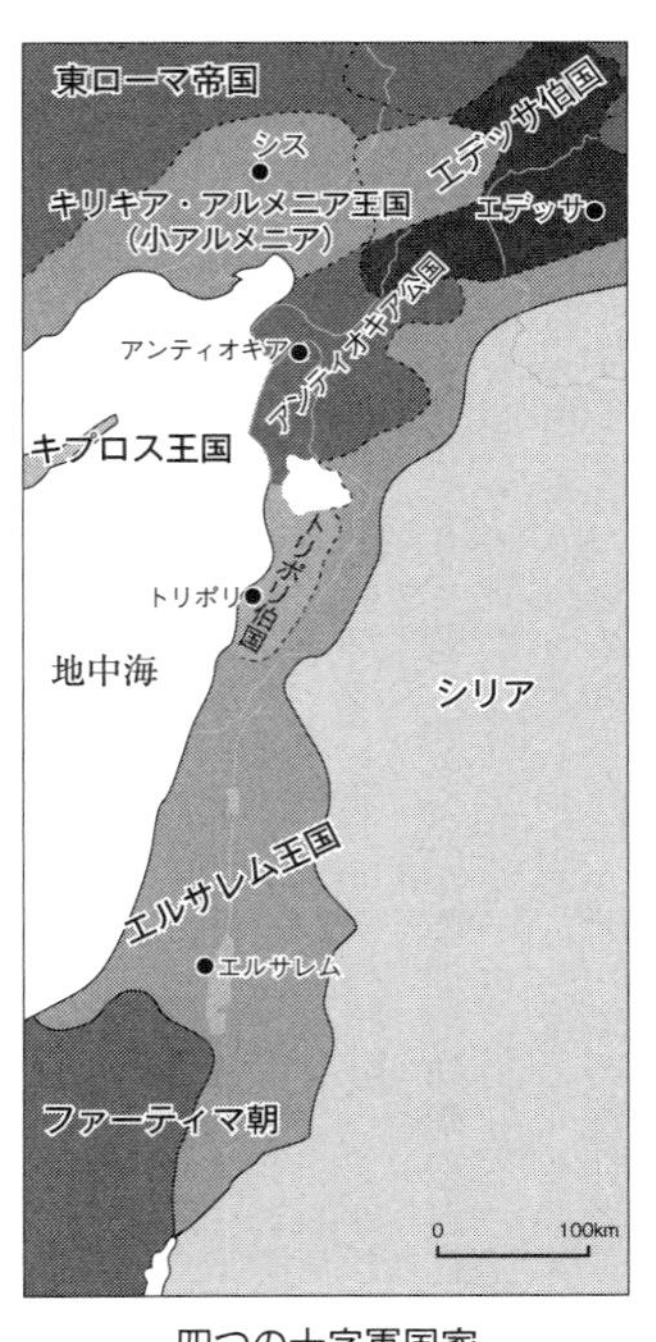

四つの十字軍国家

そして、指導者ゴドフロワ・ド・ブィヨンが「聖墳墓の守護者」としてエルサレムを統治、一一〇〇年に死去すると弟のエデッサ伯ボードゥアン一世がエルサレム王を名乗り、エルサレム王国が誕生しました。一一〇二年には、十字軍と決別してコンスタンティノープルに滞在していたトゥールーズ伯、レーモン四世が、アレクシオス一世やジェーノヴァ艦隊の援助を受けてファーティマ朝に仕えるトリポリの藩王バヌー・アンマールと戦争を始め、トリポリ伯国の基礎を築きました。こうして小アジアの地中海沿岸地方には四つの小さい十字軍国家が成立したのです（エデッサ伯国、アンティオキア公国、トリポリ伯国、エルサレム王国）。

傭兵を要請したアレクシオス一世は、思わぬ十字軍の来訪に驚愕したと伝えられていますが、もっと驚いたのは意図もわからずに突然の侵攻を受けたシリアやパレスティナの人々だったことでしょう。イスラームの史書は、野蛮極まりないフランクの侵略について述べ立てています。イスラームの人々にとって、ヨーロッパは（フランク王国はとうの昔に滅亡していましたが）今だにフランクだったのです。

イスラームの人々には、十字軍という考え方自体がなかなか理解できなかったようです。イスラーム教にも聖戦をも意味するジハードという言葉はありますが、本来のジハードは、精神的、内面的な努力を要請するものであったからです。なお、十字軍の頃には、中国で発明された鐙（あぶみ）が、ヨーロッパでも広く活用されるようになっており、騎士の戦闘能力を高めていました。

偏狭な一神教は、他の神を認めることがありません。従って、異教は、絶対悪となりやすいのです。そして、絶対悪に対しては、いくら残酷な行為を強要しても赦されると錯覚しやすくなるのです。十字軍は、まさにその典型でした。ローマ教皇が、十字軍の過ちを認めて謝罪したのは、二〇世紀の最後、ヨハネ・パウロ二世（在位一九七八―二〇〇五）の時代のことです。

一〇九八年、世俗化したクリュニーを嫌って、モレームの聖ロベールにより、シトー（フランス東部）に労働を尊ぶシトー修道会が設立されました。一〇九九年、イスラーム政権にも仕えたキリスト教徒の傭兵隊長、ロドリーゴ・ディアス（エル・シッド。シッドは主人サイドの

①〜⑱王就任順位
(　)内は在位

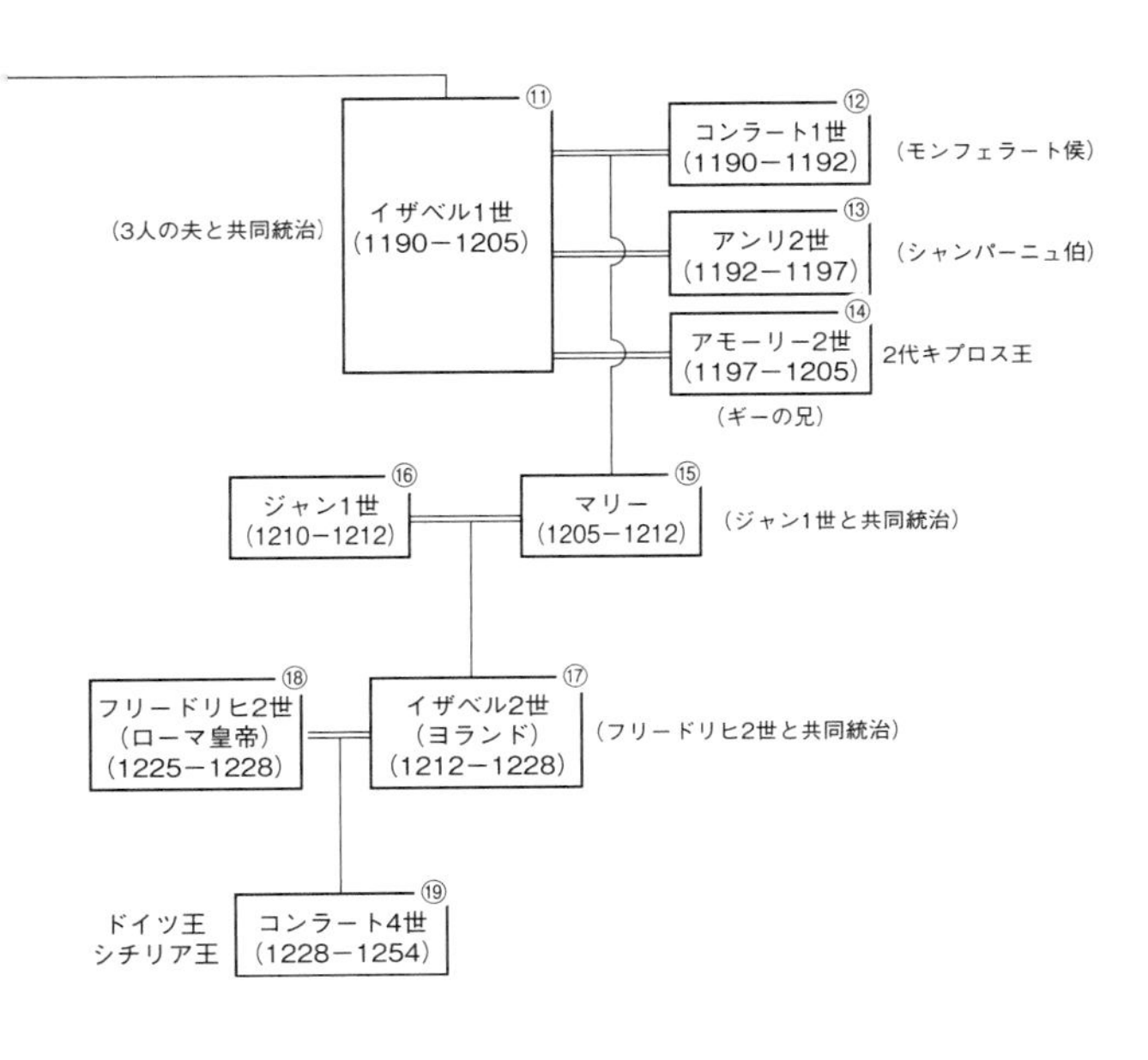

⑪
イザベル1世
(1190−1205)
(3人の夫と共同統治)
⑫
コンラート1世
(1190−1192)
(モンフェラート侯)
⑬
アンリ2世
(1192−1197)
(シャンパーニュ伯)
⑭
アモーリー2世
(1197−1205)
2代キプロス王
(ギーの兄)
⑮
マリー
(1205−1212)
(ジャン1世と共同統治)
⑯
ジャン1世
(1210−1212)
⑰
イザベル2世
(ヨランド)
(1212−1228)
(フリードリヒ2世と共同統治)
⑱
フリードリヒ2世
(ローマ皇帝)
(1225−1228)
⑲
コンラート4世
(1228−1254)
ドイツ王
シチリア王

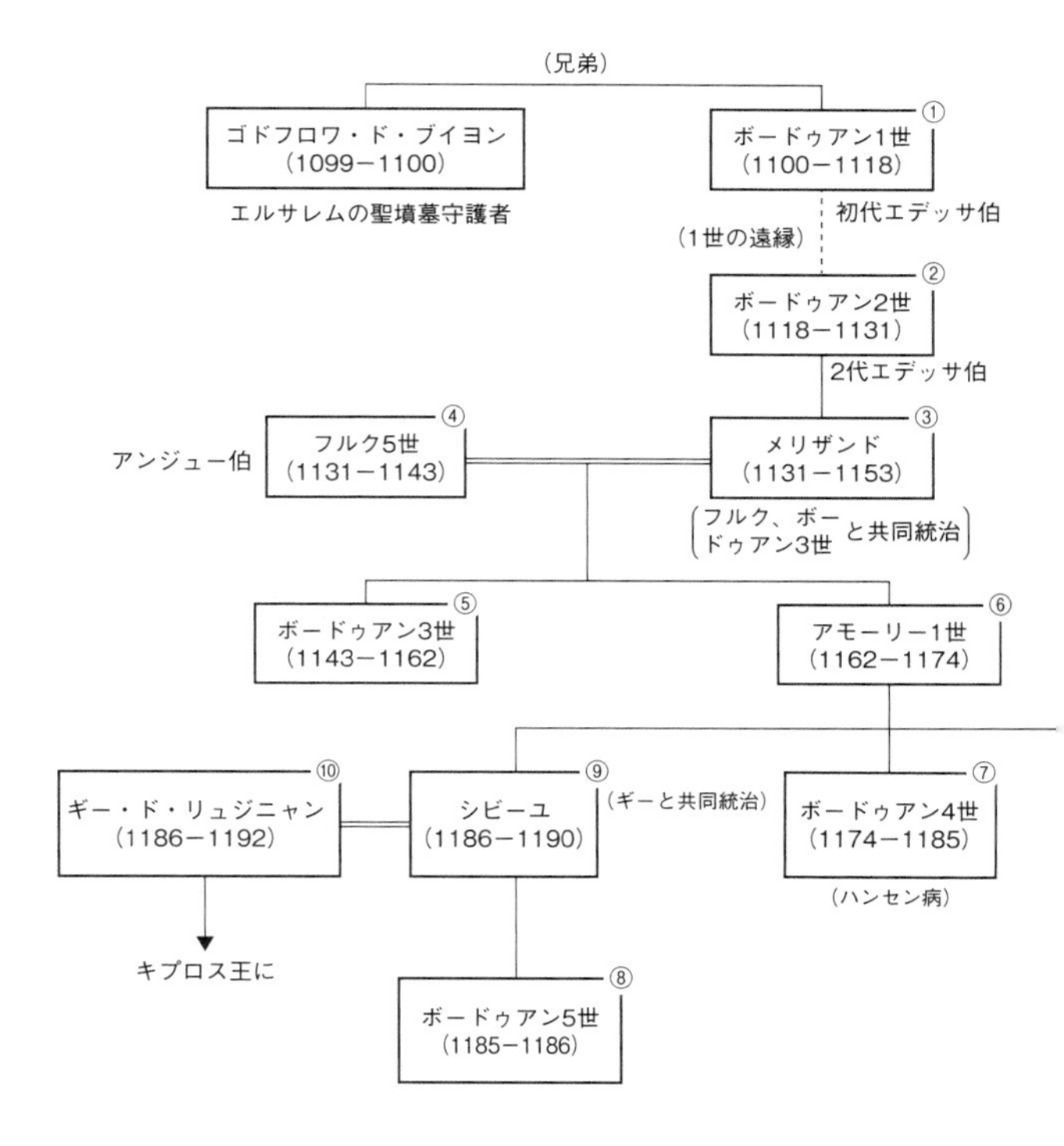
(兄弟)
ゴドフロワ・ド・ブイヨン
(1099−1100)
エルサレムの聖墳墓守護者
①
ボードゥアン1世
(1100−1118)
初代エデッサ伯
(1世の遠縁)
②
ボードゥアン2世
(1118−1131)
2代エデッサ伯
④
アンジュー伯
フルク5世
(1131−1143)
③
メリザンド
(1131−1153)
(フルク、ボードゥアン3世と共同統治)
⑤
ボードゥアン3世
(1143−1162)
⑥
アモーリー1世
(1162−1174)
⑩
ギー・ド・リュジニャン
(1186−1192)
キプロス王に
⑨
シビーユ
(1186−1190)
(ギーと共同統治)
⑦
ボードゥアン4世
(1174−1185)
(ハンセン病)
⑧
ボードゥアン5世
(1185−1186)

エルサレム王　系図

転化です。一〇四五頃）が没しました。史実とは全く異なり、やがて英雄伝説が生じて、エル・シッドは、レコンキスタ（スペインにおけるキリスト教徒の再征服運動）のシンボルとなって行きます。

この頃、武勲詩、ローランの歌も成立しました。これは、シャルルマーニュとバスク軍が戦ったロンスヴォーの戦い（七七八）を描いたものですが、バスク軍はいつの間にかイスラーム軍と同一視されるようになりました。この戦いで、しんがりを務めたローランが戦死したとされています。この二つの伝承が、この時期に成立したことは、十字軍イデオロギーの文化的な発露のひとつの反映と見ていいでしょう。

✝中世の春

ホイジンガの名作『中世の秋』の舞台は一四～一五世紀のフランドルですが、それに先立つ一二世紀は、まさに、中世の春（一二世紀ルネサンス）と呼ぶにふさわしい世紀でした。十字軍の輸送を担ったイタリア商人の活躍が活発となり、天を突くゴシック様式の大聖堂の建設が始まりました。フランス王ルイ六世（在位一一〇八―三七）と、ルイ七世（在位一一三七―八〇）の二代にわたって政治顧問を務めたサン・ドニ修道院長シュジェール（一〇八一頃―一一五一）の手により、最初のゴシック聖堂と目されるサン・ドニ大聖堂が完成したのは一一四四年のことでした。これに続いて、パリのノートルダム寺院（一一六三年―）やシャルトル大聖堂（一一九四年―）の建設が始まりました。

この頃から、民衆のマリア崇敬が、まるで堰を切ったように溢れ出したのです。例えば、フランスの名だたる大聖堂のほとんどは、ノートルダム（マリア）に捧げられています。ただし、男子優先のローマ教会が、聖母マリアの神性を教義として認めるのはずっと先のことになります（無原罪の御宿り一八五四、聖母の被昇天一九五〇）。

サン・ドニ大聖堂

農業革命も本格化しました。三圃式農法（農地を三分割し、秋の耕作地、春の耕作地、休閑地を三年周期で繰り返す仕組み）が普及し、農業技術の革新や勤労を尊ぶシトー修道会による開墾運動の進展などもあって、農業の生産性が急上昇しました。シャンパーニュでは、後述するように大市も開かれるようになりました。

文化面でも、トレードの翻訳学派によるイスラーム書籍の（ラテン語への）翻訳が進み、ギリシャ、ヘレニズムを継承した優れたイスラーム文化の影響を受けて、スコラ学が発展しました。

「スコラ学」 スコラは、ラテン語の学校が原義です。スコラ学はイスラームの学問に触発され、中世のヨーロッパで発展した学問の方法論で、問題をできるだけ論理的・弁証法的に解決しようとした学風を指します。これまでの修道院での学問が、古典の権威に盲従しがちであったのに対して、教師と学生が討論することを前提として理詰めで物事を考え、今日の大学の先鞭をつけました。今日では、知の総体を把握しようとした一種の百科全書派的な運動であったと理解されています。著名なスコラ学者には、愛弟子エロイーズとのロマンスでも有名なアベラールや、近代科学の父、ロジャー・ベーコン、トマス・アクィナスなどがいます。情感の人、ベルナールは、終生、スコラ学を論駁（ろんばく）し続けました。

一一一〇年頃、バルカンでは、東ローマ帝国によるボゴミル派の迫害が始まりました。これは、一〇世紀の中頃にブルガリア人の司祭、ボゴミルが説いた教えで、現世否定とマニ教的な善悪二元論に特徴があり、東方教会では異端とされていました。追われたボゴミル派は北イタリアから南フランスに広がっていきます。

一一一五年頃、トスカーナ辺境伯領から自立したフィレンツェにコムーネが成立し、商工市民層による自治が始まりました。一一一八年、東ローマ帝国では、屈指の名君、ヨハネス二世（在位一一一八―一一四三）が即位しました。

パンノニア大平原では、アールパード家のイシュトヴァーン一世（在位九九七―一〇三八）が、一〇〇〇年にローマ教会に正式に改宗し、（伝承では）ローマ教皇から王冠を与えられて（聖イシュトヴァーンの王冠）、ハンガリー王国が成立しました。

ハンガリー王国は次第に強盛となり南方に進出を開始します。ヨハネス二世は、侵入してきたハンガリー軍を撃退し、シリアに領土を拡げるなど、帝国の威勢を回復しました。我々は、ハギア・ソフィアで、ヨハネス二世の雄姿（モザイク）を見ることが出来ます。

ヨハネス２世（ハギア・ソフィア）

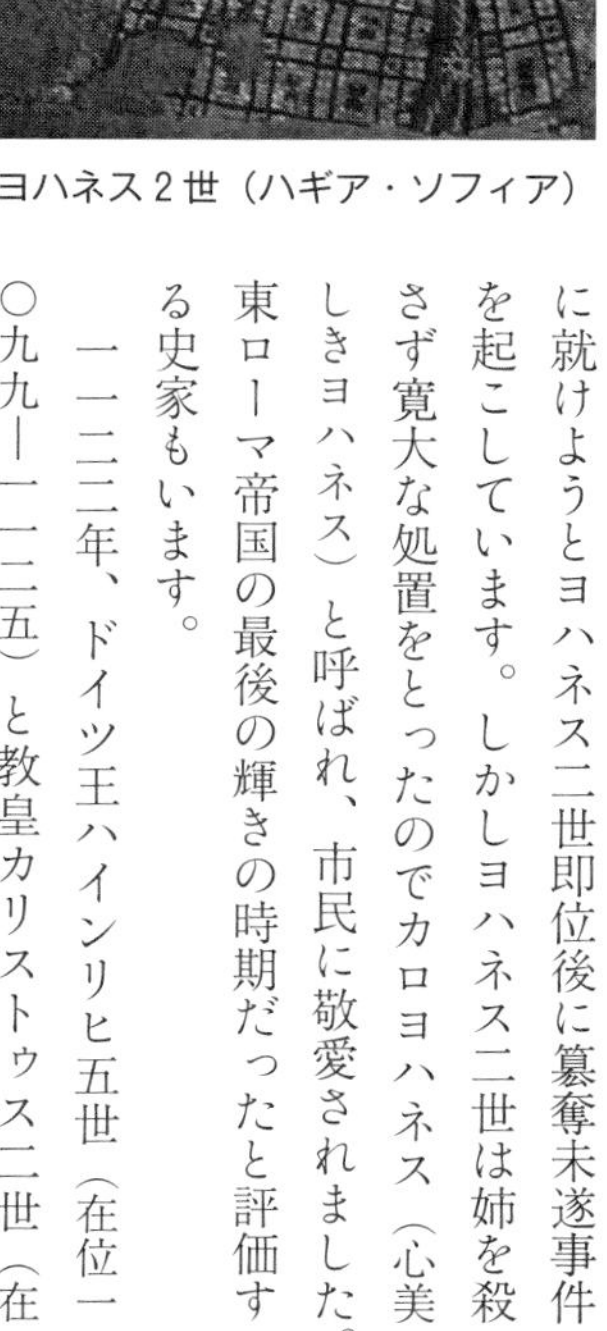

なお、ヨハネス二世の姉、アンナ・コムネナは、父アレクシオス一世の伝記を書き（一一四八年頃）、ローマ帝国初の女性史家といわれました。もっともアンナ・コムネナは、夫を帝位に就けようとヨハネス二世即位後に簒奪未遂事件を起こしています。しかしヨハネス二世は姉を殺さず寛大な処置をとったのでカロヨハネス（心美しきヨハネス）と呼ばれ、市民に敬愛されました。東ローマ帝国の最後の輝きの時期だったと評価する史家もいます。

一一二二年、ドイツ王ハインリヒ五世（在位一〇九九―一一二五）と教皇カリストゥス二世（在位一一一九―二四）は、ヴォルムスの協約を結び、叙任権闘争は一応の収束をみました。司教任命権は教皇に、司教領の授封権はドイツ王（皇帝）に帰属するとされたのです。

当時の最も有名な教会法学者であったシャルトルの司教、聖イヴォ（一〇四〇頃―一一一五）は、ローマ教会はスピリチュアリア（宗教的なもの、不可視なもの）と、テンポラリア（世俗的なもの、可視的なもの。土地や財産）という二つの権威をもっていると指摘し、教権と俗権の分離・協働を唱えましたが、ヴォルムスの協約はこの延長線上にあるものでした。

皇帝と教皇は痛み分けたように見えますが、キリストの代理として全権を握っていたローマ皇帝の明らかな一歩後退でした。この後のヨーロッパは帝権と教権が楕円の二つの焦点のようになって動いていくことになります。

ハインリヒ五世の皇后はイングランド王ヘンリー一世（在位一一〇〇―三五）の娘マティルダ（一一〇二―六七）でしたが、二人の間には子どもが生まれず、ハインリヒ五世の死をもってザーリアー朝は断絶しました。マティルダは夫が死去すると、イングランドに戻っていきましたが、その先には波乱万丈の人生が待ち受けていたのです。

ハインリヒ五世の後のドイツ王には、ザクセン系ズップリンブルク家（オットー家とは無関係）のロタール三世（在位一一二五―三七。皇帝在位一一三三―三七）が選挙で選ばれましたが、ハインリヒ五世の意中の人は姉の子であるホーエンシュタウフェン家のシュヴァーベン大公フリードリヒ二世（在位一一〇五―四七）でした。当然のことながら、ホーエンシュタウフェン家は反発して、ロタール三世と軍事衝突を起こしました。

ヴォルムスの協約を結んだカリストゥス二世が一一二四年に死去すると、ローマ教皇庁はまた分裂し、ホノリウス二世（在位一一二四―三〇）と対立教皇ケレスティヌス二世が争うことになりました。ホノリウス二世は、ロタール三世を支持し、テンプル騎士団を承認しました。

ホノリウス二世の死後は、インノケンティウス二世（在位一一三〇―四三）と対立教皇アナクレトゥス二世が争いました。アナクレトゥス二世は、一一三〇年にルッジェーロ一世の子、ルッジェーロ二世（在位一一三〇―五四）のシチリア王位を認め、これによってシチリアと南イタリアを領有するノルマン人のシチリア王国が成立しました。これに対して、ロタール三世はインノケンティウス二世を支持して一一三三年ローマに進軍し、ローマ皇帝として戴冠を受けました。

ロタール3世

シチリア王国の伸長に危機感を抱いた東ローマ皇帝ヨハネス二世やヴェネツィアは、一一三五年ロタール三世に南イタリア遠征を要請し、ロタール三世は一一三六年遠征を敢行するもシチリア王国打倒には至らず、一一三七年帰路の途中で死去しました。

伸長するノルマン人勢力に対して、東ローマやヴェネツィアがドイツ王を恃んで対抗していた構図が読み取れます。

コンラート3世

ロタール三世は、次のドイツ王に、娘婿であるヴェルフ家のバイエルン大公兼ザクセン大公のハインリヒ一〇世（バイエルン大公、在位一一二六―三九）を望んでいましたが、強大な君主の出現を嫌うドイツの諸侯は、一一三八年にホーエンシュタウフェン家のコンラート三世（シュヴァーベン大公、フリードリヒ二世の実弟）をドイツ王に選出しました（在位一一三八―五二）。ヴェルフ家は激しく反発しましたが、コンラート三世は、ハインリヒ一〇世を捕縛し、バイエルンとザクセンの大公位を没収しました。

一一三〇年に、ルッジェーロ二世が開いたシチリア王国では、ノルマン人、イタリア人、ギリシャ人、アラブ人、ユダヤ人などの文化が混融し、パレルモの宮廷では、当時のヨーロッパの最先端を行く高い文化が花開きました。大学者、イドリースィー（一〇九九―一一六五）の地理学書（世界地図と解説書）は、ルッジェーロ二世に捧げられたので、ルッジェーロの書（タブラ・ロジェリアナ）と呼ばれました。また、シチリア王国ではノルマンディーに倣って、

タブラ・ロジェリアナ

いち早く、中央集権的な国家体制が形作られました。その栄華の跡は、パレルモのノルマン宮殿やモンレアレのドゥオーモ（教会堂）に偲ばれます。一一三五年、アマルフィは、ピサの攻撃を受けて没落しました。

一一三七年、九八七年以来カタルーニャを治めていたバルセローナ伯ラモン・バランゲー四世（在位一一三一－六二）が、アラゴン王女ペトロニラ（在位一一三七－六四）と結婚し、カタルーニャ・アラゴン連合王国が誕生しました。当時のカタルーニャは、マルセイユを始めとするプロヴァンスを領有しており、東方貿易で栄える大海運国家でした。実力では、アラゴン以上であったことでしょう。これ以降のアラゴン王国は、ピレネーの山国から海洋国家へと変身を遂げることになります。

†第二回十字軍

ところで、パレスティナに侵攻した十字軍に対して、政権内部に深刻な争いを抱えていたセルジューク朝は、組織立った対応を取ることができませんでした。セルジューク朝の実権は、イラーン東部に支配権を確立していた「世界の主人」サンジャル（在位一一一八—五七）の手に渡りました。サンジャルは、東部のガズナ朝、中央アジアのカラハン朝、ホラズム・シャー朝を服属させ、スルターンの威令を示しました。サンジャルは、セルジューク朝の中興の祖であり、最後の大スルターンでした。

一一二七年、セルジューク朝は、ザンギー（在位—一一四六）を、モースルの支配者に任命し、ザンギー朝が始まりました。

ザンギー朝は、最も有名なアタベク政権の一つといわれています。アタベクとは、元来、幼い君主の後見人（傅役）または摂政のことであり、養父となる有力者を指していましたが、次第に地方領主の称号として用いられるようになりました。ザンギーは、一一二八年、かつて父が治めていたアレッポに入城し、本拠としました。ザンギーは十字軍と戦った初めてのイスラームの英雄と目されてきましたが、彼の生涯のほとんどは、ダマスカスのアタベク政権、ブーリー朝との戦いに費やされました。

一一二七年、中央アジア西部では、トゥルクマーンマムルークの一族、アトスズ（在位—一一五六）が、ホラズム・シャー朝の三代スルターンに就き、セルジューク朝から自立の動きを見せますが、一一三八年、サンジャルによって打ち破られ服属させられました。しかし、一一四一年のカトワーンの戦いで、耶律大石率いるカラ・キタイがセルジューク軍に圧勝すると、アトスズは今度はカラ・キタイに従属することになります。一一四四年、ザンギーは、エデッサ伯領を攻略しました。

ローマ教皇エウゲニウス三世（在位一一四五―五三）は、シトー会出身の初の教皇で、クレルヴォーの聖ベルナール（ベルナルドゥス。一〇九〇―一一五三）のもとで修行を積んでいました。

エデッサ伯領の喪失に驚いたエウゲニウス三世は、第二回十字軍（一一四七―四九）を組織します。しかし当時のローマは、スコラ学の基礎を築いたアベラール（一〇七九―一一四二）の弟子で急進的宗教改革運動（アルノルド派）の指導者アルノルド・ダ・ブレシア（一〇九〇―一一五五）によって教皇の世俗権力が否定され、元老院政治が復活していました。エウゲニウス三世はローマに腰を落ちつけることができず、各地を転々とせざるを得なかったのです。

実際に十字軍の勧誘に尽力したのは、ベルナールでした。シトー会を建て直し、ロタール三世と組んで対立教皇の勢力を削ぎ、一一四〇年にアベラールとの論争で名を挙げた稀代の説教家ベルナールは、フランス王ルイ七世（在位一一三七―八〇）やドイツ王コンラート三世を出陣させることに成功しました。

しかし、陸路を辿った十字軍は小アジアでセルジューク軍に悩まされ、ようやくのことでエルサレムに辿りつきましたが、ダマスカス攻撃に失敗し、這々（ほうほう）の体（てい）で帰国しました。第二回十字軍の完全な失敗は、ベルナールの権威を失墜させました。

なお、ベルナールは、マリア崇敬の昂揚にも並々ならぬ手腕を発揮し、十字軍の時代に適応した保守的かつ好戦的な主張を貫いたので、シトー会は全盛期を迎えました。ベルナールは、後に、教会博士の称号を得ました。十字軍を武装した巡礼として称揚し、アベラールを異端として攻撃したベルナールと、アベラールを庇護したクリュニーの修道院長、尊者ピエール（一〇九四―一一五六）が、トレードに旅し、クルアーンの翻訳を初めて依頼したことは、極めて対照的です。

なお、クルアーンの翻訳者ロバートは、バイト・アル＝ヒクマ（知恵の館）で活躍した九世紀の大数学者アル・フワーリズミー（七八〇頃―八五〇頃。彼の名前から、アルゴリズムという言葉が生れました）の「代数学」の翻訳者でもあります。ロバートなどトレードの翻訳学派によって、記数法（ゼロを含むインド数学）もまた、西欧に伝えられたのです。

「教会博士」　ローマ教会が認定した聖人の中で、特に信仰、学識に優れた人物に与えられる称号。一六世紀に始まり、これまでに、三五名が授与しています。アタナシウス、四大教父（アンブロシウス、アウグスティヌス、ヒエロニムス、グレゴリウス一世大教皇）、レオ一世大教皇、トマス・アクィナスや、女性では、テレジア（アビラ）、カタリナ（シエナ）、テレーズ（リジュー）、ヒルデガルド（ビンゲン）の四名が認定されています。

†二つの王冠を被った王妃アリエノール

ところで、ルイ七世はエルサレム遠征（第二回十字軍）にアキテーヌ女公の王妃アリエノール（一一二二—一二〇四）を伴っていました。

少し脱線しますが、ここで後にヨーロッパの祖母と呼ばれたアリエノールの生涯を辿ってみましょう。因みにアリエノールというのは南フランスのオック語の呼び名で、フランス語（北フランスのオイル語）ならエレオノールとなります。

王妃アリエノールとルイ７世

アリエノールが生まれた一一二二年頃、父のギヨーム一〇世（在位一一二六—三七）はアキテーヌ地方だけではなく、ピレネーからポワトゥーに至る、今のフランスの国土のおよそ三分の一にもあたる広大な領地を持つ大公爵でした。

アリエノールが一五歳のとき、ギヨーム一〇世は亡くなりますが、娘の後見はカペー朝五代目のフランス王ルイ六世（在位一一〇八―三七）に託していました。息子を早くに亡くしていたギヨーム一〇世にとって、アリエノールは唯一の跡継ぎであり、宝物でもあったからです。

後見を頼まれたフランス王は、夢のようなチャンスに大喜びです。なぜなら、国王とはいえカペー家の領地は、イル・ド・フランスと呼ばれるパリ周辺と、オルレアン地方のみ。フランス全土のわずかを占めるばかりで、残りはイングランド王を兼ねるノルマンディー公の領地や各地の大貴族の領地が占めていたのです。家臣であるアキテーヌ公の娘を息子の嫁にできれば、大きな領地が手に入ることになります。実際にギヨーム一〇世が亡くなった一一三七年には、早くも息子ルイ七世とアリエノールを結婚させています。その直前にルイ六世も亡くなりましたが。

アリエノールとルイ七世の間には、二人の女子が生まれます。アリエノールの一族は、なぜか女系が傑出していて、シャンパーニュ伯に嫁いだ長女マリー・ド・フランスはトルバドゥールの大パトロンになり、シャンパーニュの宮廷はたいそう華やかだったといいます。吟遊詩人として名を馳せた曾祖父、ギヨーム九世の血がそうさせたのでしょう。

結婚一〇年後の一一四七年、アリエノールは夫のルイ七世とともに第二回十字軍遠征に参加します。

第一回十字軍により地中海東岸には四つの十字軍国家が誕生していましたが、そのひとつ、シリア北部のアンティオキア公国は、当時アリエノールの叔父（ギヨーム九世の次男）がアンティオキア公レーモンとして統治していました。この頃のアンティオキア公国は、宗主権を主張する東ローマ帝国からの圧迫に加えて、イスラーム側にはザンギーがいて、厳しい状況に置かれていました。そこで、アリエノールは夫のルイ七世に、「なんとか叔父さんを助けてあげてよ」と頼みます。

ところがルイ七世は、「いや、俺が目指すのはエルサレムだ」と言って請け合わない。妻とレーモンとの仲を疑って嫉妬したという説もありますが、とにかく夫婦仲はあまりうまくはいっていませんでした。

ルイ七世は次男でしたから、結婚前は修道士になるべくシュジェールのもとでサン＝ドニ修道院で神に祈りを捧げる生活を送っていました。父のルイ六世は、長男フィリップに家督を継がせ、次男は将来はローマ教皇にと、計らったのです。が、その長男が、なんとブタに殺されてしまうのです。

当時、パリの町にはトイレがないために汚物が道のそこかしこに散乱していて、その処理を町の中に放したブタに任せていました。あるとき、汚物をたらふく食べて大きくなったブタが闊歩しているところに、ルイ六世の長男フィリップが馬で通りかかりました。ブタに脚元に入り込まれた馬はバランスをくずし、フィリップは落馬。ほとんど即死でした。

それで次男のルイ七世が王位に就いたのです。ところがアリエノールは、修道士を目指して勉強ばかりしていた夫とは、どうもしっくりこない。彼女は、太陽の光がふりそそぐ開放的な南フランス育ちです。しかも、トルバドゥールの歌を聴いて育ったお姫さまですから、英雄譚や武勲詩に憧れていたのです。のちに「私が結婚した相手は神父さまみたい」とこぼしたという話も残っています。ルイ七世にしても、結婚して一五年も経つのに跡継ぎの男子が生まれないと困ります。叔父のアンティオキア公を見捨てたときのしこりも手伝って、二人は一一五二年に離婚してしまいました。

フランス王ルイ七世と離婚したアリエノールは、わずか二カ月後、電撃的にアンジュー伯のアンリ(ヘンリー二世)と再婚します。このアンジュー伯アンリの血筋をみてみましょう。

彼の母マティルダは、イングランド王ヘンリー一世の娘であり、父はアンジュー伯ジョフロワ四世です。

ノルマンディー公ギヨーム二世がイングランドに攻め入って、一〇六六年にイングランド王ウィリアム一世(征服王。ギヨームの英語形がウィリアム)として戴冠し、現在のエリザベス二世にまで続くノルマン朝を開きます。そのあとは子どものウィリアム二世が継いで、さらにその弟のヘンリー一世が継ぎます。この三代目のヘンリー一世には、マティルダの兄にあたるウィリアム・アデリンという息子がいました。

当時のイングランド王はノルマンディーに領地を持つノルマンディー公でもあります。逆に、ノルマンディー公がイングランドを支配しているとみることもできます。フランスのほうが文化が進んでいましたから。一族はみんなフランス語で話し、頻繁にドーバー海峡を往復していました。ただし、父のヘンリー一世と息子のウィリアムは別々の船に乗る。泳いでも渡れるドーバー海峡とはいえ、リスク管理のためです。

一一二〇年、岩にぶつかって王太子の乗った最新の高速船ホワイトシップ号が沈み、世継ぎが海の底に消えてしまったのです。後世の歴史書には、若者だけの航海で、みな酔って眠りこけていたから、対処しようがなかったと書かれていますが、大切な王太子を若者だけのお供で船に乗せるはずがない。単に運が悪かったのだろうと思います。

再婚したヘンリー一世には後嗣が生まれず、残された子どもはマティルダしかいない。マティルダは、ローマ皇帝ハインリヒ五世に嫁いだものの、一一二五年に夫と死別して、一一二八年にアンジュー伯のジョフロワ四世と再婚していました。ジョフロワがエニシダの木（プランタジネット）を紋章にしていたことから、この家系にはやがてプランタジネットという家名（王朝名）が用いられるようになります。

ヘンリー一世は「後継者はマティルダである」と言い残して死ぬのですが、マティルダはアンジュー伯妃としてフランスで暮らしている。後継者のマティルダがロンドンにいないのをいいことに、ヘンリー一世の甥（姉の子）にあたるブロワ伯スティーヴン（在位一一三五―五四）が、（実は彼もフランスに住んでいたのですが）ロンドンに乗り込んでイングランド王に即位してしまう。「前王の遺言はあっても、女性に王はつとまらない」というわけです。

勝ち気なマティルダは即座にイングランドに軍を送り込んで、戦争を仕掛ける。こうしてイングランドは無政府時代に入りました。結局は痛み分けで、跡継ぎを亡くしたスティーヴンが、「自分の死後は、マティルダとジョフロワ四世との間に生まれたアンリに継がせる」と約束して喧嘩をおさめたのです。

こうしてスティーヴンの死後、アリエノールの夫アンリがノルマン朝第五代のイングランド王ヘンリー二世（在位一一五四―八九）として即位しました。アリエノールは、フランス次いでイングランドという二つの王冠を被ることになったのです。

アリエノールの再婚は、夫がイングランド王に即位したことにより、アンジュー帝国とも呼ぶべき強大な国家を出現させました。ノルマンディー、アンジュー、ポワトゥー、アキテーヌ、即ちブルターニュを除くフランスの西半分のほとんど全部と、さらにイングランドまでを手中にしたことになります。

イングランド王とパリ周辺の領地だけを領有するフランス王の領土は、非常に大きな差がついてしまいました。しかしそれでも、アンジュー伯はフランス王の臣下なのです。

アリエノールは、ヘンリー二世より一一歳も年長でした。前夫との間に二人の女子を産んでいますが、今回の結婚では、ウィリアム、ヘンリー、リチャード、ジェフリー、ジョンという五人の男子と、のちにそれぞれザクセン公妃、カスティージャ王妃、シチリア王妃になる三人の女子を産みます。

一方、アリエノールに去られたルイ七世にはなかなか男子が生まれませんでしたが三番目の妃、アデル・ド・シャンパーニュ（アリエノールの二人の娘が結婚したシャンパーニュ伯とブロワ伯の妹）との間に待望の男子が産まれます。これがカペー朝屈指の名君、フィリップ二世（在位一一八〇－一二二三）で、後にオーギュストと呼ばれるようになります。これはローマ皇帝アウグストゥスのフランス語読みで、フィリップ二世の優れた治績に因んだものです。

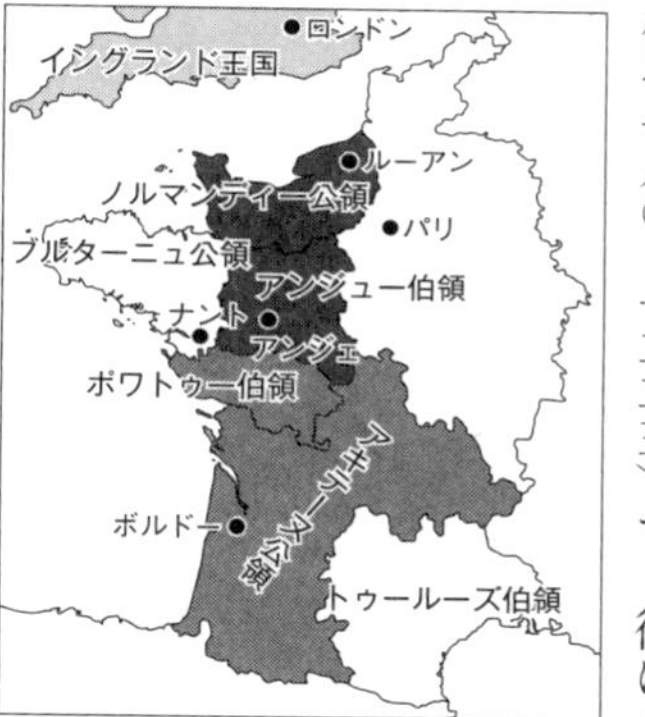

アンジュー帝国の領域

ところで、アリエノールもさすがにこれだけの出産を経ると、ヘンリー二世との仲も冷えてきました。再婚して一六年目にヘンリー二世と別居する頃には、年齢も四十代も半ばを越えていました。誇り高き彼女は、さっさとアキテーヌに戻ってポワトゥーに宮廷を開き、そこに一族郎党を呼び寄せて優雅な暮らしを始めました。

長男ウィリアムの早世後、次男のヘンリーが父と一緒にアンジュー帝国の共同統治者になります。しかし共治王とは名ばかりで、父親は権力を譲る気配がまったくない。若ヘンリーは怒って反乱を起こします。夫に対して思うところのあったアリエノールは、これはチャンスとばかりに、三男リチャード（のちのリチャード一世）と四男ジェフリーを引き連れて夫に戦争を仕掛けます。

一方、ヘンリー二世も考えます。「ウチの嫁はんに好き勝手やらせると、どえらいことになるで」。それで、イングランドのソールズベリにアリエノールを監禁してしまったのです。監禁といっても王妃ですから、城に住まわせてどこにも行けないように見張るくらいです。しかし、この監禁生活は一五年も続いたのです。

一一八九年、ヘンリー二世が死去。このときすでに若ヘンリーは死んでいたので、リチャードがイングランド王位に就きました。リチャード一世（在位一一八九―九九）は、アリエノールが溺愛していた騎士中の騎士でした。その勇猛さからライオンの心臓を持つ王、リチャード獅子心王と呼ばれています。

彼は戦いに明け暮れて、ほとんどイングランドにはいない。一〇年の在位中、イングランドにはわずか六カ月の滞在という短かさです。そこでアリエノールが摂政となってアンジュー帝国を治めます。もう七〇歳に手の届こうかという年齢になっていました。

リチャード一世は即位の翌年、第三回十字軍に出かけることになりました。

†ホーエンシュタウフェン家の台頭

モロッコなどマグリブとアンダルスを支配したムラービト朝は、ユースフの死後、衰退に向かいました。豊かな都市文明に慣れ、また、サハラとの縁が切れたことは遊牧兵士の供給源が絶たれたことを意味したのです。一一三〇年、アトラス山中に興ったムワッヒド朝（一一二六九）は、ムラービト朝同様に（さらに純正な）宗教改革運動としてスタートしました。一一四五年、アンダルスに進攻したムワッヒド朝の初代君主アブドゥルムウミン（在位一一三〇—六三）は、一一四七年、マラケシュを落として、ムラービト朝を滅ぼしました。

一一五〇年頃、南フランスでは、ボゴミル派の流れを汲んで善悪二元論に立つカタリ（清浄の意味）派が、アルビを拠点として、全盛を誇っていました。一一五二年、ドイツのコンラート三世は、死に臨んで息子を差し置き、甥（兄フリードリヒ二世の子）のフリードリヒ一世（バルバロッサ。在位一一一九〇）を後継に指名しました。期待に違わず、フリードリヒ一世は名君となり、ホーエンシュタウフェン朝は、三代、一〇〇年に及ぶ全盛期を迎えることになるでしょう。

フリードリヒ一世は、宿敵ヴェルフ家のハインリヒ獅子公（ハインリヒ一〇世の子）と和解し、一旦、コンラート三世が取り上げたザクセンとバイエルンの領有を認めました。獅子公は、一一五八年にミュンヘンを創建し、一一五九年にはリューベックを再興（一一四三年に建設されたリューベックは火事で荒廃していました）、自らの拠点であるブラウンシュヴァイクには大聖堂を建設しました。

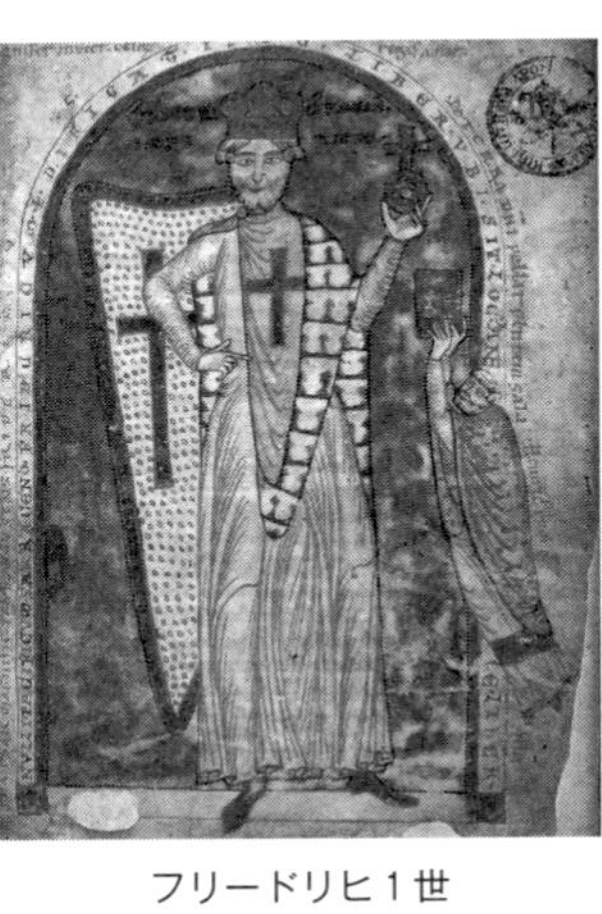
フリードリヒ１世

フリードリヒ一世は、早くも一一五四年にイタリア遠征を行い、五五年に教皇ハドリアヌス四世（在位一一五四—五九）からローマ皇帝として戴冠されましたが、アルノルド派を潰した誇り高いハドリアヌス四世とはウマが合わず、両者は互いに反目するようになりました。一一五九年にハドリアヌス四世が崩じるとアレクサンデル三世（在位一一五九—八一）が後を継ぎましたが、フリードリヒ一世は対立教皇を次々と押し立て（ウィクトル四世、パスカリス三世、カリストゥス三世）ローマ教会は一八年にわたって分裂しました。

教皇と対立した皇帝は一一五八年以降四度にわたるイタリア遠征を繰り返して北イタリアを固めようと画策しますが、これに反対した北イタリアの諸都市は一一六七年にロンバルディア同盟を結んで皇帝に対抗しました。同盟の中心都市は一一六二年に皇帝によって破壊されたミラノで、クレモナやボローニャなどが脇を固めました。

一一七六年、同盟軍はレニャーノの戦いで皇帝軍を破り、一一七七年のヴェネツィア条約で、六年間の停戦が合意されました。レニャーノで大敗した皇帝はアレクサンデル三世を正式な教皇として認め、ここに教会分裂は終結を迎えました。

一一八三年のコンスタンツの和議で皇帝とロンバルディア同盟は互いの権利を認め合い、長年にわたった紛争に決着をつけました。フリードリヒ一世の愛称、バルバロッサはイタリア語で赤い髭という意味ですが、イタリア語の愛称で呼ばれるということは逆に皇帝のイタリア政策への強い思い入れを物語っているのです。

ところで、レニャーノの戦いを前にして援助要請（ザクセン騎士の派遣）を拒否したハインリヒ獅子公に対して皇帝は腹を立てていました。そこで、皇帝は不服従の罪で獅子公の所領を没収（一一八〇）、獅子公をドイツから追放しました。獅子公はノルマンディーの宮廷（獅子公の妻はアリエノールの娘マティルダで、イングランド王ヘンリー二世は義父にあたります）に難を避けました。こうした諍いを経て、ホーエンシュタウフェン家とヴェルフ家は、不倶戴天の関係となりました。

「ゲルフとギベリン」 ゲルフはヴェルフのなまったもので、ヴェルフ家を指します。先述したように皇帝ハインリヒ四世と対立したヴェルフ二世が教皇派のトスカーナ女伯マティルデと結婚したことから、ゲルフは教皇派と訳されることもありますが、ヴェルフ家が皇帝位を継いだオットー四世の時代には、ゲルフ＝皇帝派となるのです。

ギベリンは、フリードリヒ一世の生まれたヴァインスベルク城（＝ウィーベリン）からきています。この城はもともとホーエンシュタウフェン家の居城で、彼らはウィーベリンという掛け声をあげて戦いました。一般には皇帝派とされていますが、ゲルフvsギベリンは、ドイツにおけるヴェルフ家とホーエンシュタウフェン家の戦いが、そのまま、北イタリアに持ち込まれたものなのです。決して皇帝対教皇を指す言葉ではないのです。

「ハインリヒ獅子公」 ヨーロッパでは同じ名前の君主がたくさん出てきます。獅子公は、ザクセン公としてはハインリヒ三世であり、バイエルン公としてはハインリヒ一二世となります。そこで、獅子公のようにニックネームで呼ぶケースが多くなるのです。因みに、獅子公のお父さんのハインリヒ一〇世（バイエルン公）は、ザクセン公としてはハインリヒ二世となります。お父さんのニックネームは傲慢公です。皇帝フリードリヒ一世に追われた獅子公は、ドイツのブラウンシュヴァイクで波乱に満ちた生涯を閉じました。

一一六七年、ヘンリー二世がフランスとの関係悪化を理由に、イングランドの若者にパリ大学への留学を禁じたことから、オックスフォード大学の本格的な発展が始まりました。一一六八年には、ステファン・ネマニャ（在位一一七一―九六）が、セルビアの統一に着手しました。ステファンは、一一七一年にセルビア王国を自称してネマニッチ朝（―一三七一）を開きました。一一七〇年、カンタベリー大司教、聖トマス・ベケット（一一一八―）が暗殺されました。ベケットは、大法官としてヘンリー二世の腹心でしたが、大司教に就任後は教会の権利を擁護して、ヘンリー二世と対立していたのです。この暗殺以降、ヘンリー二世の立場は悪くなります。一一七九年、ドイツの有名な音楽家・女子修道院長、聖ヒルデガルド・フォン・ビンゲン没。ヒルデガルドは、医学や薬草学にも強く、中世ヨーロッパ最大の賢女といわれています。

ザンギー朝では、二代目のヌールッディーン（在位一一四六―七四）が、一一四九年のイナブの戦いでアンティオキア公レーモンを敗死させ、ザンギー朝の権勢を示しました。ヌールッディーンは、一一五四年、ダマスカスに無血入城し、ついにシリアを統一しました。

ところで、ザンギーが、バグダード郊外でセルジューク軍と戦って敗れモースルに帰還する途中、セルジューク軍のクルド人の武将アイユーブ（生年不詳―一一七三）に助けられました。その後、アイユーブとその弟シール・クーフ（生年不詳―一一六九）はザンギー朝に仕えることになりました。この兄弟は、ダマスカスの無血開城にも大きな役割を果たし、ヌールッディーンの高い評価を受けました。

一一六三年、ファーティマ朝の内紛を好機と見たヌールッディーンは、シール・クーフをエジプトに派遣しました。その中にアイユーブの息子、ユースフ（サラーフ＝アッディーン、サラディン）がいたのです。シリア軍は、紆余曲折の末にエルサレム王国軍と連合したエジプト軍を破ります。一一六九年に大食漢であった叔父の死に伴い、軍権を引き継いだサラディンは、ファーティマ朝の宰相に就任してエジプト全土を掌握すると、アイユーブ朝（一一二五〇）を開きます。

サラディン

ファーティマ朝最後のカリフ、アーディド（在位一一六〇―七一）が子どもを残さずに没すると、サラディンが名実ともにエジプトの支配者となりました。アイユーブはサラディンをエジプトに訪ねて、アドバイスを行っています。サラディンは、イエメンを征服し（一一七四）、東ユーラシアからの紅海ルートを手中に収めました。

ヌールッディーンはサラディンのこうした行動を離叛と考えて、エジプト親征を企てますが、一一七四年に病没すると、サラディンがダマスカスに進攻してシリアをも手中に収め、イスラーム勢力は、十字軍侵攻後、初めて統一されることになりました（なお、北イラクのザンギー朝は一二五〇年まで命脈を保ちます）。

満を持したサラディンは、一一八七年五月、クレッソン泉の戦いで、テンプル騎士団・聖ヨハネ騎士団を殲滅、七月にはヒッティーンの戦いで十字軍の主力を壊滅させ、一〇月にはエルサレムを奪回しました。十字軍国家は海岸線に追い込まれ、エルサレム王国はティルス、後にはアッコに拠ることになりました。

知性に優れたサラディンは、虐殺はおろか聖墳墓教会にも手をつけませんでした。サラディンの令名はヨーロッパにも広く伝えられることになります。

なお、バルカンでは、一一八五年にペタル四世（在位一一八五―八七、一一九六―九七）が、東ローマ帝国から独立し、およそ一七〇年ぶりにブルガリア帝国（第二次）を再興しました。

†第三回十字軍

サラディンによるエルサレムの喪失は、ヨーロッパに大きな衝撃を与えました。教皇グレゴリウス八世（在位一一八七）が第三回十字軍（一一八九―九二）を呼びかけ、ヨーロッパの三大国、英仏独の君主が揃って聖地に赴くことになりました。フリードリヒ一世は、一一八九年に十字軍の総司令官として陸路エルサレムに向かいましたが、一一九〇年にキリキア（現トルコ南部）のサレフ川で溺死、部隊は散り散りになりました。なお、この時代を描いたウンベルト・エーコの『バウドリーノ』という傑作小説があります。

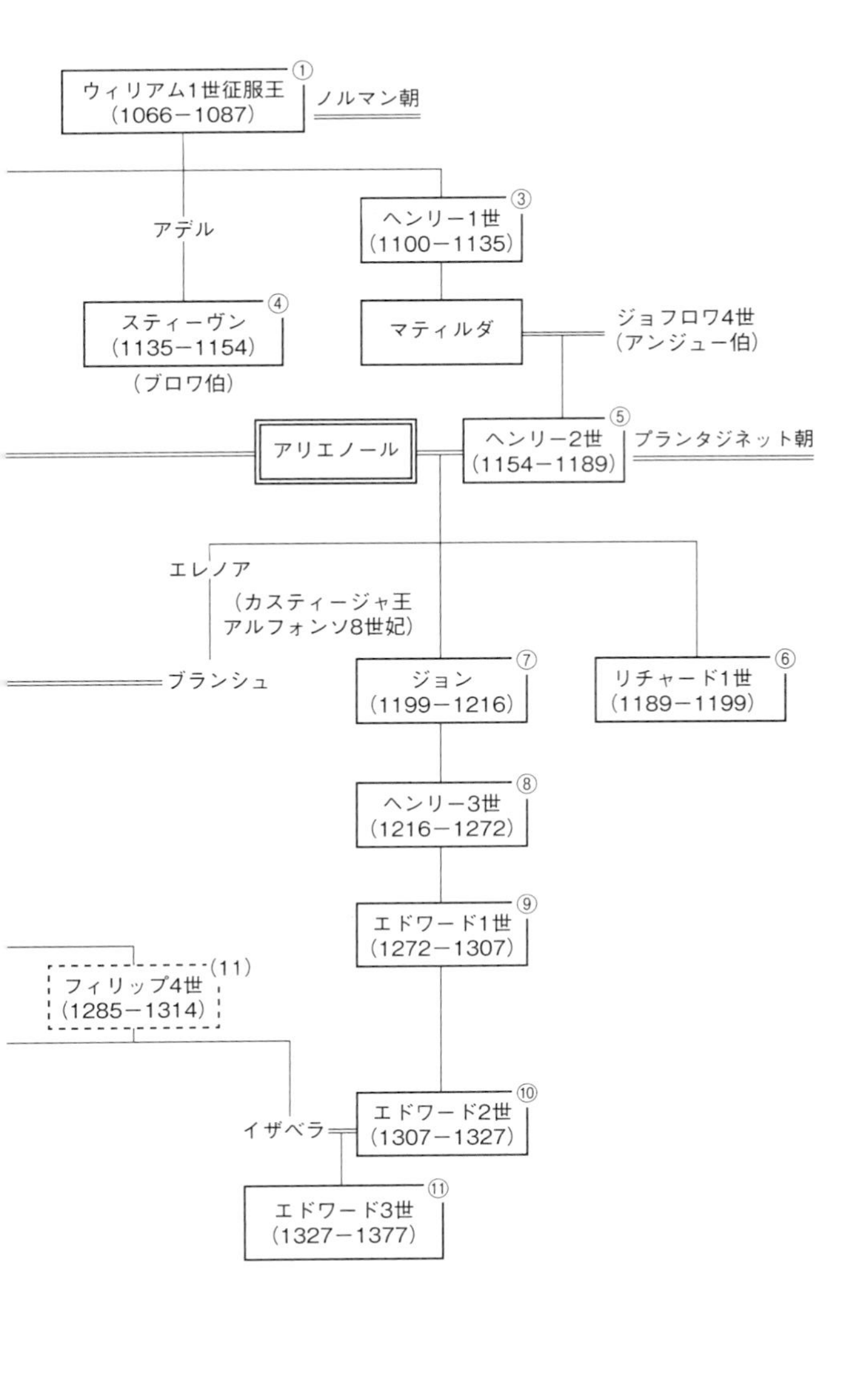
①ウィリアム1世征服王
(1066−1087)
ノルマン朝
アデル
③ヘンリー1世
(1100−1135)
④スティーヴン
(1135−1154)
(ブロワ伯)
マティルダ
ジョフロワ4世
(アンジュー伯)
アリエノール
⑤ヘンリー2世
(1154−1189)
プランタジネット朝
エレノア
(カスティージャ王
アルフォンソ8世妃)
ブランシュ
⑦ジョン
(1199−1216)
⑥リチャード1世
(1189−1199)
⑧ヘンリー3世
(1216−1272)
⑨エドワード1世
(1272−1307)
(11)フィリップ4世
(1285−1314)
イザベラ
⑩エドワード2世
(1307−1327)
⑪エドワード3世
(1327−1377)

イングランド王家とフランス王家の系図

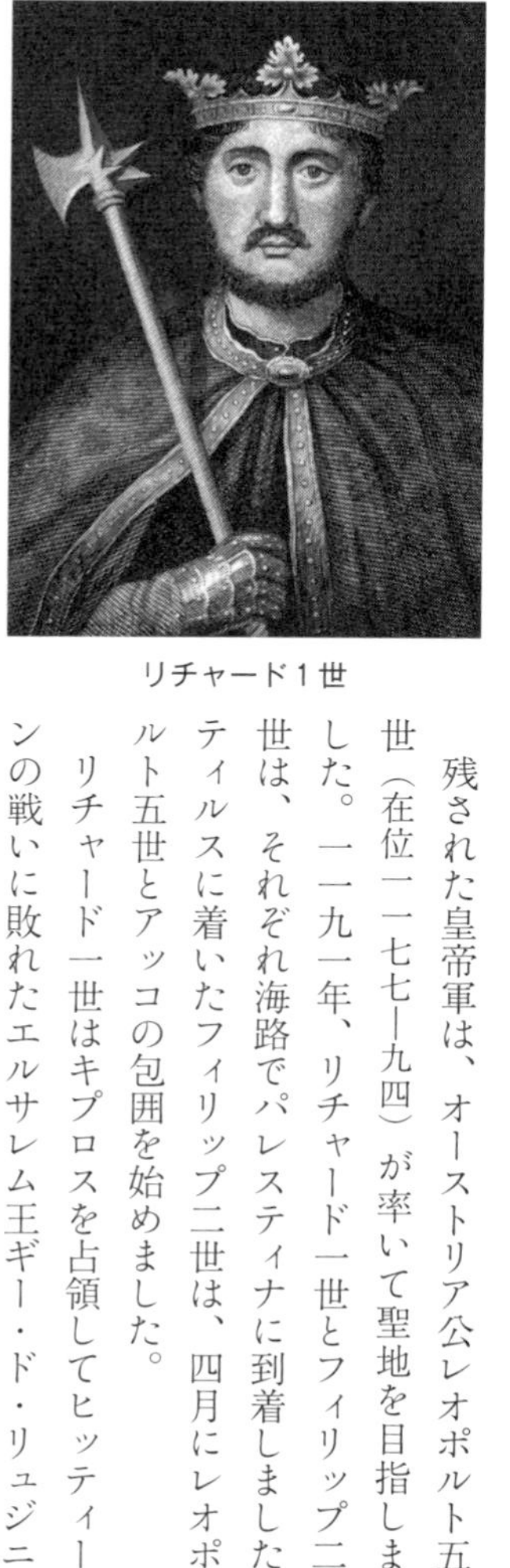

リチャード1世

フィリップ2世

残された皇帝軍は、オーストリア公レオポルト五世（在位一一七七―九四）が率いて聖地を目指しました。一一九一年、リチャード一世とフィリップ二世は、それぞれ海路でパレスティナに到着しました。ティルスに着いたフィリップ二世は、四月にレオポルト五世とアッコの包囲を始めました。

リチャード一世はキプロスを占領してヒッティーンの戦いに敗れたエルサレム王ギー・ド・リュジニャン（女王シビーユの夫として共同統治。在位一一八六―九二）にキプロス島を譲渡した後、六月にアッコ包囲戦に加わり、七月に入ってアッコは陥落しました。レオポルト五世は、フィリップ二世やリチャード一世と並んで自身の旗を掲げましたが、リチャード一世が王旗ではないとしてこれを撤去したため、激怒して帰路につきました。なお、十字軍の戦いでレオポルト五世は全身に返り血を浴びましたが、ベルトの部分だけは白く残りました。これが赤・白・赤のオーストリアの国旗の元になったという伝承が残されていますが、どうやらこの話は創作のようです。

ところで、その頃の十字軍国家は、地中海の沿岸に張り付くような形で、ヴェネツィアやジェーノヴァという海洋国家の海軍力に頼って食糧や武器弾薬の補給が行われていた状態でした。つまり、補給が途絶えればあっという間に滅ぼされてしまう。言い換えれば、イタリアの商人を食べさせるために頑張っていただけの有様だったのです。

「サラディン相手では軍事的な勝利は望めないうえに、十字軍国家はヴェネツィアとジェーノヴァの商人に食い物にされている」と見抜いた賢明なフィリップ二世は、病気を理由に早くも七月にさっさとフランスに帰ってしまいます。リチャード一世の留守の間にアンジュー帝国の領土を掠(かす)め取ってやろうという魂胆もありました。しかし、ひとり残ったリチャード一世はそんなことには頭が回らず、サラディンと一騎打ちをしようなどと戦争のことしか考えていませんでした。

その後、リチャード一世とサラディンは一年以上にわたって一進一退の戦いを続けますが、戦況は膠着状態に陥ります。

一一九二年九月、リチャード一世は、エルサレムの回復を諦め、その代わりにサラディンとキリスト教徒がエルサレムに巡礼に行くときの安全保障を定めた平和協定を締結して、第三回十字軍を終結させました。サラディンは、バグダードのカリフを尊重するなど、極めて清廉な人柄であり、まさにイスラームの英雄でしたが、セルジューク朝の分裂、衰亡に乗じて、カリフ政治の復活を狙っていた野心家のカリフ、ナースィル（在位一一八〇―一二二五。ナースィルの治世は、アッバース朝の歴代カリフの中で最長です）は、サラディンの足を引っ張りました。

†フェデリーコ二世の誕生

帰路についたリチャード一世は、船が難破したため陸路を辿りますが、オーストリアで恨みを忘れていなかったレオポルト五世に捕らわれました。そして身柄は一一九三年に皇帝ハインリヒ六世（在位一一九一―九七）に引き渡されます。ドイツでは、フリードリヒ一世の死後、嫡男のハインリヒ六世に皇帝位がスムーズに継承されていました。ハインリヒ六世は、一一八六年に一〇歳年上のシチリア女王コスタンツァとミラノで結婚していました。この政略結婚は、ローマ教皇庁にとっては危機そのものでした。なぜなら、南北に挟まれることになるからです。

シチリア王グリエルモ二世（在位一一六六―八九）が死去したとき、王位継承者はコスタンツァと定められていましたが、ドイツ人の支配を嫌ったシチリア人はグリエルモ二世の従兄のタンクレーディ（在位一一八九―九四）を押し立てました。ハインリヒ六世は、シチリアに侵攻しますが撃退されます。一一九四年、アリエノールから多額の賠償金を受け取り、リチャー

フェデリーコ２世

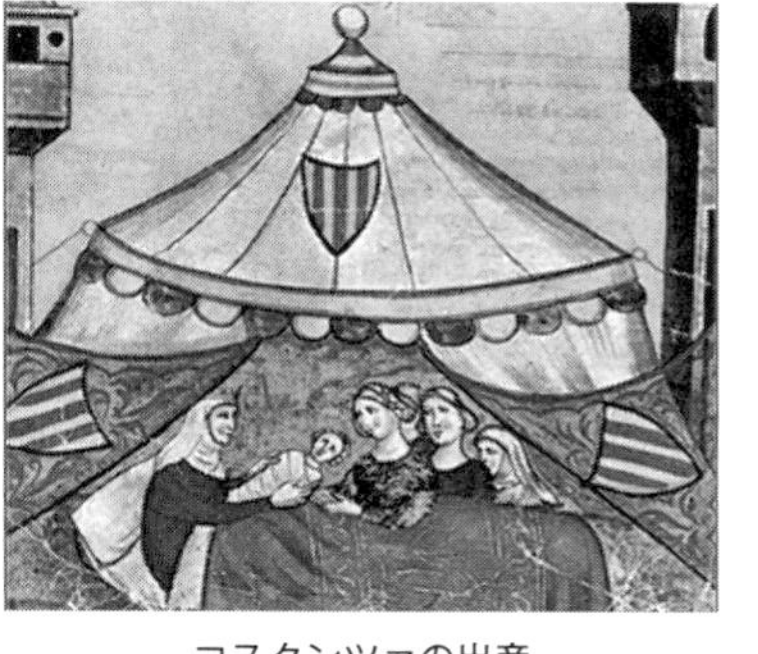

コスタンツァの出産

ド一世を釈放したハインリヒ六世は、その賠償金を軍資金として再びシチリアに侵攻しました。

シチリアではタンクレーディと長子のルッジェーロ三世（在位一一九三。タンクレーディと共治）が共に病死した後、九歳のグリエルモ三世（在位一一九四）が後を継いでいましたが、ハインリヒ六世はパレルモを落として、一一九四年一二月にシチリア王に即位しました。その翌日、別行動をとりシチリアに向かっていたコスタンツァが待望の男児を出産します。後のローマ皇帝フェデリーコ二世（フリードリヒ二世。在位一二二〇―五〇）です。

この子どもは父親からローマ皇帝＝ドイツ王位を、母親からはシチリア王位を受け継ぐことがほぼ約束されています。南イタリアのノルマン・シチリア王国はとても豊かな国でした。フェデリーコ二世は生まれながらにして、絶大な権力と財産の持ち主だったのです。

しかし、コスタンツァの出産の光景は異様です。中部イタリアのイェージという小さな町の広場にしつらえた天幕の中、イェージの貴婦人たちが見守る中でコスタンツァはフェデリーコ二世を産み落としています。この天幕での出産シーンは当時の年代記にも描かれていますから、人びとの記憶にも相当強く残ったものだったのでしょう。なぜそんなことをしたかといえば、コスタンツァはすでに四〇歳を超えており、しかも初産だったため、こっそり出産すると「どこからか赤子を貰ってきたのでは？」と疑われるのではないかと怖れたのです。大きな将来を背負った子どもを産むには、そこまでしなければならなかったのです。

ところで、絶頂期にあったハインリヒ六世は、一一九七年、大艦隊を組んで十字軍の準備をしている最中に（東ローマ帝国の征服を目指していた、あるいはシチリアの反乱に対処しようとしていたとの説もあります）、メッシーナで病を得て急死してしまいます。フェデリーコ二世はまだ三歳ですから、さすがに皇帝位を継ぐことができない。喜んだのがハインリヒ六世の弟のフィリップです。兄が長生きしたり、嫡子のフェデリーコ二世が成人してしまえば、自分は一生、部屋住みで、ドイツ王やローマ皇帝となるチャンスはめぐってこないわけですから。

ただし、シチリアは本来、コスタンツァのものなので、シチリア王位はフェデリーコに継承されることになります。夫の遺言にしたがって、コスタンツァが摂政となりましたが、心労の種が尽きません。シチリアの貴族たちが虎視眈々と権力の座を狙っていたからです。シチリアの貴族たちはもともとはフランスのノルマンディー公国から来た騎士ですが、ハインリヒ六世が生きているときはドイツ人の風下に立たされて、さんざん悔しい思いをしていた。果断な性格のハインリヒ六世は、反抗する貴族を殺したりしていました。その反動がおきたのです。

それでコスタンツァは身の置き所がなくなって、「どうか後見人になってフェデリーコ二世を育ててください」とローマ教皇に泣きつきます。このときの教皇はインノケンティウス三世（在位一一九八―一二一六）というとんでもない俗物で、政治に口を出すのが大好きな人物でした。

「ノルマン・シチリア王国はもともと教皇のものだと認めよ」などと法外な条件を付けて後見役を引き受け、フェデリーコ二世をシチリア王として認めます。ひと安心したのかコスタンツァは病死してしまいます。一一九八年、フェデリーコ二世は四歳で孤児となったのです。そして、一時的に皇帝もシチリア王も姿を消したイタリアでは、教皇権が最盛期を迎えることになります。

後見役となったインノケンティウス三世は、フェデリーコ二世に家庭教師をつけます。しかしフェデリーコ二世をローマに呼び寄せたわけではなく、家庭教師団をシチリアに派遣しただけでした。その教師団は、「この子どもはラテン語もあっという間に覚えてしまう。末恐ろしい麒麟児だ」という報告を送っています。

フェデリーコ二世は、教皇の十分な後ろ盾も得られず、自分を利用しようとする者たちに囲まれて成長します。ときには貴族間の派閥抗争のあおりを受けて人質生活を送ったりしており、このときは彼を憐れんだ市民に食事を分け与えてもらうなど、とてもシチリア王とは考えられない大変な苦労を重ねます。しかし、その分だけ、とても賢い青年に育っていくのです。

当時のシチリアの中心都市パレルモは、現代のニューヨークのような国際都市でした。まず東ローマ軍を追い払ったアラブ人に支配され、そのあとにノルマンディー公国からノルマン人がやって来たという経緯から、ラテン語、ギリシャ語、アラビア語、フランス語、ドイツ語、イタリア語など、さまざまな言語が飛び交い、ダイバーシティ（多様性）にあふれていました。そこで幼少期を過ごしたことが、のちのフェデリーコ二世に大きな影響を及ぼしたのは間違いありません。

一一九四年、セルジューク朝は、ホラズム・シャー朝の六代君主テキシュ（在位一一七二―一二〇〇）によって滅ぼされました。テキシュは、ホラズム・シャー朝で初めてスルターンを名乗った君主です。テキシュは一一九八年、バグダードに入り、カリフのナースィルを庇護下におきました。同じ一一九八年には、高名な医者で大哲学者のイブン・ルシュド（アヴェロエス、一一二六―）が、マラケシュで死去しました。後に、ルシュドのアリストテレスの注釈書は、トマス・アクィナスを始めとするスコラ学者のバイブルとなるでしょう。

ところで、一二世紀後半から一三世紀にかけて、北部や中部イタリアのコムーネでは、遺恨に基づく姻戚派閥（コンソルテリア）間の争いが絶えず（ロミオとジュリエットの世界です）、それぞれのコンソルテリアは、戦いのために、競って八〇mにも及ぶ高い塔を建てました。サン・ジミニャーノなど、現在でも各地に多くの塔が残されています。また、コムーネ間の戦争等、非常事態には、ポデスタと呼ばれる臨時独裁者を外部から（契約で）招聘するのが常でした。

サン・ジミニャーノ

一三世紀半ば以降になると、シニョーレと呼ばれる終身統治者が、現れるようになります。シニョーレは、お金で称号を買うなど手段を選ばず、社会的な認知を得ようと努めました。こうして、ヴィスコンティ家（一二七七年、ミラノのシニョーレとなる）や、ゴンザーガ家（マントヴァ）が台頭してきたのです。ただし、ヴェネツィアだけは、独自の共和政を頑なに守り続けました。

†アリエノールの最期

話をアリエノールに戻します。

リチャード一世がドイツから解放されてアンジュー帝国に帰ってみると、領土が虫食い状態になっていました。先に十字軍遠征から帰っていたフィリップ二世が、アリエノールを補佐して留守番をつとめていた末子のジョンをそそのかして上手に領土を蚕食し、さらにイングランド王位を狙っていたのです。

リチャード一世は激怒してフィリップ二世と戦いを始めます。しかし、始めたはいいが、最前線に立たないと気がすまないリチャード一世は流れ矢に当たってあっけなく死んでしまう。それで一一九九年、ジョン（在位一一九九―一二一六）がイングランド王位に就くことになりました。

ジョンの治世は始めから迷走します。まず、臣下の許婚者を見初めて横取りしてしまう。一二〇〇年のことです。フィアンセを盗られた家臣はフランス貴族ですから、フランス王であるフィリップ二世に訴え出る。フランス王から見ればイングランド王は臣下ではないけれど、ジョンが兼ねているアキテーヌ公、ノルマンディー公、アンジュー伯などは全部、自分の臣下です。イングランド王を兼ねていようといまいと、裁く権利がある。ですから、一二〇二年に「ジョンよ、出頭せい」と法廷に呼び出します。

ジョンは、当然拒否しますが、そこで戦争となり、結果的にはフランスにあるアンジュー帝国の領土をほとんど全部召し上げられてしまう羽目に陥ります。ジョンがザ・ラックランド（欠地王）と呼ばれているのは、かつてヘンリー二世が大陸の領地を息子たちに分割した際、幼かったために除外されて領地のないジョンとあだ名されていたことによります。けれど、そのあだ名が現実のものとなってしまったのです。残ったのはアキテーヌの中心地であるガスコーニュとイングランドだけというお粗末な結果です。

ジョン王

巻き添えを食ったのは貴族たちです。彼らはたいていフランスにも領地を持っている。しかもフランスの領地のほうが豊かで広く、それらを含んでのアンジュー帝国でしたから、イングランドの貴族もジョンのために領地を半分以上失ってしまった。君主も家臣も、すっかり貧しくなって、すごすごフランスから退却することになったのです。それでも懲りないジョンは、甥のローマ皇帝オットー四世（在位一二〇八—一二一五）と結んで、一二一四年にブーヴィーヌの戦い（後述します）を起こしますが、フィリップ二世に大敗してイングランドに逃げ帰りました。

貴族たちは、失政に次ぐ失政のジョンに、はらわたの煮えくり返る思いを抱いています。ジョンはそれまでも戦費調達のために国王特権を乱用して臨時課税を重ねており、議会は無視されていました。貴族たちは立ち上がり、内戦となります。ローマの哲学者キケロが喝破したように「戦争はカネなり（Money is the sinews of war）」ですが、増税に次ぐ増税では、貴族たちも我慢の限界を通り越して当然でしょう。貴族たちは結束して反抗し、ジョンはロンドンを追われます。万策尽きたジョンは一二一五年ラニーミードにおいて、法の支配や国王の徴税権を制限する協定に調印しました。これが、「マグナ・カルタ（大憲章）」です。クロムウェルの三王国戦争（ピューリタン革命）のときも、アメリカ独立の際にも持ち出されたマグナ・カルタは、もとはといえばふがいない君主に、その権限を制限することを約束させたものだったのです。

ここで時計の針を少し戻します。老境に入っていたアリエノールは、フィリップ二世と争いを続けるジョンや、また嫁がせた娘たちの姿を見ながら考えます。「シャンパーニュ伯に嫁いだ娘もブロワ伯に嫁いだ娘も、フランスの領土に住んでいてフランス王の臣下なのだ。このままイングランド王家とフランス王家が喧嘩を繰り返していたら、ろくなことはない」。そこでフィリップ二世の長子のルイ八世に、わが一族の血を引く女子を嫁がせようと考えました。要するに二つの王家を統合させようというわけです。

一二〇〇年、七八歳になっていたアリエノールはピレネー山脈を越えて、スペインのカスティージャに、出向きます。そこには、カスティージャ王アルフォンソ八世（在位一一五八―一二一四）に嫁がせたエレノアが暮らしている。エレノアはオック語読みではアリエノールですから、娘に自分と同じ名前を付けたことになります。自分に一番似ていて賢いと思っていたのでしょう。

このエレノアも一二人もの子どもを産んでいます。そのうち五人は夭折していますが、アリエノールは残った孫を品定めして三女のブランカ、フランス語読みでブランシュを、ルイ八世の妃に選びます。ブランシュも自分に似ていたのです。そうして最後の仕事を終えたアリエノールは、英仏両王家の平和を祈りつつ息を引き取ります。一二〇四年のことでした。

アリエノールの墓は、ヘンリー二世の墓とともに今もフランスのロワール県フォントヴロー修道院の中にあります。イングランド王妃とはいえ、アンジュー帝国の領土の大半はフランスにあり、絶頂期にはフランスの国土の半分以上がアンジュー家のものだったのです。

宋の南遷

宋では、一〇八五年に新法改革を推し進めた中興の祖、神宗が没すると、その子で八歳の哲宗（在位一一〇〇）が即位しました。そして宣仁皇后高氏（神宗の母）が称制（即位をせずに政務を執ることです）を行いました。高太后は旧法を回復すべく二〇年余り実施されていた新法を順次廃止していったので、孫（哲宗）との関係は悪くなりました。一〇九三年に高太后が没すると哲宗の親政が始まり、哲宗は新法を再実施しましたが、一一〇〇年に二三歳の若さで亡くなりました。そして、異母弟の徽宗（在位一一〇〇—一一二六）が第八代皇帝として即位しました。

徽宗は書画の才に優れ、北宋最高の芸術家の一人で俗に風流天子と呼ばれるほどでした。書では痩金（徽宗の号）体、画では写実的な院体画を開きました。わが国に伝えられた徽宗の桃鳩図は国宝となっています。徽宗は、また、書家の米芾（一〇五一—一一〇七）を寵愛したことでも知られています。

桃鳩図

しかし、徽宗は政治の才には乏しく、取り巻きの宰相蔡京（一〇四七—一一二六）や宦官の童貫ら（六賊と呼ばれました）に政務を委ねました。一六年にわたって宰相の地位にあった蔡京は、佞臣の代表のようにいわれていますが、新法党として、学校や弱者救済施設にも意を用いた側面があり、文化人でもあって、単なるゴマすりではなかったようです。しかし徽宗は、大国、宋の皇帝としてはかなり問題がありました。

たとえば花石綱があります。花石綱とは人手と船を徴発して大運河を利用し、江南の奇岩や珍木を開封の宮殿まで運ぶ船団（綱）のことでした。徽宗は、白居易に倣って、これらの奇岩や珍木を庭園に配して楽しみました。これが日本の枯山水と呼ばれる作庭の元になっているそうです。まことに風流で洒落ています。しかし問題は、この運搬を、本来は食料を運ぶ大動脈である運河を独占使用して行なったことです。巨岩を通過させるために、水門や橋を破壊することもありました。

ここに至って民衆の怒りが爆発し、争乱が起きました。代表的なものが一一二一年に起こった宋江の乱です。この史実が『水滸伝』のモデルとなり、宋江以下、一〇八名の豪傑が山東省の梁山泊に集まって決起した物語となりました。

しかし、風流天子徽宗の失政の最たるものは外交でした。

宋は燕雲一六州を占有するキタイと澶淵の盟を結んで、平和を保っていましたが、このキタイの国境の北、満洲の奥地で渤海の後裔であるツングース系の女真族・完顔部の金（一一一五―一二三四）が台頭したのです。金は完顔阿骨打（太祖、在位一一一五―一一二三）が指導者になると、猛安謀克制（三〇〇戸を謀克、一〇謀克を猛安として女真族の軍事組織化に成功しました）を整備して建国を果たしたのです。その強大な軍事力の背景には豊富な砂金や鉄資源がありました。この状況を見た宋では、悲願の燕雲一六州の回復を企図して、金と手を結んで、キタイを挟み撃ちにしようという案が生まれます。宋は、海路、金に使節を送り、同盟を結んでキタイを共に倒すことを誓いました（一一二二）。これが海上の盟です。

ところが、完顔阿骨打の行動は迅速をきわめ、宋が南方で起こった方臘の乱に手こずっている間にほぼ独力で一一二五年にキタイを滅ぼしてしまったのです。キタイに服属していた高麗は金に服属しました。そして、金は約束通り、一六州の内、南の六州を宋に返還しました。ところで完顔阿骨打がキタイ追撃中に死去したことを知った宋では、政治のわからない風流天子に、金が大きくなりすぎても困るから今度はキタイの残党と組んで金を叩きましょうと、愚臣たちが献策します。これを伝え聞いた金の二代、太宗は激怒して、宋を倒すべく大軍を南下させました。

びっくりした徽宗は退位し、長男の九代欽宗に皇位を譲って責任逃れをしました。しかし金はこれを許さず、開封を占拠すると徽宗、欽宗を含めて宋の皇族や重臣、女官たちをことごとく北方に連れ去ってしまいました。この争乱を靖康の変と呼んでいます（一一二六―一一二七）。なお、金に追われたキタイの皇族、耶律大石（在位一一三二―四三）は、西走し、トルキスタンにカラ・キタイ（西遼。―一二一八）を建国しました。

耶律大石は、東カラハン朝を支配下に収め、一一四一年のカトワーンの戦いで、サンジャルが率いるセルジューク朝と西カラハン朝の連合軍を撃破して、ソグディアナまでを勢力圏としました。セルジューク朝は没落し、ヨーロッパにはプレスター・ジョン（イスラームを倒した東方のネストリウス派キリスト教国の司祭王）の伝説が生まれます。西方を固めた耶律大石は、金に向けて大軍を発しましたが、途上で病没しました。

靖康の変で宋は、あっけなく倒れました。しかし、靖康の変を逃れた欽宗の弟、高宗（在位一一二七―六二）が臨安（現在の杭州）を首都と定め、江南の地に宋を再建しました。この新しい国を南宋（一一二七―一二七九）と呼び、それまでの宋を北宋と呼んでいます。

もともと宋の食糧の大半は、江南の地から開封まで運河で運んでいたのですから、金が長江を越えて攻めてこなければ南宋は安泰です。領土は半減しましたが、江南の開拓や南海貿易は一層進展し、宋の経済力が翳りをみせることはありませんでした。だとすれば、金との関係は、澶淵システムを復活して、仲良くすればいいのです。結局はそのようになるのですが、南宋の政策が平和路線に決定するまでには、激しい政争が起こりました。

この頃、繁栄期を迎えていたインドシナのクメール王国では、スールヤヴァルマン二世（在位一一一三―五〇）の下で、アンコール・ワットが造営されました。インドでは、デカンの後期チャールキヤ朝が、ヴィクラマーディティヤ六世（在位一〇七六―一一二六）の半世紀にわたる治世のもとで、最盛期（チャールキヤ・ヴィクラマ時代）を迎えていました。しかし、偉大な王が没すると、後期チャールキヤ朝は衰え始めました。そして、北方のヤーダヴァ朝、南方のホイサラ朝や、東方のカーカティーヤ朝が、後期チャールキヤ朝から自立しました。

一一二九年、杭州（臨安）に遷都して、ようやく一息ついた高宗は、宰相、秦檜（一〇九一―一一五五）とともに金との講和を目指しました。一一三五年、モンゴル系諸部族が金の北辺へ入寇し始め、金もそれほどの余裕がなくなってきていたのです。一一三八年、和議が成立し、宋は臣下の礼をとり、金に歳貢を送ることになりました。秦檜は、一一四二年、再度、金と紹興の和議（歳貢として、銀二五万両と絹二五万匹を金に貢納）を結び淮河を境に国境を確定させました。

いつの世の中でも平和をお金で買う政策は、人気がありません。南宋がスタートしたとき、宰相の秦檜は彼我の軍事力を考えて戦争しても金には勝てないと判断しました。金の弟分となって、ODAの関係を結び平和共存する路線を歩もうと考えました。これが文官である秦檜の考え方です。

これに対して岳飛（一一〇三―四二）という将軍が猛反撥します。漢民族がいつまで異民族にへいこら頭をさげ続けるんだ。正面からぶつかれ。戦ってみなきゃ勝敗は分からんぞ。これは大衆受けしてカッコいい。けれど主戦論は、いつも市民の命には無頓着です。

現実に眼を閉じた岳飛の強硬論に危険を感じとった秦檜は、一一四一年に妻の唆しもあって岳飛を罠にはめて殺してしまいます。こうして秦檜は誕生したばかりの南宋を救いました。岳飛謀殺の是非はあるとしても、当時の状況を冷静に分析してみれば、秦檜のとった行動は、まっとうでした。南宋一五〇年の平和を実現したのです。強硬論は常に喝采を浴びますが、現実に戦争で苦しむのは多数の民衆であって、指導者には、罵倒に耐える勇気が必要でしょう。高宗にはそれがあったのです。

しかしその後、明の時代に入ると朱子学が中国を席巻（せっけん）します。朱子学は、南宋の時代に朱熹（しゅき）（一一三〇―一二〇〇）が完成させた新しい儒教の考え方です。論理的、体系的で優れた教えなのですが、問題は、漢民族のみが正統な王朝であるというイデオロギーを歴史に持ち込んだ点にあります。この結果、秦檜と岳飛の関係は逆転しました。

杭州に行くと岳飛を祀る岳飛廟があります。岳飛は救国の英雄となったのです。僕も二〇年ほど前に訪れましたが、大勢の参拝者がつめかけていました。

その廟の前に、鎖につながれた秦檜夫妻の像があります。そして岳飛廟にお参りした人々は、秦檜夫妻の像につばを吐きかけていました。歴史にイデオロギーを持ち込むことの恐ろしさを感じた光景でした。

秦檜夫妻の像（岳飛廟）

†日本と中国の交易

一一六七年、日本では、二つの騒乱（保元の乱、平治の乱）を勝ち抜いた平清盛（一一一八―一一八一）が、軍事警察校を掌握して武士として初めて実権を握りました。平氏政権の誕生です。東アジアの情勢をよく摑んでいた清盛は、大輪田泊（神戸港）を整備し、南宋や高麗との貿易に尽力して、莫大な富を蓄積しました。世界遺産の厳島神社にその名残が見られます。博多や敦賀を基点として行われていた高麗や宋との民間交易は、清盛によって国家ベースに引き上げられたのです。清盛の最大の貢献は宋銭の本格的な輸入に踏み切り、日本に初めて貨幣経済を導入したことでしょう。これにより、日本は長期停滞の時代を脱して成長を始めるのです。

日本と中国との交易は、遣唐使の廃止により、民間ベースに切り替わりましたが、全く交易（量）が落ち込むことはなく、古代を通じて一貫して拡大してきました。交易だけではなく、例えば、廃れていた喫茶（粉茶）の習慣をわが国に伝えた栄西（一一四一―一二一五）は、勉学のため二度も宋に渡っています。また、宋建築の新技術を摂取した栄西は、東大寺鐘楼の再建を手がけました。

一一六〇年、南宋でも、会子（紙幣）が発行されましたが、まだ会子は約束手形の性格を残していました。これは、北宋時代に四川で発行された交子を継ぐものですが、交子や会子が発行された背景には、慢性的な銅銭不足（銭荒現象）がありました。宋は、歴代王朝の中では、最も多くの銅銭を発行しましたが、それでも、経済規模の拡大には追いつけなかったのです。

ところで、唐の末期頃から、中国では、短陌と呼ばれる商慣習が定着していました。これは、例えば、七七枚の銅銭を紐で結わえて一束にすれば、銅銭一〇〇枚として通用するというもので、実質的には、通貨の切り上げであり、かつ大商人に有利な制度でした。七七枚の銅銭を、バラバラにすれば、一〇〇枚の価値はなくなります。従って、多くの銅銭を所有する大商人にしか、短陌のメリットには与れないということになるのです。銭荒現象が強まる中で、四川では、粗悪な鉄銭が流通していましたが、そのような状況の中で、地元の富豪組合が、交子を誕生させたのです。

平清盛

一一六二年、高宗は譲位して、名君として知られる二代、孝宗（—一一八九）が即位しました。なお、高宗は一一八七年まで長生きしました。金でも暴虐な海陵王（在位一一四九—六一）を倒した五代、世宗（在位一一六一—八九）が即位していました。両者は、一一六五年、改めて和議を結び、両国の関係を、臣君関係から、甥（宋）叔父（金）の関係に改善し、歳貢を二割減額しました。

この後、約四〇年にわたって平和が訪れ、両国は最盛期を迎えました。南の国境が安定した金は、一一七〇年頃から、モンゴル族など北方の遊牧民に対して北辺に界壕（長城）を築き始めました。金の界壕は、長さでは二五〇〇kmと、ほぼ万里の長城に匹敵します。北の脅威が薄らいだ首都、杭州はかつての開封のような賑わいを呈していました。清盛が日宋貿易に乗り出したのは、この孝宗の繁栄の時代だったのです。

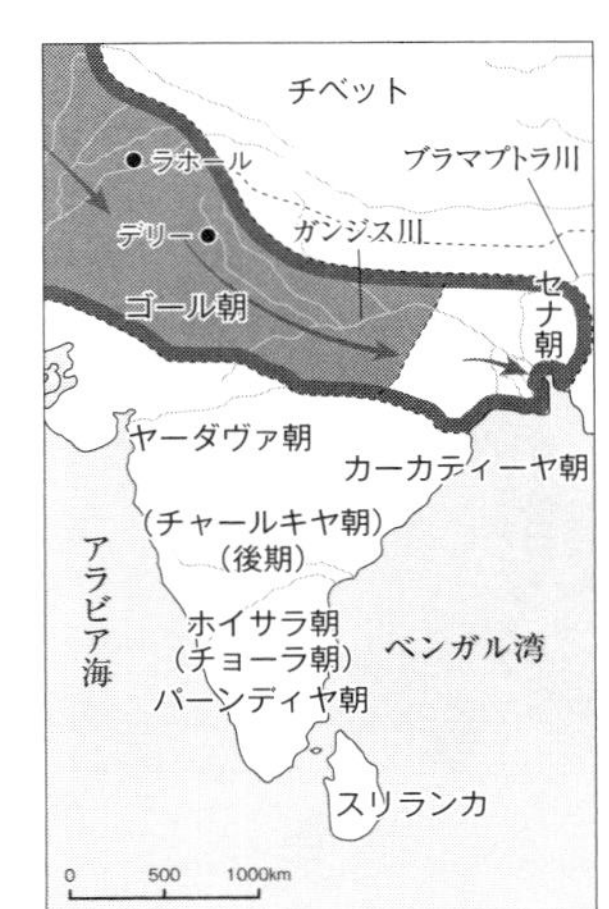

12〜13世紀インドの王朝

一一七三年、アフガニスタンで台頭してきたゴール朝が、ガズナ朝の首都、ガズナを落としました。ゴール朝の最盛期を築いたスルターン、ギヤースッディーン・ムハンマド（在位一一六三―一二〇三）は、ガズナを弟、ムイズッディーン（シハーブッディーン・ムハンマド。在位一二〇二―〇六）に託しました。ムイズッディーンは、パンジャブに逃れたガズナ朝を滅ぼして北インドに侵入しました。ムイズッディーンのマムルーク、アイバクは、一一九三年、デリーを陥落させ、インド経略の拠点としました。一一八九年、インドのデカンの後期チャールキヤ朝は、ホイサラ朝のバッラーラ二世によって滅ぼされました。南インドにおけるチョーラ、チャールキヤ二強の時代は去り、一二世紀後半以降の南インドは、四王国（ヤーダヴァ、カーカティーヤ、ホイサラ、チョーラ。なおチョーラが一二七九年に滅んだ後は、パーンディヤ）の抗争時代に入ります。

日本では、源氏が挙兵し、平清盛一族の専横に反感を持つ坂東の平氏が呼応して、平氏政権を滅ぼしました（一一八五）。同年、源頼朝が、鎌倉に幕府を開きました。平氏政権に次ぐ第二の武家政権の誕生です。当時の後白河上皇は、鎌倉幕府をしぶしぶ認めました。後白河上皇は、『梁塵秘抄』（今様歌謡集）の撰者としても知られています。鎌倉の源氏将軍は三代約三〇年で滅び（一二一九）、執権、北条氏（坂東平氏の一族）が、鎌倉幕府の実権を掌握しました。

一二〇〇年、儒教を新たに体系付けた朱熹（一一三〇―）が没しました。理よりも心を重んじた論敵、陸九淵（象山、一一三九―）も、一一九三年には亡くなっていました。朱子学は、明以降、体制擁護のイデオロギーとなるでしょう。

朱熹

「朱子学」 北宋以来、宇宙を、存在としての気と、存在根拠・法則としての理に分けて二元論的に解する理気世界観が成立していました。王安石の新法に対抗した程氏兄弟（二程子）の道学がその代表的なものです。

この流れを汲む朱熹は、儒教を理気世界観に基づいて論理的に再構成しましたが、理としての規範や名分を重んじたため、封建的身分秩序を維持する都合の良いイデオロギーとして、朱熹の死後、体制教学化されました。

理は宇宙の真理であって、かつ人間の本性、即ち精神です。気は万物に内在する粒子状の物質です。気は理に従って揺れ動き万物を形成するのです。理が誤ったものを継承するはずはないので、今の世界、つまり、古代の漢から継承された中国の身分制度は正しいものとして認証されます。朱子学は、東アジアで初めて成立した観念論哲学であり、仏教（インドの哲学と論理学）の影響が大きいと考えられています。

朱子学によって、儒教に修身や斉家（せいか）が持ち込まれ男系宗族が形成されました。また、皇帝像も神権王から哲人王へと変化しました。加えて朱熹は、女真族の金に追われて南遷した南宋の立場から、尊王攘夷を強く主張し、三国時代の蜀漢を、正統王朝としました。朱熹によって、正統論に、民族問題が持ち込まれたのです。北宋の領土喪失は、新法党に責任が転嫁されました。一二四一年、南宋の第五代皇帝理宗（在位一二二四―六四）の時代に孔子廟の制度改定が行われ、王安石が追放され、朱熹たちが合祀されました。ここに、新法は最終的に滅んで、守旧的、旧法的な朱子学の天下が始まったのです。新法が朱子学に敗れたことが、中国が西欧列強に遅れをとった遠因である、と考える学者もいます。確かに、新法の富国強兵策は、一九世紀の西欧列強の政策に似ている面がありました。

†第四回十字軍

ローマ皇帝ハインリヒ六世の急死後、ドイツの王位は、弟のフィリップ（在位一一九八—一二〇八）が継ぎましたが、ハインリヒ獅子公の息子のヴェルフ家のオットー四世（在位一一九八—一二一五）が対立王となり、ゲルフとギベリンの争いが白熱化します。

ローマ教皇インノケンティウス三世は、当初はオットー四世に肩入れしていましたが、一二〇四年頃から形勢がフィリップに有利になると手を引くようになりました。そして一二〇七年にはフィリップに帝冠を約束します。ところで、フィリップは、シチリア王ルッジェーロ三世の妃であったイレーネー・アンゲリナと一一九七年に結婚していました。

これは兄のハインリヒ六世が仕組んだもので、イレーネーが東ローマ皇帝イサキオス二世（在位一一八五—九五、一二〇三）の娘であったことから、ホーエンシュタウフェン家に東ローマ帝国の相続権を継承させようとたくらんだのです。イサキオス二世は二度のブルガリア遠征に失敗し、一一九五年に三度目のブルガリア遠征を計画したものの、遠征に反対した弟のアレクシオス三世（在位一一九五—一二〇三）によって帝位を追われました。

イサキオス二世の子どものアレクシオス四世は、義兄のフィリップのもとに亡命しましたが、一二〇一年、そこで、インノケンティウス三世が呼びかけた第四回十字軍の指導者、モンフェッラート侯、ボニファーチョ一世と会っています。おそらくここで、十字軍のコンスタンティノープル攻撃が密かに話し合われたのでしょう。

フランスの騎士を中核とする第四回十字軍は、イスラーム勢力の本拠であるアイユーブ朝の首都、カイロを攻めるつもりでヴェネツィアに集結してきました。ところが、ヴェネツィアの元首（ドージェ）エンリコ・ダンドロ（在位一一九二―一二〇五）は、一二〇二年、アイユーブ朝の第四代スルターン、サラディンの弟であるアル＝アーディル（在位一二〇〇―一八）と交渉して、交易権と引き換えにいかなるエジプト攻撃にも加担しないことを約束していたのです。

結局、十字軍はアレクシオス四世とともにコンスタンティノープルに向かい、一二〇三年、アレクシオス三世を追放して、アレクシオス四世を帝位に就けました（イサキオス二世と共治）。ところが、アレクシオス四世が十字軍に約束した金銭の支払や東西教会の統合が実現されなかったことで、東ローマ帝国と十字軍の仲は次第に険悪となり、アレクシオス四世はアレクシオス三世の娘婿アレクシオス五世に殺されました。

一二〇四年、十字軍は戦端を開いてついにコンスタンティノープルを陥落させました。ここに東ローマ帝国は一旦滅んで、ラテン帝国（―一二六一）が成立しました。この戦いにおける十字軍将兵の略奪・殺戮振りは歴史的にも有名で、コンスタンティノープルは荒廃の極みに達しました。ヴェネツィアのサン・マルコ寺院の屋上を飾る四頭の青銅の馬は、この時の戦利品です。

四頭の青銅の馬（サン・マルコ寺院）

強力なリーダーの選出を嫌ったエンリコ・ダンドロは、ボニファーチョ一世ではなく、フランドル伯のボードゥアンを皇帝に推挙、ボードゥアンはボードゥアン一世（在位一二〇四―〇五）として即位しました。ボニファーチョ一世（在位一二〇四―〇七）は、ボードゥアン一世と対立し、一二〇四年にテッサロニキ王国（―一二二四）を建国しました。奇しくもこの二人の君主は、ブルガリア帝国のカロヤン・アセン（在位一一九七―一二〇七）と戦い、共に落命しました。

東ローマ帝国は、首都を失い、亡命政権（ニカイア帝国。一二〇四―六一）を国内に樹立せざるを得ませんでした。ニカイア帝国を開いたのは、アレクシオス三世の娘婿、テオドロス一世ラスカリス（在位一二〇五―二二）でした。

ともあれ、十字軍は、東ローマ帝国滅亡の種を蒔いたのです。この機会を捉えて、バルカンではブルガリア帝国が再度強盛となり、また、小アジアには権力の空白が生まれて、十字軍に抗するムスリム（トルコ系）の小国家（戦士集団、ガーズィー）が乱立するようになりました。いずれ、その中からオスマン朝が生まれてくるでしょう。

一二〇四年、ユダヤ教徒の大哲学者イブン・マイムーン（マイモニデス、一一三五―）が、カイロで死去しました。コルドバで生まれたイブン・マイムーンは、アンダルスを代表する大知識人であり、優れた医者でもありました。リチャード一世が、侍医にスカウトを試みたほどです。

一二〇六年、フランス王フィリップ二世は、イングランド王ジョンと争い、アキテーヌの中心地、ガスコーニュを除くフランスの領土をすべて取り上げたので、アンジュー帝国は最終的に瓦解しました。

これ以降、プランタジネット家の国王は、イングランドに腰を落ち着けることになります。それまでのイングランド王は、ウィリアム征服王以来、フランスの所領にいることが多く、墓所もフランスにあります。

一二〇九年、インノケンティウス三世は、フィリップ二世の了解を得て、住民虐殺で知られることになるアルビジョア十字軍（―一二二九）を起こしました。カタリ派の撲滅と、南フランスの領有、両者の政治的な思惑は一致したのです。この戦いでシモン・ド・モンフォールが頭角を現します。同名の息子は、海を渡ってイングランドで歴史に名を残すことになるでしょう。

一二一二年、フランスのロワール地方やドイツのケルンで、熱に浮かされたような少年十字軍が起こりました。フィリップ二世は諫めましたが、インノケンティウス三世は鼓舞しました。これが、極盛期の教皇の精神構造であったのです。マルセイユから船出した子供たちは悪徳船主によって奴隷に売られ、ごく一部が後にフェデリーコ二世によって買い戻されました。マルセル・シュウォッブが書いた珠玉の短編『少年十字軍』という作品があります。

同じ、一二一二年、アンダルスで、ムワッヒド軍がカスティージャ、ナバラ、アラゴンの連合軍に敗北し（ラス・ナーバス・デ・トローサの戦い）、アンダルスの地は、再びタイファ時代に逆戻りしたかのような状況となりました。

一二一五年、ローマ教会は年に一度の耳聴告白の実践を制度化しましたが、これもカタリ派対策の一環であったのかもしれません。同時に守秘義務に保護されたこの制度は、人々が自らの内面を凝視する大きな転機となりました。ここでも来たるべきルネサンスが準備されたのです。一二一六年、カタリ派対策を主な任務として、ドミニコ修道会が認可されました。異端審問の萌芽がここに見られます。

「カタリ派」 北イタリアから南フランスにかけて盛んになったキリスト教の一派で、グノーシスやマニ教、ボゴミル派の流れを受け継いでいると考えられています。肉体を悪、精神を善と看做す二元論で、禁欲的、使徒的な生活を希求し、豪勢な生活をおくり世俗権力と化したローマ教会を、その対極にあるものとして激しく批難しました。西ヨーロッパ最初の宗教改革と看做す学者もいます。ただし、あまりにも厳格な教義の故に、カタリ派がローマ教会に勝利していれば、ヨーロッパの未来は暗いものになったとする意見もあります。なお、オック語圏の南フランス(ラングドック)は、オイル語圏の北フランスとは、ほとんど別の国であり、代々のフランス王は併呑を狙っていました。カタリ派については、日本人の手になる二冊の優れた小説があります。『オクシタニア』(佐藤賢一著)、『旅涯ての地』(坂東眞砂子著)。

†ローマ皇帝フェデェリーコ二世

一二〇八年、戴冠を目前に控えたフィリップが暗殺され、オットー四世(在位一二〇九―一五)が皇帝に就いて、ホーエンシュタウフェン朝は、一旦途切れました。

一二〇九年、成年に達したフェデリーコ二世は、アラゴン王国の王女で一五歳も年上、母と同名のコスタンツァと結婚します。アラゴンはスペイン東部の豊かな国で南フランスにも近く、アンダルスの文化が花開いた土地柄です。そこからコスタンツァは吟遊詩人らとともに、パレ

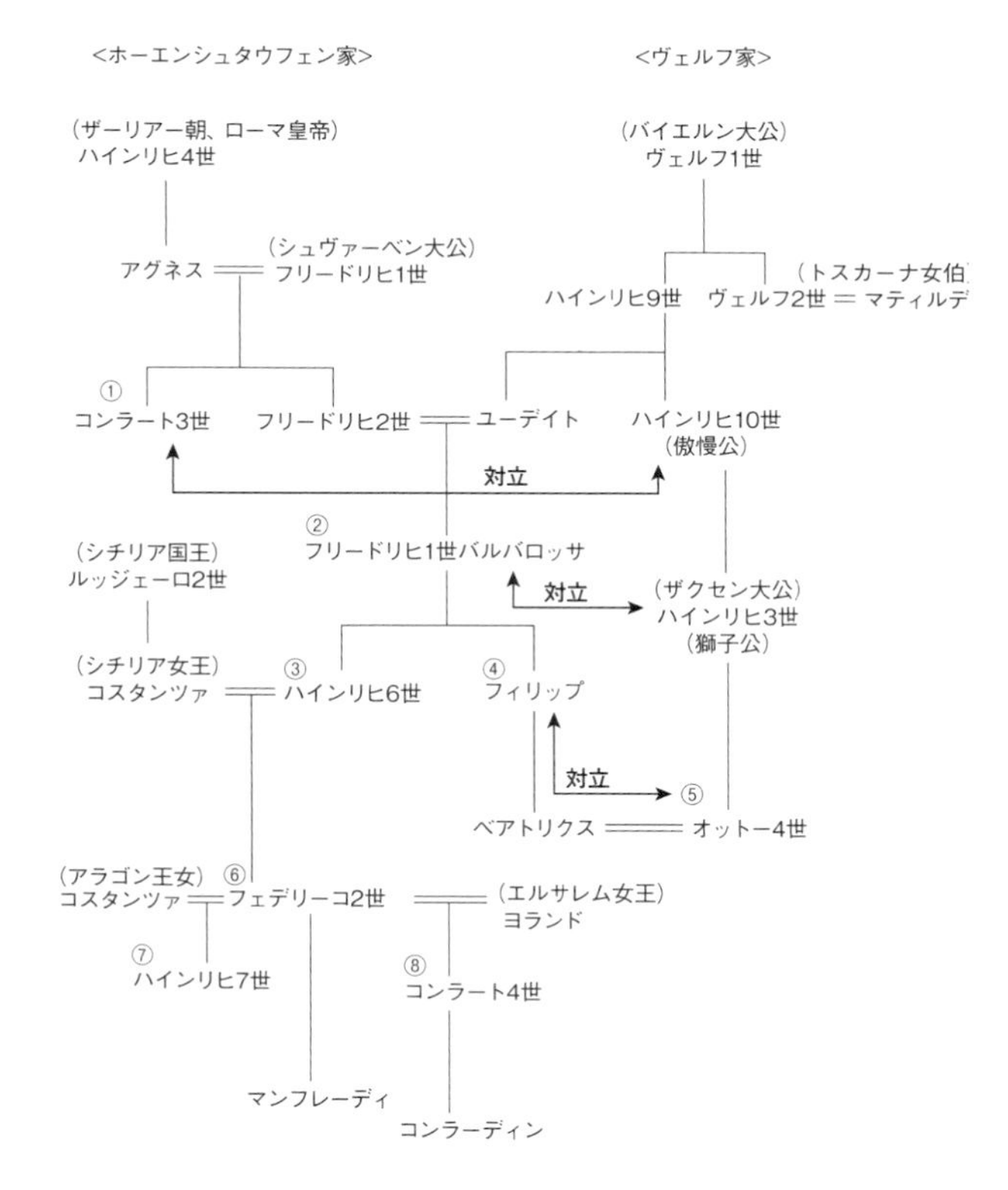

<ホーエンシュタウフェン家>
<ヴェルフ家>
（ザーリアー朝、ローマ皇帝）
ハインリヒ4世
（バイエルン大公）
ヴェルフ1世
アグネス
（シュヴァーベン大公）
フリードリヒ1世
ハインリヒ9世
ヴェルフ2世
（トスカーナ女伯）
マティルデ
①
コンラート3世
フリードリヒ2世
ユーデイト
ハインリヒ10世
（傲慢公）
対立
②
フリードリヒ1世バルバロッサ
（シチリア国王）
ルッジェーロ2世
対立
（ザクセン大公）
ハインリヒ3世
（獅子公）
（シチリア女王）
コスタンツァ
③
ハインリヒ6世
④
フィリップ
対立
⑤
ベアトリクス
オットー4世
（アラゴン王女）
コスタンツァ
⑥
フェデリーコ2世
（エルサレム女王）
ヨランド
⑦
ハインリヒ7世
⑧
コンラート4世
マンフレーディ
コンラーディン
① ～⑧ドイツ王就任順

ホーエンシュタウフェン家とヴェルフ家の略系図

ルモの宮廷にやって来たのです。そして、ハインリヒ七世という嫡子が生まれます。

一方、新たに皇帝となったオットー四世は、評判がすこぶる悪い。教皇のインノケンティウス三世との折り合いが悪く一二一〇年には破門されるし、ドイツ一の貴族であるヴェルフ家の威光を笠に着ているため、ドイツ諸侯からもはなはだ人気がない。

ドイツの諸侯たちは次のように考えます。そういえばシチリアにハインリヒ六世の嫡男がいたな。もうそろそろ成人した頃だから、オットー四世よりは扱いやすいだろう。ドイツ王になってもらおう。こうしてフェデリーコ二世はドイツに招かれることになりました。

そのとき教皇インノケンティウス三世はどう考えたか。フェデリーコ二世がドイツ王になると、ドイツ・北イタリアを擁するドイツ王国と、南イタリアを擁するノルマン・シチリア王国の二つに教皇領が挟まれてしまう。これは悪夢だ。そうだ、一方のシチリア王を別人にしてしまえばいい――。

教皇はフェデリーコのドイツ行きにお墨付きを与えます。ただし、シチリアの王位は息子のハインリヒ七世に譲ること、との条件付きで。このときハインリヒ七世はまだ二歳ぐらいです。

教皇の言い分をのんだフェデリーコ二世は、少数の家臣を引き連れてドイツに向かいます。オットー四世が「途中で殺してしまえ」と命令したといいますから、危険きわまりない旅でしたが、幸運にも恵まれて、無事ドイツに到着します。

到着の光景は、当時の年代記を読むと「イエスの再来のようだ」とあります。「東の方から（ほんとうは南の方なのですが）美しい貴公子が供も連れずにやって来た」と、まさに大歓迎だったのです。一二一二年、フェデリーコ二世はドイツ王に選出されました。フリードリヒ二世の誕生です。しかし、生涯の大半を過ごしたのはイタリアですから、本書ではフェデリーコ二世で通します。

フェデリーコ二世に幸いしたのは、折しも一二一四年に、ブーヴィーヌの戦いが起きたことです。これは、フランス王フィリップ二世 vs. オットー四世＋イングランド王ジョン連合軍の戦いです。オットー四世は母方の祖父がノルマンディー公兼イングランド王ヘンリー二世でしたので、父の獅子公がドイツを追放されたとき、父とともに幼少期をノルマンディーで過ごしています。だからオットー四世が叔父のジョンと組むのは当然といえますが、この戦いはフランス王の圧勝に終わり、戦後、オットー四世もジョンも権威を失墜。オットー四世は、フェデリーコのドイツ王即位をはばむことができず、自滅（一二一五年廃位）してしまいます。

ジョンは、前述したように一二一五年にマグナ・カルタに署名させられます。有名なロビン・フッドの物語もジョンの失政に対するアンチテーゼとして誕生したのです。

フェデリーコ二世はドイツ王として各地をまわる中で、徐々にドイツの実情を把握していき、次のように考えます――この国では中央集権体制は無理だな。ドイツ諸侯がそれぞれ力をつけてきたので、緩やかな自治を認めたほうがうまくいく。息子のハインリヒ七世をドイツ王にして、自分はシチリアに戻ることにしよう——。

一二二〇年、フェデリーコ二世はハインリヒ七世を共同統治者としてドイツ王の地位に就け、ドイツからシチリアへ戻りますが、その途中、ローマに寄ってローマ皇帝として戴冠しています。教皇ホノリウス三世（在位一二一六—一二二七）は十字軍に参加することとのバーターのつもりでしたが、フェデリーコ二世は「はい、いつか必ず行きますから」と曖昧な返答をしてシチリアに戻っていきました。

留守にしていた間、弛（ゆる）んでいたシチリア王国を引き締めるため、まず一二二四年にナポリ大学を創設します。それまでイタリアにあったボローニャ大学やパドヴァ大学は、パリ大学と同様に神学を修める修道者養成機関でしたから、法律と修辞学を学ぶ官僚養成校としてはナポリ大学が世界初でしょう。ナポリ・フェデリーコ二世大学として、今も残っています。

そしてフェデリーコ二世は、コスタンツァが世を去っていたので、父に連れられて十字軍の要請のためにヨーロッパを訪れていたエルサレム女王ヨランドと再婚します。これでエルサレム王位も得たことになります。三年後には、二人の間にコンラート四世という嫡子が生まれます。

ところで、いっこうに十字軍を実行しないフェデリーコ二世に業を煮やしたローマ教皇グレゴリウス九世（在位一二二七―四一）は、破門をちらつかせます。当時の常識では、破門ほど恐ろしいものはありませんでした。かつて教皇グレゴリウス七世から破門されたローマ皇帝ハインリヒ四世が、俗説ですが三日間、雪の中に立って赦（ゆる）しを乞うたカノッサの屈辱のように対応するのが普通だと当時は考えられていたのです。

しかし、フェデリーコ二世は破門をまったく恐れませんでした。国際都市パレルモで育ち、幅広い教養をそなえたフェデリーコ二世は、宗教を相対化できたのです。つまり、宗教的権威を絶対視する人間ではなかったので、「破門？　それがどうした」といった態度でやりすごしたのです。

そして、ようやく十字軍に向かったものの、フェデリーコ二世は疫病に罹（かか）って引き返します。グレゴリウス九世はこれを仮病とみて、とうとう破門します。フェデリーコ二世は再びエルサレムに向かうことになり、そしてこの第五回十字軍（一二二八―二九）遠征で真骨頂を見せるのです。

†第五回十字軍

フェデリーコ二世は、ナイル川を遡れる平底の船をも用意して、万全の装備をもって第五回十字軍に出立しました。それを知ったアイユーブ朝のスルターン、アル・カーミル（在位一二一八―三八）は、これは本気だなと踏んで本格的な外交交渉に切り替えます。実は、出立前から外交交渉が始まっていました。ここでアル・カーミルとフェデリーコ二世は書簡を交わしてお互いの教養を見せ合うのですが、アラビア語を自由に駆使するフェデリーコ二世にアル・カーミルは感銘を受けたといいます。その結果、一〇年間の期限つきながらキリスト教徒側にエルサレムを返還し、和平を約束するヤッファ条約が締結されました（一二二九年）。

フェデリーコ二世はエルサレムでエルサレム王として戴冠式を挙げ、そしてエルサレムにはしばらくの間、平穏が訪れます。この奇跡のような平和は、フェデリーコ二世とアル・カーミルの二人がお互いの人格も教養も認め合ったからこそ実現できたのでしょう。ただし、条約締結から九年後にはアル・カーミルが死去したこともあって、この条約は更新されませんでした。

血を流すことなく和平にこぎ着けたのは素晴らしい成果でしたが、教皇グレゴリウス九世が胸に抱いていたのは、騎士たちが異教徒を殺して血の海の中でエルサレムへ入城するイメージでした。そもそも、異教徒と外交交渉をすること自体、互いに対等な立場だと認め合うことであって、教皇として許すわけにはいかない。許さないどころか、教皇はイタリア諸都市をそそのかしてシチリア王国を攻撃する始末です。もっとも、聖地から帰ってきたフェデリーコ二世の軍隊に蹴散らされて、破門を解除することにはなりましたが。

イタリアに戻ったフェデリーコ二世は、一二三一年、皇帝の書（メルフィ法典、シチリア法典）を公布します。その内容は、都市・貴族・聖職者の権利の制限、司法・行政の中央集権制の確立、税制・金貨の統一などとなっており、平たくいえば、ローマ法大全を甦らせたことになります。すでにナポリ大学からは官僚が育ってきていますから、今度は法律を整備しよう、そのうえで近代的な中央集権国家をつくろうとしたのです。

ヨーロッパでは、イングランドのノルマン朝をもって最初の中央集権国家とみなします。イングランドを征服したウィリアム一世は、ドゥームズデイ・ブック（土地台帳）をつくって統制を徹底し、中央集権制の礎を築きました。もともとヴァイキングは船で移動するので、リーダーのいうことを聞かないと目的地にも行けない。ただし、無能なリーダーであれば船は沈みますから、ヴァイキングには（リーダーの首をすげ替える）議会の伝統もあるのです。

「民主政治のモデルはイングランドの議会では？」といわれそうですが、ノルマン・シチリア王国もノルマンディー公国やイングランド王国と同じくヴァイキングがつくった国ですから、官僚制・中央集権制の伝統がある。そこで育ったフェデリーコ二世が、南イタリアに皇帝の書によって中央集権国家をつくろうとしたのには、こうした背景がありました。

翌一二三二年、法律に詳しいグレゴリウス九世は異端審問制度を創設しました。キリスト教を含めたあらゆる宗教の中で、組織的な異端審問制度をもつのは実はローマ教会だけです。十字軍同様、セム的一神教の歪みが異端審問には端的に現れていると思います。この歪みは最終的には魔女裁判に行き着くでしょう。

やがて、フェデリーコ二世の帝国に影がさし始めます。ドイツを預かる息子のハインリヒ七世が、「おやじは南イタリアで好き勝手をしているのに、ドイツでは、なんでも帝国議会の多数決で決まるし、自分はちっとも君主らしくない」と不満をつのらせていたのです。成人したハインリヒ七世にしてみれば、自分の意見を通したい年頃です。

そこにつけ込んだのがローマ教皇でした。教皇にそそのかされたハインリヒ七世は、一二三四年、ミラノなどイタリア諸都市が結成したロンバルディア同盟と組んで、父親に向かって反乱を起こしたのです。

フェデリーコ二世はドイツに向かいます。反乱はあっという間に収束し、ハインリヒ七世は捕まえられます。反逆罪となれば、いかに可愛い我が子でも救いようがない。すでに弟のコンラート四世が生まれているし、ほかに庶子もいる。フェデリーコ二世は息子の目を潰して牢獄に入れます。絶望したハインリヒ七世は数年閉じ込められた挙句に、移送される途中、谷底に身を投げて死んでしまいます。身から出たサビとはいえ、あまりにも憐れな話です。

それにしても、祖父のフリードリヒ一世の時代にもロンバルディア同盟が皇帝に何度も歯向かいました。なぜなのか?

日本でも、戦国時代には堺などの自由都市が大いに栄えましたが、徳川の時代になると統制がきびしくなって廃れました。これをみてもわかるように、商いは権力の分散と極めて相性がいいのです。イタリアの都市国家にとっては、フリードリヒ一世やフェデリーコ二世のような強大な皇帝がいないほうが商売がしやすいし、自治権も制限されない。自由都市にはお金も落ちるので、武器も買える、傭兵も雇えるということで、いくらでも反抗できるわけです。

一二三五年、フェデリーコ二世はイングランド王女イザベラ（ジョンの娘）と三度目の結婚をします。さらにマインツの集会でラント平和令を発しました。私的な争いは裁判で決着をつけなければいけないと定め、自ら武力で解決するフェーデ（自力救済）を禁じたものですが、重要なのは、ドイツ語で書かれたこと。それまでの法律など公式文書は、すべてラテン語だったのです。

また、フェデリーコ二世の宮廷では、会話はすべてイタリア語でした。フェデリーコ二世は、ダンテが『神曲』三部作をラテン語ではなくイタリアのトスカーナ方言で著したその一〇〇年も前に、誰も話すことのなくなったラテン語に替えて、イタリア語を常用していたのです。まさに、イタリア・ルネサンスを準備した皇帝といえます。

フェデリーコ二世に秋の気配がしのび寄ります。権力に衰えが兆したのは、まずローマ教会との関係においてでした。

フェデリーコ二世は相変わらず教皇のいうことを聞かず、破門されますが、そのグレゴリウス九世が一二四一年に死んだあとの教皇選挙のとき、多くの枢機卿の乗る船がフェデリーコ二世に拿捕されるなどして、一年半ぐらいローマ教皇位が空位になっていた時期があります。

あのときフェデリーコ二世がローマに進軍して傀儡の教皇を立てていたら、教会に対する優位も固まっていたのに、という人もいます。しかし、フェデリーコ二世は近代的知性をもち、宗教を相対化していたため、それは考えもしなかったでしょう。そうした鷹揚な構えが、結果的には命取りになったような気がしないでもありません。

新たに教皇となったインノケンティウス四世（在位一二四三―五四）は、イタリアにいたら好きなこともいえないと、フランス国王ルイ九世の庇護を求めてリヨンまで逃げてしまいます。そしてリヨンからフェデリーコ二世を破門します。

また、フェデリーコ二世は、エンツォという庶子を可愛がってイタリアの統治を委ねていましたが、エンツォがボローニャとの戦いで捕虜になってしまいます。捕虜とはいえ皇帝のプリンスで、すぐれた詩人でもあり、しかもとびきりのハンサムですから、ボローニャ市民はきれいな家に住まわせて、夜毎、ボローニャの有閑マダムが遊びに行っていたそうです。エンツォは結局、この軟禁状態のまま二〇年近く経って没しています。

一二五〇年、フェデリーコは、大好きな鷹狩りの最中に腹痛を起こし、愛した南イタリアのプッリャ（プーリア）で世を去りました。

ドイツ人にとってフェデリーコ二世は、夢のような君主でした。若いときにあたかもイエスの再来のようにやって来て、諸侯と合議しながらどんなことでも解決してくれた。それゆえに死後にはハルツ伝説が語り継がれます。

フリードリヒ二世（フェデリーコ二世）は死んではいない。古くから神秘的な山とされるハルツ山の洞穴で眠っていて、ドイツが危機のときには必ずあらわれてドイツを救ってくれる――。

フェデリーコ二世が生きているときは、教皇を支持する人からはアンチキリスト、つまりキリストの教えを否定する人と見られていました。しかし、死後はハルツ伝説の人となり、一〇〇年、二〇〇年の歳月を経る中で祖父のバルバロッサ（フリードリヒ一世）と混同されていきます。バルバロッサがドイツを救いに来てくれる、と。さらに時代は下って、ヒトラーがソ連への奇襲攻撃をバルバロッサ作戦と名づけたのは、自分をドイツを救う伝説の皇帝になぞらえたともいわれています。もともとはフェデリーコ二世のハルツ伝説に由来しているのです。知性の人、フェデリーコ二世にとっては迷惑な話でしょうが。

†ホーエンシュタウフェン家の終焉

フェデリーコ二世亡きあと、ドイツ王の嫡子コンラート四世がすぐに南イタリアに駆けつけて、父の跡を継いでシチリア王国を治めますが、わずか四年で病死。嫡子コンラーディン（「小コンラート」の意）はまだ幼く、フェデリーコの庶子マンフレーディ（在位一二五八―六六）がシチリア王国を治めますが、教皇の要請により攻めこんできたフランスのシャルル・ダンジュー（ルイ九世の弟。アンジュー伯シャルル）に、一二六六年のベネヴェントの戦いで敗れて死んでしまいます。

シチリアを取り返そうとしたコンラーディンも一二六八年のタリアコッツォの戦いで敗れて、シャルル・ダンジューに捕らえられ、斬首刑にされてしまう。まだ一六歳の若さなので跡継ぎもいません。こうしてホーエンシュタウフェン朝は一二六八年に滅び、ドイツは正統な王のいない俗にいう大空位時代を迎えたのです。

フェデリーコ二世の一生は、教皇と皇帝という、二つの焦点を持つ中世ヨーロッパ世界に終わりを告げるものでした。

フェデリーコ二世は鷹狩りを趣味とし、鷹狩りをテーマにした『鷹狩の書』という著書を残しています。作家の塩野七生は、『皇帝フリードリッヒ二世の生涯』（新潮社）で、『鷹狩の書』と、レオナルド・ダ・ヴィンチが書いた『絵画論』を対比させて、フェデリーコがダ・ヴィンチより二〇〇年以上も前に、生物や自然に対する客観的な観察眼をもって論理的な文章を書いていたこと、そして二人の自然に対する精神はまったく同じものであったと示しています。

パルマの町を包囲したとき、戦いの合間をぬって鷹狩りに出かけたすきに、フェデリーコ二世のテントがパルマの市民に襲われて、軍資金や宝石を盗られてしまったことがあります。このとき、書きかけの『鷹狩の書』まで盗まれて、大いに嘆き悲しんだというエピソードが残されています。

世界遺産になっている「カステル・デル・モンテ」という、イタリア南部にある城塞を訪れたことがあります。フェデリーコ二世が設計したこの美しい八角形の城を見ると、彼には建築や美術に対する審美眼まで備わっていたことがよくわかります。

カステル・デル・モンテ

今も開かれているフランクフルトの見本市を始めたのもフェデリーコ二世ですし、フェデリーコ二世の宮廷では、フィボナッチの数列で有名な数学者レオナルド・フィボナッチ（一一七〇頃―一二五〇頃）が仕えたり、スコットランド人の占星術師マイケル・スコットがアリストテレスの著書を翻訳したりしていました。イタリアのルネサンスはフェデリーコの宮廷から始まったともいえるでしょう。

スイスの歴史家ヤーコプ・ブルクハルト（一八一八―九七）は、フェデリーコ二世を王座上の最初の近代人と評していますが、合理的に考え、宗教を相対化できるその知性は、今の時代にも十分通用するものです。その意味では王安石と同じく、生まれてくるのが二〇〇年、三〇〇年早すぎた。後世に多大な影響を及ぼしたという点では、おそらく西方ではカエサル、ナポレオン一世と並ぶ傑物でしょう。

フェデリーコ二世に読めなかったものが二つあります。ひとつは、北イタリア諸都市の経済力。いまひとつは、当時の人びとの信仰心でしょう。晩年はこの二つに代表される勢力に悩まされることになります。

先に述べたように、都市国家にとって強い王権は邪魔なのです。たとえば、一四世紀半ばにローマ皇帝カール四世が金印勅書を発し、ローマ皇帝は七人の選帝侯の選挙によって選ばれることが決まったとき、北ドイツ諸都市が結成したハンザ同盟はこれを大歓迎しました。つまりドイツは七等分されたので、自分たちの商売の邪魔をするような統一国家は永遠にできない仕組みになったというわけです。

北イタリアでも事情は同じことでした。フェデリーコ二世は都市国家の経済力を読み違えたのです。一二三七年、コルテヌオーヴァの戦いで、フェデリーコはロンバルディア同盟軍を打ち破りましたが、それでも抵抗は止まなかったのです。

二つ目の信仰心については、当時、育ちつつあったフランチェスコ会の影響力を無視できません。アッシジの聖フランチェスコ（一一八二—一二二六）が始めたこの修道会は、一二二三年に認可されたのですが、ひたすら清貧であれと説く一方で、わき目も振らずローマ教皇への帰依を要請しました。フランチェスコはあらゆる生き物にも説法を試みたとされ、小鳥に説教する姿は絵画でもよく知られています。ちなみに、二〇一三年三月に選出された第二六六代ローマ教皇フランシスコは、このアッシジのフランチェスコの名に由来する初めての教皇です。

小鳥に話しかけるフランチェスコ

こうした清廉なイメージの教派がローマ教皇に従順な様子を民衆が見れば、その教皇を無視して破門されたフェデリーコ二世は、ひょっとしたら悪い人かもしれないと思うのは当然です。しかもフェデリーコ二世の軍隊を見ると、ムスリムの部隊も従えている。やはり、あれは悪魔の軍隊なのだと、思ったりもするわけです。結局、彼の近代性と当時のイタリアの庶民の感情との間に乖離（かいり）があったということでしょう。

フェデリーコ二世は、東ローマ帝国の皇帝に自分の庶子を嫁がせたりもしている。東方教会も彼の中ではいくつもの宗教のひとつにしかすぎなかったのでしょう。アラブ人のアル・カーミルと外交交渉によってエルサレムに平和を取り戻しているほどですから、彼にとっては、イスラーム教もローマ教会も東方教会も等価だったのです。これこそが、近代合理性というものでしょう。中世の年代記にフェデリーコ二世が「世界の驚異」と形容されたのも、うなずけるというものです。

（ここでお断りしておくと、本書では、カトリックをローマ教会、ギリシャ正教を東方教会と呼ぶことにしています。カトリックには「正統」という意味が込められており、正教も同じです。どちらもキリスト教の一派なので、正統のニュアンスはどちらからも外すべきだと考えています。）

†フランス王妃ブランシュ

少し話を戻して、アリエノールの孫娘、ブランシュ・ド・カスティーユについて話します。ブランシュも一三人の子どもをもうけています（うち五人が早世）。男子には、のちにフランス王ルイ九世となったルイ、アンジュー伯領を継いでシチリア王にもなったシャルル（シャルル・ダンジュー）らが生まれています。アリエノール、エレノア、ブランシュと、よほど多産の家系なのでしょう。

一二一五年にマグナ・カルタが成立したあと、ジョンは、あろうことか、「あれは、殺すぞと脅されて無理やりサインさせられたものなので無効だ。私を脅した家臣を破門してください」と、ローマ教皇インノケンティウス三世に訴え出ます。しかしこれはイングランド貴族の怒りの火に油を注ぐだけで、第一次バロン戦争という内乱が起こります。

このとき、ブランシュは夫のルイ八世（在位一二二三―一二二六）をけしかけます。「もともとイングランドは亡くなったお祖母ちゃんの国なのよ。アホなジョンに任せておいていいの？　フランスはあなたのお父さん（フィリップ二世）がしっかりと治めているでしょう。ちょっと遠征してイングランドを取ってきてよ」

ブランシュに焚きつけられたルイ八世はロンドンを占領します。そしてジョンが病死しました。でも、さすがにブランシュの言い分には無理がありました。ジョンの子のヘンリー三世（在位一二一六―七二）が即位したので、それを無視してフランス王家がイングランドを奪うというのは、さすがにイングランド人もおかしいなと気づきます。それで、ルイ八世のロンドン占領は一瞬のうちに終了しました。

フィリップ二世の王位を継いだルイ八世が一二二六年に死去すると、まだ一二歳のルイ九世（在位一二二六―七〇）に代わってブランシュが摂政として政治を行います。このとき、二〇年間もくすぶっていたアルビジョア十字軍の問題を、最終的な局面で冷静に処理してみせたのも彼女です。

アルビジョア十字軍とは、南フランスを拠点とするキリスト教の異端、アルビジョア派（カタリ派）を駆逐しようとして派遣されたものですが、次第に宗教戦争から領土戦争へと変質し、結果的に、フランス王家を始めとする北フランスの諸侯が領土を拡大することになりました。

ルイ九世が第六回十字軍（一二四八年）を主導して、安心して中東に行けたのも、実力者の母ブランシュが国を守ってくれていたお蔭です。もっとも、このときルイ九世はバイバルス率いるエジプトのマムルーク朝の捕虜となり、エルサレム王国の奪還もならず、ブランシュに身代金を払ってもらって帰国しています。アリエノールが身代金を払ってリチャード一世をとり戻したのと同じ構図です。

ルイ九世が成人したあとはブランシュもさすがに政治の表舞台から退きますが、ルイ九世には、リチャード一世にも似た「夢見る君主」の一面がありました。ひとり立ちしたはずの彼は、その後もずっと母親の指示に頼って政治を行っていたようです。

アリエノールとブランシュの生き方は本当によく似ていて、まさに隔世遺伝だなと思わせます。ブランシュにとってアリエノールは、優れたロールモデルであったに違いありません。

一二五二年にブランシュはこの世を去ります。そして、アリエノールとブランシュの血は、子孫に引き継がれていきます。ブランシュの息子のルイ九世は、聖地回復を夢見て十字軍を組織したことが認められて、ローマ教会により列聖されています。ブランシュの甥（姉ベレンゲラの子）にあたるカスティージャ王聖フェルナンド三世（在位一二一七―五二）も、レコンキスタによりイベリア半島のイスラーム王朝を屈服させたとして列聖され、聖王の称号を与えられています。アリエノールは曾孫に二人の聖人を持ったのです。

それにもまして凄いのは、アリエノールの血筋が永く続いたことです。幼児死亡率の高い時代ですから、多産の家系であった賜物でしょう。アリエノールの血は、イングランド王家、フランス王家に加え、シャルル・ダンジューによってシチリアやナポリにも支流を形成していきます。それでアリエノールは、ヨーロッパの祖母と呼ばれているのです。

彼女と夫ヘンリー二世の諍い（いさかい）は、キャサリン・ヘップバーン主演で『冬のライオン』（一九六八年）という映画にも描かれていますから、その波瀾万丈の人生はよく知られています。

今の若い女性は仕事をとるか家庭をとるかで悩む人も多いようです。でも、アリエノールやブランシュの場合は仕事をたくさんして、子どももたくさん産んで、齢をとってからも好きなことをして……なんともすさまじい生き方です。もちろん恵まれた環境もありましたが、強い意志がないとこうはいきません。

夫のヘンリー二世と戦って一五年も幽閉され、のちには摂政として国を治めながら、捕虜となった息子のリチャード一世を取り戻している。八〇歳近くになってからピレネーを越えてスペインへ行き、自分の目で確かめて、孫娘の中からルイ八世の嫁としてブランシュを選んでいる。おそらく、嫁の選び方ひとつでフランスやイングランドの運命は変わるのだ、という気構えだったのでしょう。

しかし、こうした強い意志を持ってやりたいことをやり遂げたのは、ロマンティストだったからこそだろうと、僕は思っています。歳をとっても夢見る気持ちがなければ、人は保守的に傾きがちです。そして彼女のロマンティシズムはおそらく、キャーンの歌声を聴いて育った祖父のギョーム九世ゆずりなのでしょう。

面白いことに、アリエノールの夢見がちで騎士道精神を尊ぶ血は男性のほうに流れ、冷徹な政治家の側面は女性のほうに流れているようにみえます。前者が若ヘンリー、リチャード一世、聖王ルイ九世。騎士道精神あふれるルイ九世は何度も十字軍を主導しましたが、結局うまくいきませんでした。そして後者は、名前を受け継いだ女性たち。代表はエレノアやブランシュです。夫のルイ八世をけしかけてイングランドに攻め入らせるなど、ブランシュの冷徹さは典型といっていいかもしれません。男性に冷徹な血が引き継がれたほうが、イングランドやフランスの人びとにとっては、もしかすると幸せだったかもしれませんが。

イベリア半島では、アリエノールの曾孫にあたるカスティージャ王、フェルナンド三世が、一二三〇年にレオンの王位を継承して、同君連合が成立しました(レオン王国は、一二五二年にカスティージャ王国に吸収され消滅します)。フェルナンド三世は、アラゴン王、ハイメ一世(在位一二一三―七六)と結んでレコンキスタを推進し、一二三六年にはイスラーム勢力の最大の拠点であったコルドバを攻略することに成功しました。

一二三八年、ナスル朝（一二三二－一四九二）の初代ムハンマド一世（在位一二三二－七三）が、グラナダでアルハンブラ宮殿の建設に着手します（アルハンブラ宮殿は二代六〇年かけて完成しました）。その二年前、フェルナンド三世とムハンマド一世は、こっそり手を結んでいました。交換条件は、ナスル朝（グラナダ王国）の安全保障とセビージャ攻略への手助けでした。

一二四一年、教皇ケレスティヌス四世（在位一二四一）の選出に際して、コンクラーヴェ（枢機卿を鍵のかかる部屋に閉じ込めて教皇選挙を行うシステム）が始まりました。

一二四八年、フランス王ルイ九世が、第六回十字軍（－一二五四）に出発しましたが、ルイ九世は、後述するようにエジプトで捕虜となり、成果は上がりませんでした。同年、フェルナンド三世は、ナスル朝と協力して、セビージャを攻略し、ムワヒッド朝に止めを刺しました。ジェーノヴァ出身のボニファスが創った水軍も、グアダルキビール川を遡って活躍しました。

以後、スペインのイスラーム勢力はいわばフェルナンド三世に保護された形でグラナダに閉じ込められ、二五〇年間、アンダルスのイスラームのミニチュア世界を維持することになるでしょう。

フェルナンド３世

†商人の誕生

一二世紀から一三世紀にかけて、ヨーロッパでイタリアを中心に、商人という新しい階層が誕生しました。商人はコムーネの主たる担い手です。商業はローマ教会にとっては、忌むべき高利貸しと大差はありませんでしたが、十字軍以降の東西の交易量の増大を考えれば、商業をいつまでもユダヤ人やイスラーム教徒に任せておくわけにはいきません。ローマ教会は、商人を受け入れたのです。何よりも、パウロが、すべての労働は報酬に値する、と喝破していたことが論拠となりました。もちろん、本音をいえば、豪奢なアジアの産品への渇望がすべてに優先したのです。有用性原理は、ほとんどの時代において通用する代物なのです。

そして、商人達は、芸術や文化の庇護、公共福祉サービスの提供等によって、自らの罪を贖(あがな)おうとしました。社会的に認知されたいと願っていたシニョーレ（終身統治者）達も同様（先祖や自らが犯した芳しからぬ罪の償いを行いたいという要求）でした。寄附文化やCSR（corporate social responsibility＝経営者・企業の社会的責任）の萌芽がここに見られます。

フィレンツェのヨーロッパ最古の捨て子養育院（一四一九年、ブルネレスキが設計）は、絹織物商人のギルドによって建設されました。メディチ家の芸術、文化の庇護については、語るまでもないでしょう。同じような理由で、知識人も正当化されました。地域の中心は、大聖堂や修道院から、商人や知識人（＝大学）の集まる都市（コムーネ）へと移行していきました。

また、商人は、行く先々で両替商のカウンター（イタリア語でバンコ）の世話にならざるを得ませんでした。持ち運びに不便な現金は、信用に席を譲ったのです。つまり、商人と銀行家はほぼ同義語だったのです。一二五二年には、フィレンツェで、フローリン金貨が初めて発行されました。次いで、一二八四年には、ヴェネツィアで、デュカット金貨が鋳造されました。この両金貨は、イスラームのディナール金貨・ディルハム銀貨以来の地中海世界の国際通貨となりました。

もっとも、フィレンツェもヴェネツィアも金山を持っていたわけではありません。両金貨の材料は、イスラーム商人が西アフリカから運んでくる砂金が中心でした。このように両金貨に象徴されるイタリア都市の繁栄は、イスラーム圏を含めた地中海世界との交易に、その多くを依存していたのです。なお、一三世紀には、イタリアで複式簿記が現れました。

ヨーロッパでは、土地の相続移転が認められていたので、新たに誕生した商人階級は、資本の蓄積を徐々に進めて行くことが出来ました。資本主義が芽を出そうとしていたのです。幸運にもイタリアでは、中央集権的な強力な君主が存在しなかったので（バルバロッサやフェデリーコ二世など、候補者はいましたが大成を妨げられました）、商人の進化には好都合だったのです。

同様の理由により、やがて北の地中海（北海、バルト海）でも、商人の勃興が見られるようになります。二つの地中海を根城にした商人達は、それぞれ遠隔地貿易で財を成しました。そして彼等は、シャンパーニュ伯の領地（北海～地中海を結ぶ南北の街道と、ドイツ～スペインを結ぶ東西の街道の結節点）、即ちシャンパーニュの大市で、交易を営むようになります。

シャンパーニュは、マース川、モーゼル川、セーヌ川に囲まれて水運の便に恵まれていました。シャンパーニュの大市は、トロワ、バール＝シュル＝オーブ、ラニー、プロヴァンの四都市で一回当たり四〇～五〇日、年六回持ち回りで開催されていました（トロワとプロヴァンは二回）。つまりほぼ一年を通じて、市がたっていたのです。

シャンパーニュの大市

一二世紀にはじまったシャンパーニュの大市は、信用取引が発達し、いわばヨーロッパの手形交換所となって一三世紀には隆盛を極めましたが、一四世紀に入ってイスラーム勢力の弱体化に伴い、ジブラルタル海峡が自由に航行できるようになると、地中海と北海を結ぶ海の道が整備され、その繁栄は、フランドル（ブリュージュ→アントワープ）に奪われていきました。

(3) モンゴル世界帝国（一二〇一～一三〇〇年）

†モンゴルの勃興

一三世紀は、モンゴル世界帝国の世紀となるのですが、その前にモンゴル世界帝国以前の中央ユーラシアが、どのような状況だったかを簡単にみておきましょう。

まず紀元前八世紀頃、黒海北岸あたりに建国したのが、イラーン系とされるスキタイです。次が中国の戦国時代、燕（えん）、趙（ちょう）、秦（しん）などを脅かした匈奴（きょうど）、そして鮮卑（せんぴ）、柔然（じゅうぜん）、突厥（とっけつ）、ウイグルと続きます。これらはすべて民族名ではなく、中央ユーラシアにあった遊牧国家の名称です。

六つの遊牧国家の最後のウイグルは、八四〇年にキルギスによって滅ぼされます。しかし倒したほうのキルギスは、ウイグルを滅ぼすと同時に力を使い果たしてしまって、自分たちの国を建国できなかった。そこに権力の空白が生じます。現代でいえば、イラク戦争のあとイラクの中央政府がガタガタになり、過激派組織の横行を許しているような状態でしょうか。キルギスのケースは、敵を倒すのと、自国をつくって維持するのとでは、別の能力が必要だということを教えてくれます。見方を変えるなら、このあたりにいた遊牧民すべてにチャンスがめぐってきたわけです。

ウイグル滅亡後百年ほど経った頃、数ある遊牧民の中でいちばん目端の利いたキタイ（契丹）がまず勃興します。ただしキタイは、大草原一帯を取り仕切るのではなく、中国に近いところに縄張りを広げます。これが中国名でいう遼（りょう）という国です。さらにはジュシェン（女真）族の金が出現してくる。こうして中央ユーラシア大草原の東部では、遼や金が出現しましたが、中央部ではまだ権力の空白状態が続いていました。

そこへ、テムジンというモンゴル部キャト氏族の人物が登場したのです。テムジンは、タタール部、メルキト部、ケレイト部、ナイマン部などモンゴル高原中央部にいた諸部族を次々と下してモンゴル高原を統一すると、一二〇六年、クリルタイ（最高部族会議）を開催します。クリルタイは今日のアフガニスタンに残る部族集会ロヤジルガに通じるものですが、その場でテムジンはカンに推挙されました。このときからチンギス・カン（在位―一二二七）と名乗るようになったといわれています。ウイグル以来三五〇年ぶりのモンゴル高原の統一でした。そして、チンギスは、「この高原を弟たちと息子たちに分封する。手分けして治めよ」と言い渡します。

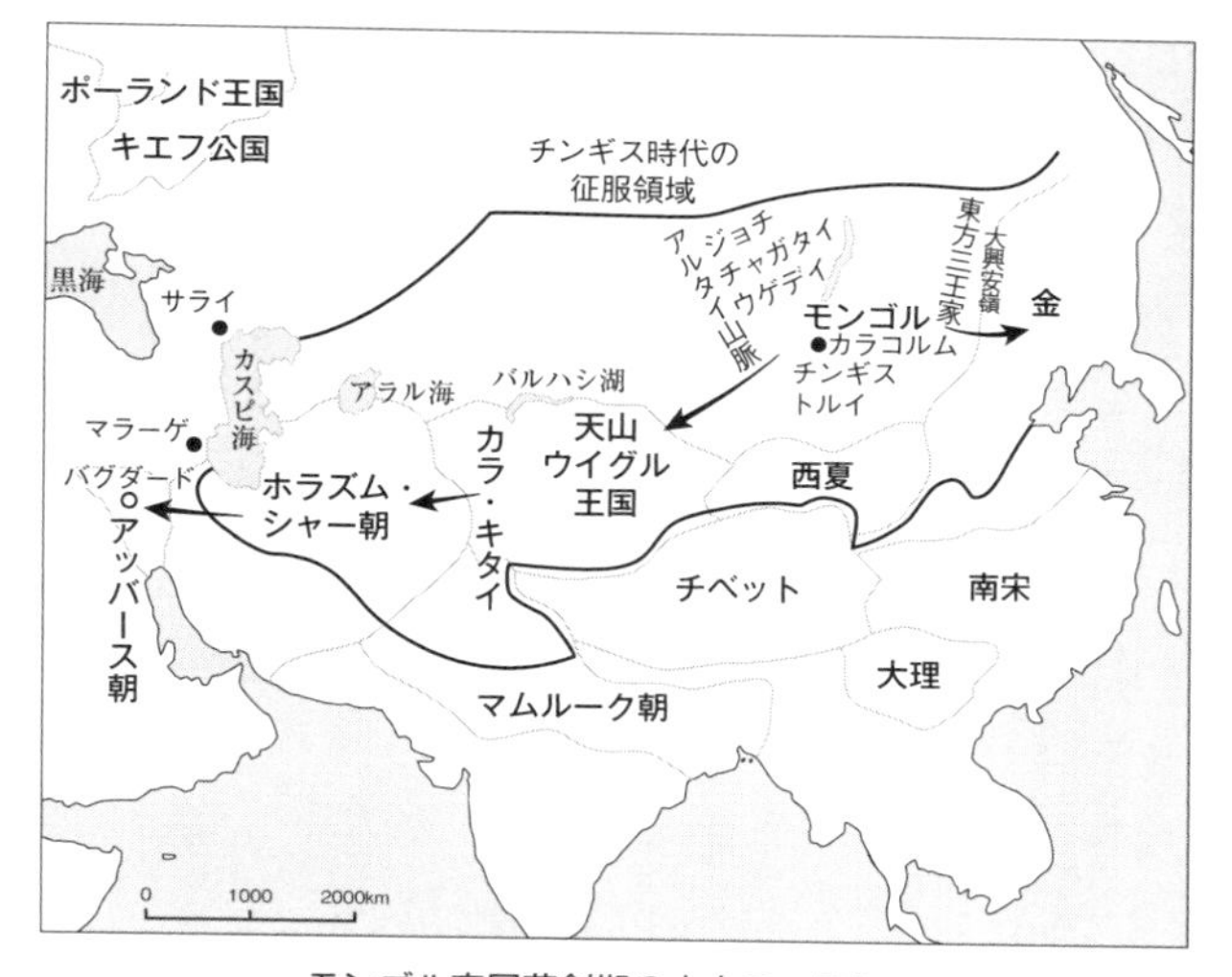

モンゴル帝国草創期の中央ユーラシア

チンギスには何人もの妻がいましたが、最初の妻ボルテとの間に四人の男子をもうけました。上から順にジョチ、チャガタイ、ウゲデイ（オゴデイ、オゴタイ）、トルイの四人です。東方（左翼）は三人の弟（大興安嶺に沿ってジョチ・カサル、カチウン、テムゲ・オッチギン）に、西方（右翼）は三人の息子（これもアルタイ山脈に沿ってジョチ、チャガタイ、ウゲデイ）にそれぞれ一〇〇〇〇人単位の遊牧領民集団（ウルス）を分封して託しました。いずれも、より年嵩な者には、より遠く離れた土地をまかせます。モンゴルの伝統では、長男から順に遠くへ出す。遠い所ほどリスクが高いため、経験を積んだ年長者にまかせるのが一般的だったようです。そして、末子のトルイをチン

チンギス・カン

ギス直属の大軍団とともに自分の手元に置きました。

こうしてチンギスは、鳥が翼を東西に広げるような形で、六つのウルスで構成される大モンゴル国をつくりました。とはいえ、この頃はまだ小国にすぎません。弟たちのウルスのことは東方三王家、息子たちのウルスは西方三王家と呼び、自身は末っ子のトルイとともにモンゴル高原中央に腰を据えました。遊牧民である彼らは、この頃はまだ首都を定めておらず、兵站（へいたん）基地をカラコルムに置いていました。ここには武器をつくる多くの鉄工場があったようです。テムジンという本名は、鍛冶屋に由来するといわれていますが、チンギスと鉄は切り離して考えることはできません。

ここでチンギスにとってラッキーだったのは、ウイグルと出会ったことでしょう。ウイグルはキルギスに滅ぼされたはずじゃなかったの？　と疑問に思われるかもしれませんが、実は彼らは西方に移動したあと、いくつかの国をつくっていました。遠く西へ向かったトゥルクマーンが、のちにイスラーム諸国に抱えられてマムルーク軍団として育っていったことは、前述したとおりです。

そして現在の新疆（しんきょう）ウイグル自治区のあたりには、西方へ移動したウイグル人がつくった天山ウイグル王国がありました。一二一一年、ウイグル王（イディクト）のバルチュク・アルト・テギンがチンギスに帰順して結局はモンゴルの支配下におさまってしまうのですが、彼らの経験がモンゴル帝国の基礎作りに活かされることになります。ウイグルはもちろんトルコ系の遊牧民ですが、天山山脈の北東麓を定住の地とし、この地がシルクロードの中継地点にあたることから交易を営むようにもなっていました。それに、かつて大帝国を築いていたウイグルには、官僚組織を運営した経験もある。ここに、ウイグルの商才＋官僚組織と、モンゴルの政治力＋軍事力が結びつくという、強力タッグが生まれることになったのです。なお、ウイグル王家はチンギスより五番目の息子として厚遇されました。

チンギスは一二一一年、天山ウイグル王国を収めると、次は東方、つまり中国方面に向かい、燕京（えんけい）（中都。今の北京に当たる）を首都としてキタイに代わって中国北部を支配していた女真族の金を攻めます。とても歯が立たないとみた金は、一二一四年に開封（かいほう）に遷都して南方に逃げていきます。一二一五年には中都が陥落しました。この戦争で、金の傘下にあったキタイ族はモンゴルが吸収しました。

このようにして、かつて、大帝国を築いたウイグルやキタイを取り込んだことは、国家運営の面でモンゴルにとって大きな収穫となりました。特に多言語に通じたウイグル人は、商業面のみならず、文化面でも多大な貢献を行うことになります。チンギスは、四駿（ししゅん）・四狗（しく）と呼ばれた八人の僚友やイスラーム商人アサンに助けられ、散在する鉄山を効率的に管理運営して、強大な軍事力を涵養しました。

しかしこの頃、西方ではアム川の下流域に興ったホラズム・シャー朝がセルジューク朝を滅ぼして、当たるべからざる勢いをみせていました。第七代スルターンのアラーウッディーン・ムハンマド（在位一二〇〇―一二二〇）は、一二一二年に西カラハン朝を、一二一五年にはゴール朝を滅ぼして、イラーンからアフガニスタンに至る中央ユーラシアの地に大帝国を現出させました。

セルジューク朝は、トゥルクマーンの王朝で、元をたどれば西へ移動したトルコ系の人々です。それを滅ぼしたホラズム・シャー朝も、同じくトゥルクマーンの王朝です。つまり、一三世紀初頭のユーラシアの大草原には、東のモンゴル、西のホラズム・シャー朝という二つの太陽が昇りつつあったのです。両者は、いつか必ずぶつかる運命でした。

モンゴルとホラズム・シャー朝の中間に位置するカラ・キタイ（西遼）は、チンギスに敗れたナイマン部の王族、クチュルクを厚遇しましたが、クチュルクは、（かつてはカラ・キタイに服属していた）ホラズム・シャー朝と内通して、一二一一年、カラ・キタイを乗っ取り、第四代皇帝に就任しました（在位―一二一八）。しかし、東方遠征から帰還したモンゴル軍は、一二一八年、カラ・キタイを一蹴すると、一二一九年、チンギスを陣頭に、ホラズム・シャー朝を目指して大征西（だいせいせい）（一二一九〜一二二五）に出立しました。東西の太陽の決戦は、しかし、あっさりとモンゴルに凱歌が上がります。

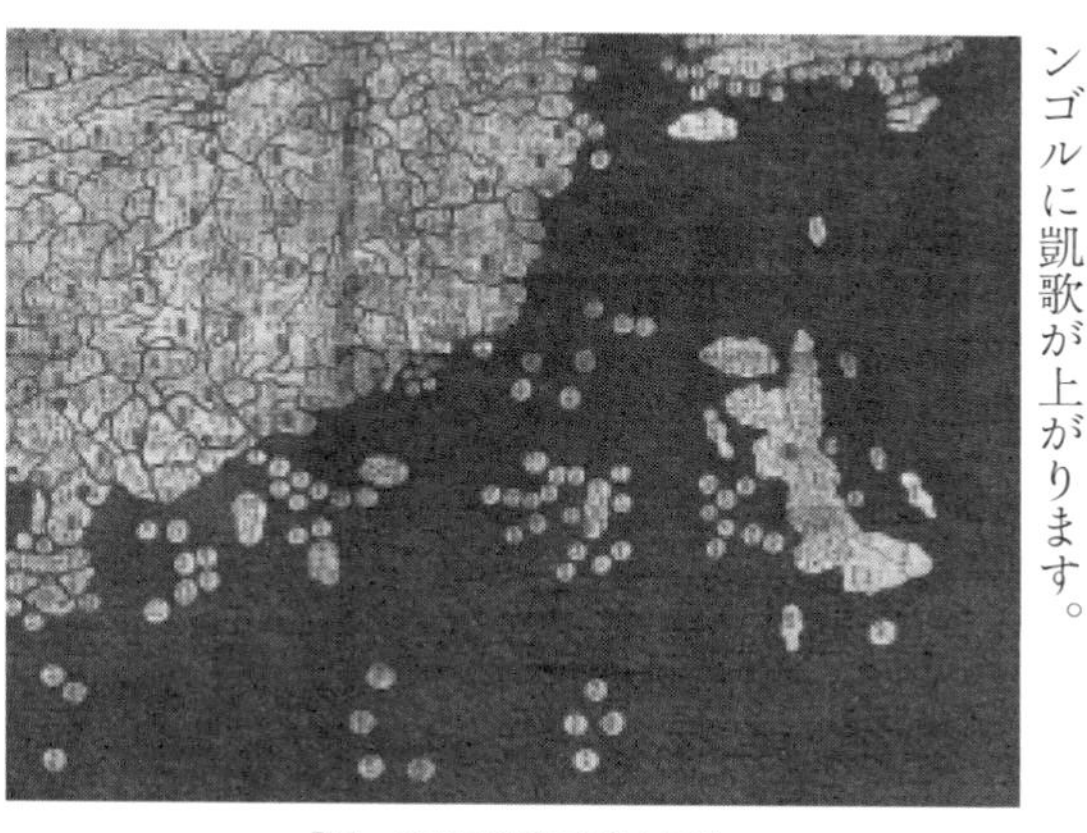

『混一疆理歴代国都之図』

なぜモンゴルが勝ったかというと、ホラズム・シャー朝が引いてしまったからです。相撲でいうところの引き技はタイミングが良ければ瞬時に決まりますが、悪ければ押し込まれて土俵を割ってしまいます。ホラズム・シャー朝が負けたのも同様で、要するに引き際が悪かった。これが一二二〇年頃のことでした。

サマルカンドに続いて、一二二一年には、ホラズム・シャー朝の首都、ウルゲンチが占領され、ホラズム軍を追って、モンゴル軍はインダス河畔に侵入しました。チンギスは、戦争に際しては実に周到な準備を行い、常に戦わずして勝つ形を作ろうとしていた節があります。その結果、モンゴルでは世界地図が発達しました。わが国に残る「混一疆理歴代国都之図（朝鮮で製作）」もその流れを汲むものです。大征西でも苦戦を強いられたのは、アフガニスタン戦役ぐらいでした。

「カンとカアン」 北方の遊牧民の王や族長は、カン（ハン、汗）と呼ばれていました。そして多民族を統合して北方の草原地帯に君臨する皇帝のことを、カアン（可汗、後にハーンと発音）と呼びました。テムジンは、実態から見れば明らかにカアンでしたが、当時はカンと呼ばれていました。モンゴル帝国でカアンと呼ばれるのは、二代ウゲデイ及び四代モンケ以降のことです。

†インドのムスリム化

一二〇六年、ゴール朝の主君ムイズッディーンが暗殺されると、クトゥブッディーン・アイバク（在位一二〇六―一二一〇）は、デリーで自立してマムルーク朝（―一二九〇）を開きました。本格的なイスラーム政権が、北インドに誕生したのです。アイバクは、すでに中央インドのチャンデーラ朝（一一世紀に栄えた地方政権で、世界遺産カジュラーホのヒンドゥー教寺院群で有名です）を攻略し、ベンガルを占領してインドに揺ぎない地歩を固めていました。ベンガル戦役の中で、仏教（密教）の最後の拠点ヴィクラマシーラ大学が破壊されました。大学が貯め込んでいた莫大な富が、破壊の引き金となったのです。

一二二一年、アイバクの娘婿でキプチャク系のマムルーク、シャムスッディーン・イルトゥトミシュ（在位一二一一—一二三六）が、アイバクの子どもアーラーム・シャーを敗死させ第三代スルターンに即位しました。モンゴル軍に追われたホラズム・シャー朝の第八代スルターン、ジャラールッディーン・メングベルディー（在位一二二〇—三一）は、イルトゥトミシュに救援を依頼しましたが、返事は得られませんでした。ジャラールッディーンはイラーン方面に逃れ、モンゴル軍もその後を追ったので、インドの危機は去りました。

一二三一年、ジャラールッディーンはアナトリアで殺され、ホラズム・シャー朝は完全に滅びました。マムルーク朝以降の五代のイスラーム政権をデリー諸王朝と呼びますが、それは、常に北西からインドを窺うモンゴル勢力（チャガタイ・ウルスとフレグ・ウルス）の圧力に耐えながら、南インドに勢力を伸ばして行く三〇〇年の歴史でした。一二三二年には、デリーにアイバクが着工した石造の巨大なミナレット（尖塔）クトゥブ・ミナール（世界遺産）が完成しています。

クトゥブ・ミナール

イルトゥトミシュの後は、娘のラズィーヤ（在位一二三六—四〇）が継ぎました。イルトゥトミシュは迷ったあげく、息子より娘の有能さを評価して後継に指名したのです。ラズィーヤは父が見込んだ通り極めて有能でしたが、この時代にあっては女性によるマムルークの統制は難しく、やがて位を追われました。

北ベトナムでは、一二二五年、九代、二一七年に及んだ李朝が滅んで陳朝（一一四〇〇）に替わりました。南ベトナムでは、引き続きチャンパ王国の統治が続いていました。一二五七年から三次にわたってモンゴル軍が北ベトナムに侵攻しますが、陳朝は焦土作戦で粘り強く抵抗し、一二八八年の白藤江（はくとうこう）の戦いで勝利を収めました。そして、その後はモンゴルの顔を立てて朝貢しました。

タイでは、一二四〇年、初めての王朝スコータイ朝（一一四三八）が始まりました。タイ族が、カンボジアのクメール王国から独立したのです。近接するパガン朝の影響を受けて、スコータイ朝も上座仏教を国教としました。

†モンゴル世界帝国

一二二七年、「世界征服者」チンギス・カンは大征西への参加を拒んだ西夏へ遠征し、西夏の投降三日前に陣没（じんぼつ）しました。

チンギスは、即位した一二〇六年から死去するまでのわずか二〇年あまりで、中国の北部から現在のウズベキスタンのあたりまで広がる大帝国をつくりあげました。その結果、ユーラシアの大草原には、彼の死後もずっとチンギス統原理なるものが残り、受け継がれていきます。

チンギス統原理とは、チンギスの血筋を引く者でなければ皇帝（カアン）にはなれないというもの。チンギスがあっという間に大帝国をつくったため、いわゆるレジェンドとして、その血を引かない者は皇帝としては偽者だということになったわけです。

たとえば、モンゴル帝国のあとを引き継いだ形のティムールは、大帝国をつくりあげながら、生涯カアンを名乗らず、アミール（総督）の称号を使い続けました。彼はチンギスの血を引いていなかったからです。ただし、妻にはチャガタイの血を引く女性を選びました。この一事をみても、中央ユーラシアではチンギス統原理の伝統が、ごく自然に、それもすぐに根づいてしまったことがよくわかります。

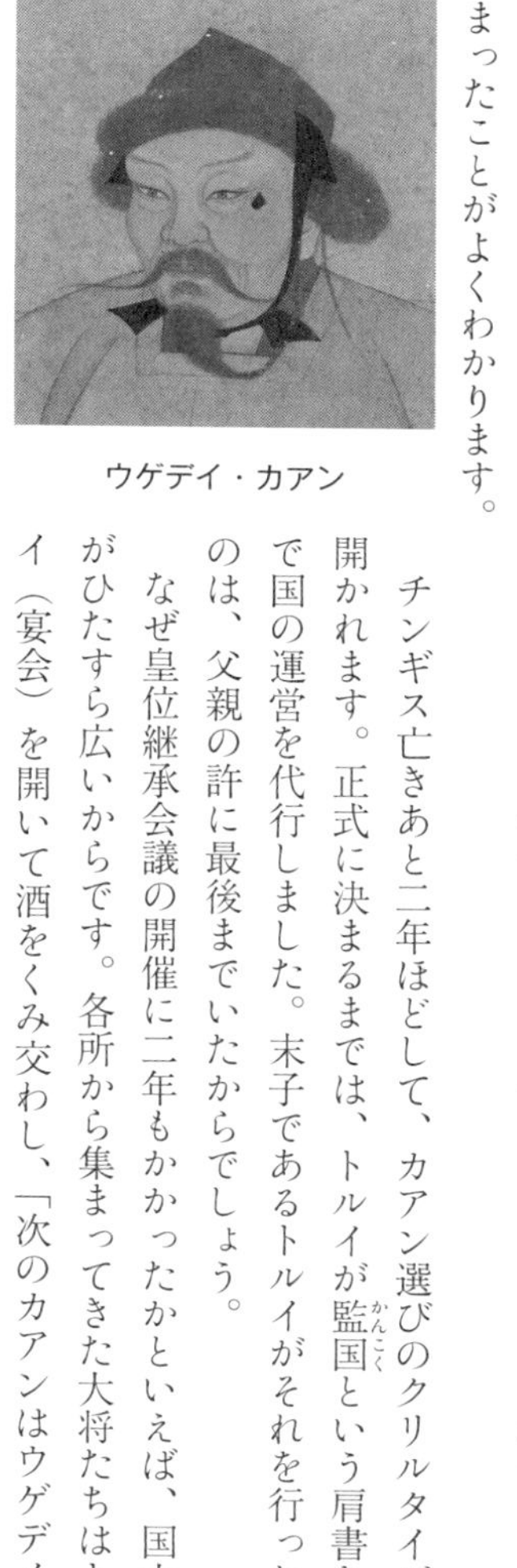

ウゲデイ・カアン

チンギス亡きあと二年ほどして、カアン選びのクリルタイが開かれます。正式に決まるまでは、トルイが監国という肩書きで国の運営を代行しました。末子であるトルイがそれを行ったのは、父親の許に最後までいたからでしょう。

なぜ皇位継承会議の開催に二年もかかったかといえば、国土がひたすら広いからです。各所から集まってきた大将たちはトイ（宴会）を開いて酒をくみ交わし、「次のカアンはウゲデイがいいかな」とか、「いや、このままトルイでいこうじゃないか」などと呟きながら、落としどころを見つけていきます。こういう選び方だからこそ、二年もの歳月を要したともいえます。

一二二九年、二代目カアンには、次男チャガタイの支持を得て三男ウゲデイ（在位一二二九―一二四一）が選ばれます。トルイは一二三二年に陣没しましたが、ウゲデイによる暗殺の可能性もあります。ウゲデイは領土の拡大に力を入れて、一二三四年にまず金を完全に滅ぼします。これで華北（淮河より北の地域）はすべて平らげてしまったことになります。南宋は、モンゴルと協約を結び、金に止めを刺しました。この協約も、一種の澶淵システムであり、南北並存が約されていたのです。

ところが、金が滅ぶと、南宋は協定に背いて軍を北上させ、一時、開封、洛陽を占領しました。これが、モンゴルの南宋攻撃の口実になったのです。海上の盟以降、宋の場当たり的な背信行為は、常に墓穴を掘ることになりました。

そののち、首都と呼べる定住地を持たなかったモンゴルは、一二三五年にあらたにモンゴル高原中央に位置するカラコルムに首都を建設。そこでウゲデイはクリルタイを開催し、二大遠征計画を決議します。中国の南宋への遠征と、遠くはルーシ（現・ロシア、ウクライナ）東欧までを視野に入れた西方遠征です。

また、ウゲデイは国制の整備に努め、行政機構を整備し（ピチクチと呼ばれた多民族出身の書記官僚を育成)、十分の一税制や、駅伝制(ジャムチ)を確立しました。駅伝を使ってウゲデイの指令は文書で各地に伝達され、広大な帝国内の風通しは格段に良くなりました。ウゲデイの許可状(バイザ)を貰えば、役人だけではなく一般の旅行者や商人も、駅伝を利用することができたのです。バイザは、現代のパスポートのようなものだったのです。

南宋遠征の総司令官には、後継者と目していた三男クチュをあて、それに次男のコデンを加えて一定の成果を得ますが、クチュが陣中で死亡し、遠征は成功を見ずに終わります。

西方遠征軍は、数年前に死んだジョチ(チンギスの長男)の息子のバトゥを総司令官とし、さらにウゲデイの長男グユク、トルイの長男モンケなど、第二世代を総動員して西に送り出します。この遠征は、ポーランドやハンガリーまで到達して、大成功に終わりました。

この西方遠征に、モンゴル軍の戦い方の特徴がよくあらわれています。

バトゥ率いる大軍団――といっても、もともとのモンゴルは小さな国ですから、人数はそれほど多くありません。彼らが長けていたのは情報戦です。チンギス・カンの勇名が他部族、他民族にも轟いていたので、それが有利に働きました。モンゴル軍の不敗神話のせいで敵は戦う前から怖気づいてしまうため、モンゴル側もそれを逆手にとって「もしも抵抗すれば骸骨の山を築いてやるぞ」などと噂を流したのです。中には本当に過酷な見せしめもありましたが、たいていは降伏さえすれば、それまで通りに暮らせたようです。これは、イスラーム帝国とほとんど同じやり方です。

バトゥの軍団がロシア平原を進んで行く途中、トルコ系のキプチャク人の集団と出会い、戦わずして彼らを自軍に吸収しましたがそれも情報戦が功を奏したわけです。こうしてバトゥはポーランドからハンガリー大平原までの広大な土地を、たった五年の短期間で制覇したのです。

バトゥ軍団の勢いはとどまるところを知りません。一二四〇年にはキエフが陥落しました。同年、モンゴルに服属したノヴゴロド公アレクサンドルは、ネヴァ川の戦いでスウェーデン軍を破り、ネフスキー（ネヴァ川の、の意）の名を得ました。またアレクサンドルは、一二四二年、チュド湖の氷上の戦いでドイツ騎士団をも破りましたが、これもモンゴルのバックアップがあったからこそです。ロシアは、その後二五〇年間タタールの軛（くびき）に喘いだ、といわれています。

しかし、モンゴルの支配は、アカイメネス朝やイスラーム帝国同様、極めて寛容なものでした。実際に、民衆の膏血（こうけつ）を搾り取ったのは、アレクサンドル・ネフスキーのようなジョチ・ウルスに服属するロシアの諸侯だったのです。一九世紀のロシアのナショナリズムが、タタールの軛（くびき）という神話を産み出したのです。

また、バトゥの遠征に関しては、一二四一年リーグニッツ（ワールシュタット）の戦いで、ドイツ騎士団・ポーランド王国連合軍がモンゴル軍に敗れたことが、これまで必ずといっていいほど言及されてきました。しかし、最近の研究ではリーグニッツの戦いはなかったか、あったとしても偶然の小競り合い程度のものであったことがほぼ実証されています。

この戦いも、一九世紀のドイツやポーランドのナショナリズムが産み出した神話に属するもので、ヨーロッパを救ったといわれているトゥール・ポワティエの戦い（七三二）と同工異曲の類でしょう。歴史的にはほとんど意味を持たない小競り合いがカロリング家（ヨーロッパ）の栄光やドイツとポーランドとの運命共同体（リーグニッツで戦死したとされるポーランドのヘンリクの遺体を、ヒトラーがベルリンに運んだことは象徴的です）のために、歴史上の大事件としてフレームアップされたのです。

しかし、ハンガリーを落としてウィーンに向かおうとしたとき、「ウゲデイ死す」の一報が届きました。一二四二年のことでした。バトゥの叔父にしてカアンであるウゲデイが死んだとなれば、後継者選びのクリルタイに参加するために帰国しなければなりません。それでバトゥは軍を返して帰国の途につきます。そのおかげでドイツやフランスを始めとするヨーロッパは救われました。これがモンゴルの第一次大旋回と呼ばれる出来事です。

†モンケの即位

この第一次大旋回には伏線があります。時間を少し戻しましょう。

バトゥ軍団のメンバーにはグユクがいました。その父は今や大カアン。傲慢なグユクは、軍団の総大将であるチンギスの長男ジョチの息子バトゥに、ことごとく逆らいます。そこで四男トルイの息子モンケがグユクをいさめる。「おまえ、モンゴル軍の規則では大将のいうことを聞かなかったら死刑だぞ」。実際、モンゴル軍の規律は極めて厳しく、だからこそ統制がとれていて負け知らずを誇っていたのです。しかしグユクは、父の威光を笠に着ていうことを聞かない。

バトゥがそのことを本国に知らせると、ウゲデイは激怒してカラコルムへの召還を命じます。それで監視役にモンケをつけて、グユクを護送させることになりました。ロシアを征服してポーランド、ハンガリーへ向かう前のことでした。

ところがグユクが帰還する前に、ウゲデイが死んでしまった。チャガタイも、相前後して他界しました。ウゲデイの皇后ドレゲネは勝気な性格で（モンゴルの女性は強いのが一般的ですが）、ウゲデイ亡きあとの摂政となり、クリルタイを無理やり開いて、実子グユクを次の三代目カアンにと画策し始めます。

ハンガリーから西ヨーロッパに向かおうとしていたバトゥ軍団は、大旋回をして帰国し始めますが、バトゥはドレゲネの強引なやり方を知って、「こんな茶番劇に付き合えるか」と、そのままロシアの大平原に留まって自立を図ります。このあたりは、もともとチンギスによってジョチ家に託されていた土地ですから、「グユクがカアンになるぐらいならモンゴルも終わりだ。俺はここで好きなようにやる」と、一二四三年頃ヴォルガ川の畔にサライという都を開いてジョチ・ウルス（キプチャクハーン国）を構えたのです。

本国では、グユクが三代目として即位します（在位一二四六―四八）。この年、ローマ教皇の使節、フランチェスコ修道会のプラノ・カルピニ（一一八二―一二五二）。帰国後、「モンゴル人の歴史」を書き記しました）がカラコルムでグユクに拝謁しています。グユクはもともとバトゥが大嫌いで、「いうことを聞かずにクリルタイにも帰ってこなかったバトゥを成敗してくれる」と、大軍団を率いて西方に向かいます。

こうしてモンゴル軍が二つに分かれ、ジョチ家とウゲデイ家が大戦争を始める直前に、今度はグユクが急死します。これは恐らく、バトゥの放った刺客に倒れたのでしょう。なお、一二四七年、南宋では秦九韶（生没年不詳）の『数書九章』が完成しました。これは、高次方程式の数値解法を示したもので、ヨーロッパより六〇〇年早いといわれています。

ウゲデイ家の軍団は、若大将が死んで散り散りになってしまったので、バトゥはもともと仲のよかったモンケに本国を託し、心置きなくジョチ・ウルスの経営に専念します。そして一二五一年、バトゥの大軍団を背景に第四代カアンとしてモンケ（在位―一二五九）が即位します。

モンケは、トルイ家四兄弟の長男です。ちなみに、なぜかモンゴルでは四人の息子が多くて、チンギスの息子も四人、チンギスの兄弟も四人でした。トルイの四子はいずれも優秀で、中でも長男モンケはとびきり頭がよく、趣味はなんとユークリッド幾何学を解くことだったといいます。性格的にはかなり厳格だったようで、カアンになると、ウゲデイの一族を徹底的に粛清します。この時点でウゲデイ・ウルスは実質的に消えてしまいました。

すでに述べたように、モンケはバトゥに従ってロシアまで遠征しています。この当時の世界に数多いる君主で、これだけの長距離を移動して世界（異国）を見た人物はいなかったことでしょう。彼が賢明だったのは、たとえば時差があることに疑問を抱いたことでも明らかです。

当時のモンゴル軍は戦さのやり方の一部をまだ占いに頼っていて、朝の一〇時に攻撃すれば勝てるなどと、作戦を決めていました。ところがその時間に現地へ行ってみると、時差の関係でまだ夜が明けたばかり、といったことがありました。そこでモンケは、暦を統一しなければ占いも当てにはできないと、気づいたのです。

モンケはまた、クリルタイを開いて二大遠征を決議します。ひとつは南宋遠征で、これはクビライにやらせる。クビライはモンケの下の弟です。そしてもうひとつは西方遠征で、三男の弟フレグに任せ、イラーン、シリア、エジプト方面を攻略させました。西方遠征といっても、北のロシアの大平原は、仲のいいバトゥがジョチ・ウルスを開いて取り仕切っていますから、今度は南方に照準を当てたのです。

モンケはこのときフレグに、ペルシャに賢い天文学者がいたら連れて帰るようにと依頼して

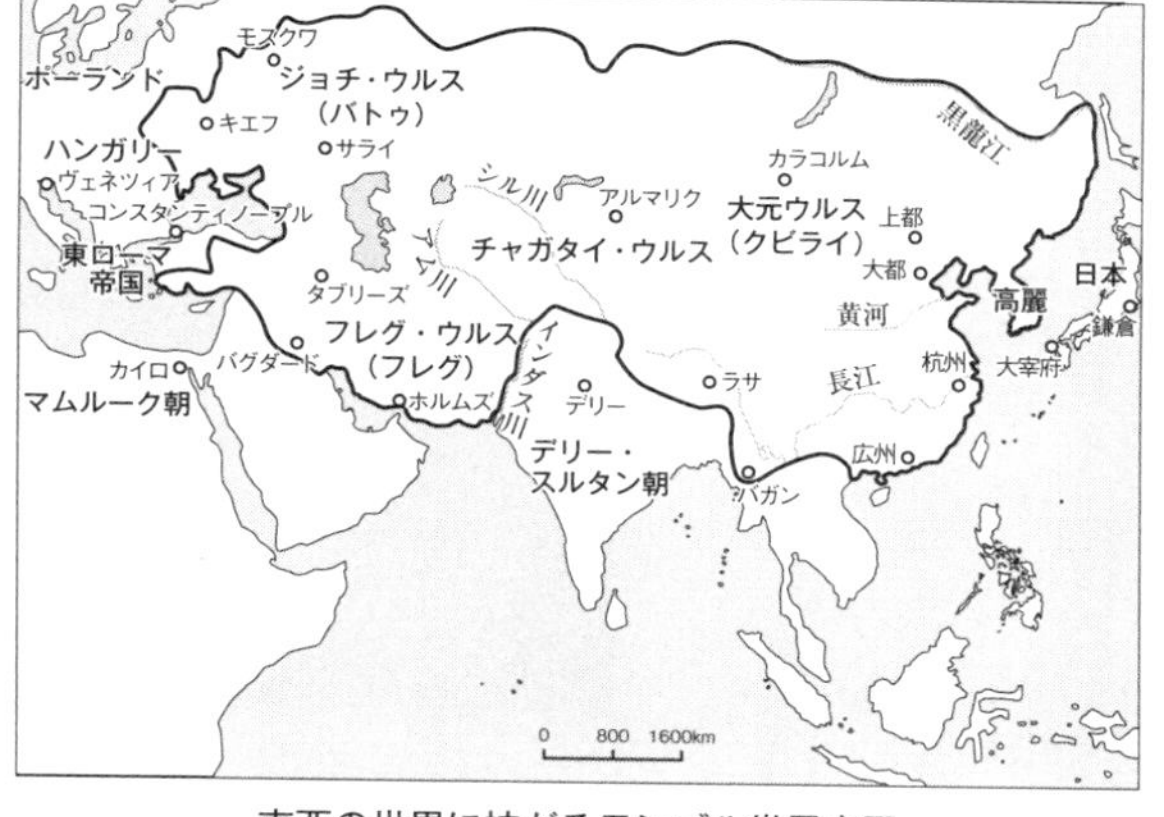

東西の世界に拡がるモンゴル世界帝国

います。ペルシャは当時の文化の先進地域ですから、優秀な学者がいるに違いなく、モンケは学者にきちんと天体を観測させて正確な暦をつくりたかったのです。こうして、クビライ（一二五二年）とフレグ（一二五三年）の二人の兄弟は出立していきました。

同じ一二五三年、フランチェスコ修道会のウィリアム・ルブルック（一二二〇頃―九三）がモンケに謁見しています。カラコルムには、仏教寺院一二、回教寺院二、キリスト教会一があったと、ルブルックは伝えています。カラコルムにはイスラーム教徒はもちろん、フランス人やロシア人も住み着いていました。

クビライの母親、つまりトルイの妻はソルコクタニ・ベキ（一一九二頃―一二五二）という敬虔なキリスト教徒です。なぜモンゴルにキリスト教徒が？と疑問が湧くかもしれませんが、実は彼女はエフェ

モンケ・カアン

ソス公会議（四三一年）で異端とされ、ペルシャ以東に新天地を求めたネストリウス派のキリスト教徒だったのです。

モンゴル高原に住む遊牧民ケレイト部は、このネストリウス派の教えを信じていましたが、チンギスによって滅ぼされます。チンギスはケレイト部の有力者の娘を自分の何番目かの妃とし、その妹を末子トルイの妻とした。それがクビライの母、賢夫人として有名なソルコクタニ・ベキです。トルイと彼女の間に生まれたのは、モンケ、クビライ、フレグ、アリクブケという、揃いも揃って優秀な子どもたちでした。

クビライは、せっかちなモンケとは違って、特に若い頃は慎重な性格だったようです。

一二五四年に雲南の大理国を滅したあと、内モンゴルに開平府（上都）という町を開いて、そこをベースにゆっくりと中国を征服していこうとします。ついでにいえば、上都はマルコ・ポーロと呼ばれる誰かが『東方見聞録』に記したことでも知られ、現在は世界遺産になっていますが（モンゴル側の文献にはマルコ・ポーロという名前がどこにも出てこないため、本書ではマルコ・ポーロと呼ばれる誰かと表現しています）。

このスローペースに苛立ったモンケがクビライ総司令官を更迭、上都で謹慎させます。モンケ自ら陣頭指揮をとると主張し、末弟のアリクブケを残してカラコルムをあとにしました。そして四川省で指揮をとっているとき、熱病にかかってあっけなく死んでしまいます。フレグはイラーンに入り、アラムートなどの山城群を攻略しニザール派を屈服させました。ニザール派イマームの後裔はインドに移り住み大財閥を築きました。現在の第四九代イマーム、カリム・アーガー・ハーン四世は、NGOのリーダーとしても著名です。ルーム・セルジューク朝を屈服させ、バグダードに入ったフレグは、一二五八年、カリフ、ムスタアスィム（在位一二四二—一二五八）を殺してアッバース朝を滅ぼしました。

一二六〇年、ダマスカスを落として、シリアからエジプトに攻め入る寸前だったフレグはモンケの死を知り、自分にもチャンスがあるかもしれないと、大半の軍を返しています。これがバトゥの大旋回に次いでモンゴルの第二次大旋回と呼ばれる出来事で、ヨーロッパや北アフリカの人びとは再び胸をなで下ろしたのでした。

✝クビライの即位

フレグがアゼルバイジャンまで引き返したとき、急な報せが届きます。兄のクビライと弟アリクブケの間で、跡目争いの戦争が始まったというのです。

モンケが死んだあと、首都カラコルムに残っていた末子のアリクブケがカアン位を継承しても、それほど奇異なことではありません。チンギスの死後もトルイが監国の地位に就いていますし、そもそもモンゴルでは末子相続が慣習です。

しかし、中国に地歩を築きつつあったクビライは、自分たちのグループだけで小クリルタイを開き、カアンを宣言してしまう。その昔、チンギスが大興安嶺（だいこうあんれい）に沿って三人の弟たちに分封した東方三王家に対して、「私が大カアンになった暁には然るべき処遇をいたします」と、手なずけたのです。こうしてクビライは、一種のクーデタに打って出たのです。

もちろんアリクブケもおさまりません。「兄貴、それはないぜ」とばかりにカラコルムでクリルタイを開いて、二人のカアンが並び立つことになりました。ジョチ家やチャガタイ家も、アリクブケを支持します。どちらも一二六〇年の出来事でした。帝位継承戦争（―一二六四）が始まったのです。

間に挟まった形のフレグはここで考えをめぐらせます。「あの二人の争いなら、必ず優秀な兄クビライが勝つ。これでは俺の出番はないから、この豊かなペルシャで自立したほうがいいだろう」。こうしてマラーゲを首都（のちにタブリーズに遷都）に、フレグ・ウルス（イルハーン国）が誕生しました。フレグ（在位一二六〇―六五）がイラーンの地に留まったことで西アジアの宗教色は薄められ、俗権が聖権を従える構造が定着しました。フレグ・ウルスでは、中国画の影響を受けた極彩色のミニアチュール（細密画）が発達しましたが、偶像崇拝を否定するイスラームの政権の下では考えられなかったことでしょう。

ミニアチュール

「バグダードの破壊」 岩波の世界史年表は、一二五八年の項で「モンゴル軍がバグダードに入城、一〇万人以上（一説では八〇万人）が殺害される」と、記しています。モンゴル軍については、ヘラートなど中央アジアの都市でも大虐殺の話が伝えられていますが、銃器もなく武器が未発達の時代に、人が人を殺すことは大変な重労働でした。一般に、モンゴルもイスラーム帝国同様、支配を受け入れ貢納さえすれば、統治は寛大であったことが実証されています。人口の少ないモンゴルは、情報戦を得意としていました。徹底抗戦する敵は見せしめのため殺戮し、それを誇大に宣伝した様子が窺えます。何よりも、降伏が上策であったからです。フレグの征西軍の中核は三万人程度と推計されており（バグダードを包囲する頃には、勝ち馬に乗る形で多国籍軍化し、相当の大軍になっていたでしょうが）、バグダードは、それほど血を流さずして開城されたのではないかと考える学者もいます。

ところでこれに驚き、かつ怒ったのがジョチ・ウルスでした。

ジョチ・ウルスは、当然、フレグの遠征軍にも軍隊を貸しています。ジョチ家の人びとにすれば、「チンギスから西方を任されたのは自分たちなのだから、西方の世界はみんな俺たちのもの。だからフレグが獲得した土地もジョチ・ウルスに帰属するはずなのに、それを横取りするとは何事だ」となるのです。ここから、二つのウルスの新たな確執が始まります。

一方、争いの元となったクビライとアリクブケの戦いは、フレグの読みどおり、四年で決着がついてアリクブケは降参。そして二年後に病死してしまいます。晴れてカアンとなったクビライは、といいたいところですが、困ったことに全部族に向けて号令ができない。正式なクリルタイで即位したわけではないからです。

そこでクビライは知恵を絞ります。弟のフレグ、ジョチ・ウルスを引き継いだバトゥの弟ベルケ、チャガタイ・ウルスの頭目アルグ、この三巨頭に声をかけ、大クリルタイを開いてカアン即位を追認してもらおう――。やはり、自派だけの小クリルタイでクーデタまがいの即位をしたことに、クビライはやましさを感じていたのです。

ところが、この一二六六年に予定されていた幻のクリルタイの直前に、フレグ、ベルケ、アルグがことごとく病気で死んでしまいます。一年ぐらいの間に、次々と世を去ったのです。こうなると、追認のクリルタイを行う余裕などありません。西方のそれぞれのウルスは、次の後継者を誰にするかで大混乱に陥ってしまったからです。

これより以前、西方三王家のうちウゲデイ・ウルスは、モンケに滅ぼされていました。その生き残りにカイドゥ（ウゲデイの孫）がいて、「よし、西方が混乱しているこの機会に」と、一二六六年クビライに対して反乱を起こします。これにはクビライも手こずって、鎮圧にその後三五年を費やすことになります（カイドゥの乱。―一三〇一）。

それやこれやでクビライは方針の大転換を図ります。全モンゴル帝国を治める大カアンになるのは、やってやれないこともないが、あまりにも費用対効果が悪すぎる。ここはひとつ割り切って、中国を中心にした地域で我慢することにしよう。クビライは、中国に腰を落ち着けることを決断したのです。

銀の大循環

ところで、カイドゥが決起したあたりには東西を結ぶ草原の道が通っていました。カイドゥは、「ここを押さえれば西方との交易がストップしてクビライも困るだろう」と考えたのです。実際、交易は一部がストップしたものの、クビライはそれほど困りませんでした。確かに陸路は一部遮断されました。しかしクビライ中国は海とつながっており、自由に海の道を使うことができたからです。

かつて、アカイメネス朝のダレイオス一世は、王の道を整備し関所を取り払って陸路によって一つに結ばれたユーラシアを構想しました。それがアレクサンドロス大王に道を開いたのです。クビライはそれに、泉州―ホルムズを大幹線とする海路をつけ加え、インド洋からアフリカに至るまで、縦横無尽に、世界を結び付けようと構想したのです。

海の道は、陸の道よりも遥かに多くのものを運ぶことができます。クビライによって、中国の版図は、これまでよりひとまわり大きくなりました。クビライ以降の中国は、東北地方、モンゴル、中央アジア、チベット、雲南などを領域内に抱え、東ユーラシア全体をその活動の舞台とするようになります。いわば、中国史のステージが唐や宋の時代よりワンランクアップしたのです。渡辺信一郎『中華の成立』（岩波新書）は、中国の歴史を「草原、中原（華北）、江南、海域」の四つの地域に区分して論じていますが、クビライはまさにこの四つの地域を統合したのです。

クビライの経済政策では、銀の大循環に、天才的なひらめきが感じられます。

クビライのもとには、世界中の王族が年賀の挨拶などにやって来ます。最も頻度の高いのが、おそらく仲のいいフレグ・ウルスからの使節だったでしょう。もちろん、彼らはあふれるほどの貢物を携えてやって来る。その返礼としてクビライは、銀錠（ぎんじょう）という銀の塊を与えます。当時の世界通貨は銀でしたから、いわばキャッシュを手渡すようなものです。相当な重量になったと思いますが、船で運べば簡単です。

クビライから銀錠を貰って現在のイラーンの北西部に置いた首都タブリーズに戻ったフレグ・ウルスの貴族たちは、この銀錠をオルトクに貸し出します。オルトクとは、ムスリム商人の共同出資組織で、総合商社のような機能をもっていました。貴族たちはオルトクに銀を預け、利子をつけて返済させるようにしました。ムスリム商人は、中国のお茶、絹、陶磁器などを買い付けて借りた銀で決済する。結局は銀が中国に還流してくることになります。

クビライはまた、海賊を厳罰に処したので、途中で上前をハネられたり、横取りされる心配はなくなりました。交易はますます盛んになり、クビライは中国本土の消費税で銀を吸い上げます。こうしてクビライの元に戻ってきた銀をまた貸し付けて……これが銀の大循環です。クビライ政権は、土地税や人頭税ではなく、商業税に依拠した政権だったのです。

クビライの経済政策は、マネーサプライを大幅に増やして、即ちキャッシュを持たない商人にファイナンスをして銀を大量に循環させることで、みんながハッピーになるというものでした。それが可能だったのは、世界中の人が欲しがるものが、中国には山ほどあったからでしょう。

ただ、これを中国の農民の立場からみると、自分たちがつくった絹や陶磁器、お茶はどんどん売れていくけれど、商人が潤うだけで自分たちにはさほど回ってこない。クビライの経済政策は、一部の商人ばかりを潤す政策ともみえます。

またクビライの政府は、キャッシュとしての銀のほかに、塩引と呼ばれる一種の高額紙幣を発行しました。塩は専売制度で管理されていましたが、その取引のために塩引が発行され、塩との交換が保障されていたのです。紙幣そのものは宋の時代からありましたが、それを本格的に使ったのはクビライが初めてです。この高額紙幣である塩引と普通の紙幣（一二六〇年、世界で初めて正貨としての兌換紙幣、中統元宝交鈔を発行）と銀とによって、マネーフローはすべて賄われました。

そうなると、宋銭のような銅貨が大量に余ってしまいます。単位の小さな宋銭はグローバル取引に適さず、代わって銀と紙幣による新たな決済システムが生まれたのです。しかし、この宋銭を鋳つぶすのは面倒なので、周辺国の朝鮮、日本、ベトナムなどに輸出することで解決しました。宋銭が日本に大量に入りマネーサプライとして供給されたため、日本も景気が良くなりました。

当時の日本は鎌倉時代です。そこでは守護・地頭という官職に象徴されるように、土地本位制がとられていましたから、キャッシュの必要がない。ところが、中国では不用になった宋銭が大量に日本に入ってくると、守護・地頭のような名族でない人びとは、キャッシュを使って一旗揚げようとしたのです。

このベンチャー企業家たちは一般に悪党と呼ばれます。旧来の守護・地頭から見れば、新興成金のとんでもない奴という意味でしょう。その悪党の代表といえるのが、楠正成ではないでしょうか。後醍醐天皇の建武の中興を実現したひとりです。風が吹いたら桶屋が儲かるではありませんが、クビライの経済政策が引き金となって鎌倉幕府が滅んだといえなくもない。

以上のような意味で、最近の日本史研究では、中世は中国銭を使っていた時代である、といった時代区分が提唱されるようになってきたのです。

こうして、クビライの下で、ユーラシア循環交易路が完成し、世界の交易は飛躍的な高まりを見せました。綿布生産の先端技術が、インドから、長江下流域デルタ地方に伝えられたのも、この時代です。当時のモンゴルは、すでにアフリカが海に囲まれた大陸であることを認識していました。ヴァスコ・ダ・ガマの喜望峰到達より、約二五〇年も早いのは驚くべきことです。人種、人、物、お金、情報が自由に往来するグローバリゼーションの時代が実現したのです。人種や宗教、年齢にかかわらず、多言語を自由に操る有能な人材が続々と登用されました。科挙が一時停止されたのは、試験科目である四書五経は中国人にしか理解できないからでした。官職に就くためには、まず、何カ国語に通じているかを上申する必要があったのです。

思想、信条や宗教によって迫害を受けた人の数が、相対的には、おそらく歴史上最も少ない時代でした。異端審問に手を染め始めた西ヨーロッパとは好対照です。物質的な豊かさは、もちろんのこと、精神の高邁さにおいても、当時の東方は西方を圧倒していたのです。クビライは、軍事力より経済力を、生産より流通を、宗教や朱子学のような理念より合理性や実践力を明らかに重視していました。

モンゴルは、中国文明に染まらなかったほぼ唯一の征服王朝です。しかし、儒教は奨励され、孔子の子孫は手厚く遇されました。各地の役所には、儒教の経典などが配布され一般に供されました。モンゴルは、アカイメネス朝やイスラーム政権以上に、伝統文化の保護にも異様に熱心な王朝でした。残された多くの碑刻が、そのことを如実に物語っています。

クビライはまた、チベット仏教を大切にしました。クビライ自身は改宗しなかったものの、チベット仏教サキャ派（赤帽派。チベット仏教四大宗派の一つ）の指導者、パクパ（一二三五―八〇）を一二六一年に帝師（ていし）としたため、モンゴルの貴族層にチベット仏教が広がることになりました。パクパは、また一二六九年にパクパ文字を完成させました。つまり、仏教の第二波（密教）は、モンゴル族（その後は満洲族）が受け入れて中国に広まったのです。それで現在でも、北京にあるお寺のほとんどがチベット仏教のお寺なのです。

†ヨーロッパの調停者、聖ルイ九世の十字軍出立

ブランシュの息子であるフランスの聖ルイ九世は、人格が高潔でヨーロッパの調停者と目さ

れた君主です。因みに米国のセントルイス（ミズーリ州）は、彼に因んだ命名です。ルイ九世は、一二歳で即位したため、辣腕の王太后のブランシュが摂政となって政治を切り盛りしていました。

ブランシュは、一二二九年に、長らくカタリ派の後盾となっていたトゥールーズ伯レーモン七世（一一九七―一二四九）とパリ条約（モーの和約）を結び、レーモン七世を臣従させてアルビジョア十字軍を実質的に終結させました。これによって広大なトゥールーズ伯領（ラングドック）はフランス王室が最終的に吸収することになったのです。ただしカタリ派の抵抗は、一二四四年のモンセギュールの山城陥落まで続きました。

ルイ九世は一二二九年に、プロヴァンス伯レーモン・ベランジェ四世の長女、マルグリットと結婚して親政を始めましたが、実権は王太后の手中にありました。なおプロヴァンス伯は四女をもうけましたが、いずれも王妃になったことで歴史に名を残しました。

「プロヴァンス四姉妹」

マルグリット……ルイ九世妃

エレオノール……イングランド王ヘンリー三世妃

サンシー…………リチャード（ヘンリー三世の弟。コーンウォール伯。ドイツの大空位時代におけ

る名目上のローマ王）妃
ベアトリス……シチリア王カルロ一世（ルイ九世の弟。シャルル・ダンジュー）妃

ルイ九世は、一二三六年に救援依頼に訪れたラテン皇帝ボードゥアン二世（在位一二二八—六一）から、キリストの被った棘（いばら）の冠を大金をはたいて購入し、それを納めるためにサント・シャペルをシテ島に建設し始めました。

聖ルイ9世（エル・グレコ画）

国内が安定すると、ルイ九世は十字軍の検討を始めます。ルイ九世が目をつけたのは、エジプトのアイユーブ朝でした。エルサレムは、フェデリーコ二世とアル・カーミルが結んだ平和条約（ヤッファ条約）によってキリスト教側に引き渡されましたが、一二四四年にはイスラーム勢力によって再び奪取されていました。ルイ九世はエルサレムではなくイスラーム勢力の本拠地を直接衝こうと考えます。それは一二四八年のことでした。

ところでアイユーブ朝が強盛を誇っていたのはユーラシアの基幹となる交易路を押さえていたためでした。

アイユーブ朝を開いた賢明なサラディンは、まずアデン港を占領しました。国を治めるには、基盤である財政を整えなくてはならない。「戦争をするにもお金が必要だ」というわけです。そして、お金を儲けるには交易に限るのです。

アラビア半島南端にあるアデンは、紅海を通ってエジプトから地中海へとつながり、また東側はインド、東南アジア、その先の中国へ抜ける交易ルートの中継地点です。香辛料が豊富なインド、お茶や陶磁器、絹織物産業が盛んな中国とヨーロッパを結ぶ海の交易ルートは古くから二つあって、ひとつがホルムズ海峡からペルシャ湾を渡ってバグダードに入るペルシャ湾ルート、もうひとつがこの紅海ルートです。

当時のペルシャ湾ルートは、アッバース朝の混乱もあって、バグダードとともに衰退していましたが、紅海ルートのほうはエジプトの繁栄に比例して賑わっていました。この頃のヨーロッパはまだ貧しく、輸出できるような品物があまりなかったのに対して、中国のお茶や絹、陶磁器、モルッカ諸島やインドの胡椒、砂糖の人気は高く、サラディンの庇護の下、イスラーム商人はヴェネツィア商人などを相手に、たっぷり稼げたといいます。

サラディンはこれに課税することで得た財力で強力な軍を養い、ダマスカスをも占領して、西方イスラーム世界の中核を押さえます。それまで東のアッバース朝（スンナ派）、西のファーティマ朝（シーア派）と分かれていたイスラーム圏をスンナ派でまとめたのが、エジプトに

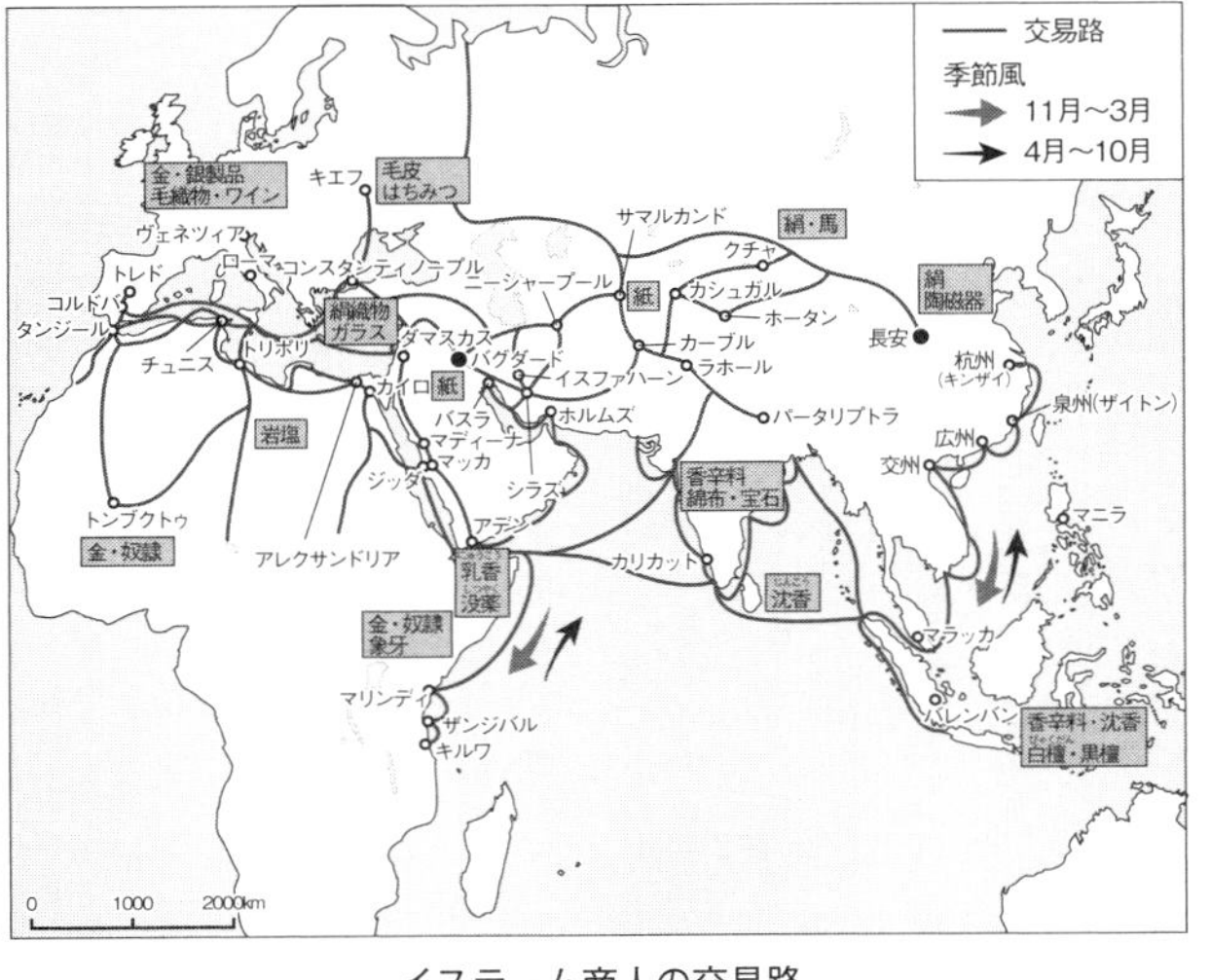

イスラーム商人の交易路

拠点を置くクルド人だったというのも、なかなか興味深いことです。

こうして足元を固めたうえで、サラディンは十字軍国家を圧倒し、前述したようにエルサレムを奪回したのです。ルイ九世は、この財力豊かなエジプトを倒さない限り、エルサレムの安全は得られないと考えたのです。こうして第六回十字軍（一二四八—五四年）が始まりました。ルイ九世は母后のブランシュを再び摂政に任じてエーグ＝モルトから出立、フランスを後にします。

このときのアイユーブ朝のスルターンは、アル・カーミルの息子のサーリフ（在位一二四〇—四九）という人物でした。サーリフの祖父の兄が、サラディンに当たります。サーリフは自分を守るために、武人として優れたトゥルクマーンのマムルークを大勢買ってきて、ローダ島というナイル川の川中島に立派な兵舎を建てて住まわせていました。

この親衛隊としてのトゥルクマーンは、バフリー・マムルーク（バフリーヤ）と呼ばれました。マムルークにアラビア語で海という意味のバフリーを付けた呼び名です。エジプト人にとって海といえばナイル川を指しますから、こう呼ばれたのです。彼らを川中島に住まわせたのは、軍営都市ミスルと同じ発想で、カイロのような賑やかな町に連れてきたら、どんな乱暴狼藉を働くかわかったものではなかったからです。そしてバフリーヤの中にバイバルスという名の若者がいました。

マムルークは一般に奴隷と訳されていますが、アンクル・トムのようなアメリカの黒人奴隷とは、まったく異なります。むしろ主君が手塩にかけて、軍の幹部候補生に育てる養子といった感じでしょうか。古い教科書では、マムルーク朝を訳して奴隷王朝などと書いているものがありますが、それは実態とかけ離れています。

戦士としてトゥルクマーンが優れていることは、アッバース朝の時代からよく知られていました。ウイグルがキルギスに滅ぼされた後、キルギスに敗れたトルコ系（突厥・ウイグル）のいくつかの部族が、西へ西へと流れていくうちにイスラーム教に出会って改宗し、ブハラやサマルカンドといったオアシス都市の近郊に流れ着きました。彼らのことをトゥルクマーンと呼

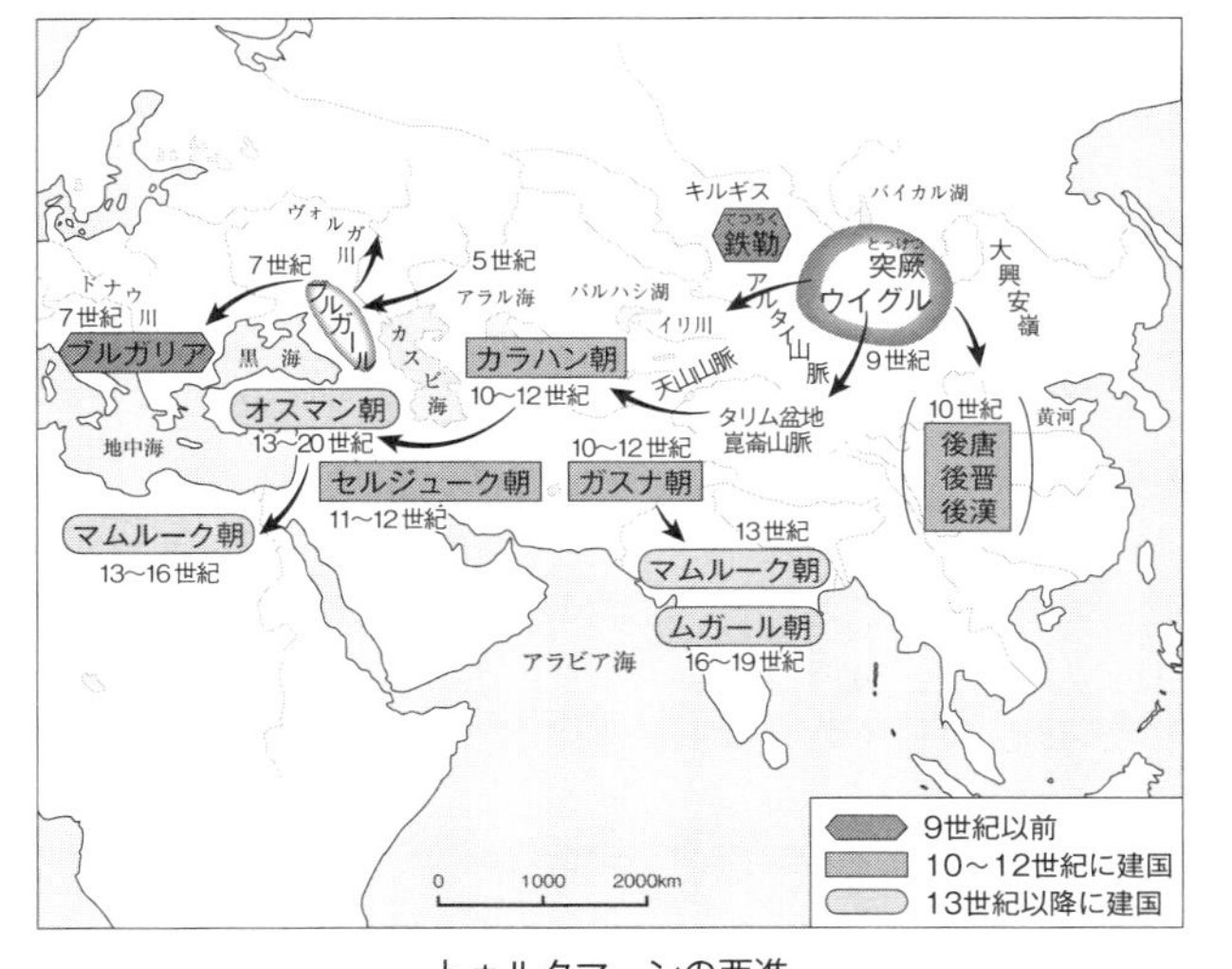

トゥルクマーンの西進

ぶことは前述したとおりです。

そのあたりはシルクロードの中継地点で、奴隷貿易の市場としても栄えていました。馬に乗ることが得意で、弓を射ることにも長け、勇猛果敢で知られるトゥルクマーンは、急拡大するイスラーム諸国にとって願ったりかなったりの人材です。軍事的戦術やアラビア語、クルアーン、イスラーム法などの教えをみっちり仕込まれて、主人に忠実無比な私兵として仕えるようになっていきます。

バイバルスも一二二〇年代にロシアのキプチャク草原で生まれたトゥルクマーン（キプチャク人）で、モンゴル軍に捕らえられて奴隷となり、何回か転売されています。主人にしてみれば、「こいつは有能だが、どこか癖があるな」ということだったのでしょう。最後にサーリフのもとに流れてきて、バフリーヤに取り立てられ、すでに二〇歳の頃から頭角をあらわしていました。

そういえば、のちにトゥルクマーンが建てたオスマン朝は、キリスト教徒の子ども（奴隷）を兵士や官僚に育て上げています。これがオスマン軍の最精鋭部隊であるイェニチェリの供給源となります。トゥルクマーンは、昔は奴隷として育てられ、やがて立場を代えて育てる側にまわったともいえます。

エルサレムを奪還するため、ルイ九世は敵の本拠地であるカイロを目指し、まずその外港であるダミエッタを一二四九年に幸先よく攻略します。しかもラッキーなことに、スルターンのサーリフが病死します。さらにルイ九世にとって幸運だったのは、サーリフの太子トゥーラーン・シャーも、外交と勉強を兼ねてメソポタミアに出張中だったこと。これでは、どう考えてもフランス軍の圧勝ではありませんか。

†「真珠の木」シャジャル

ところが、シャジャル・アッ=ドゥッルというサーリフの後妻がこれを阻止するのです。シャジャルは真珠の木を意味するその名前のとおり、大変美しくかつ才知に長け、おまけに胆力もある女性でした。古代エジプトの女王クレオパトラ七世も美しさと知性を兼ね備えていたと

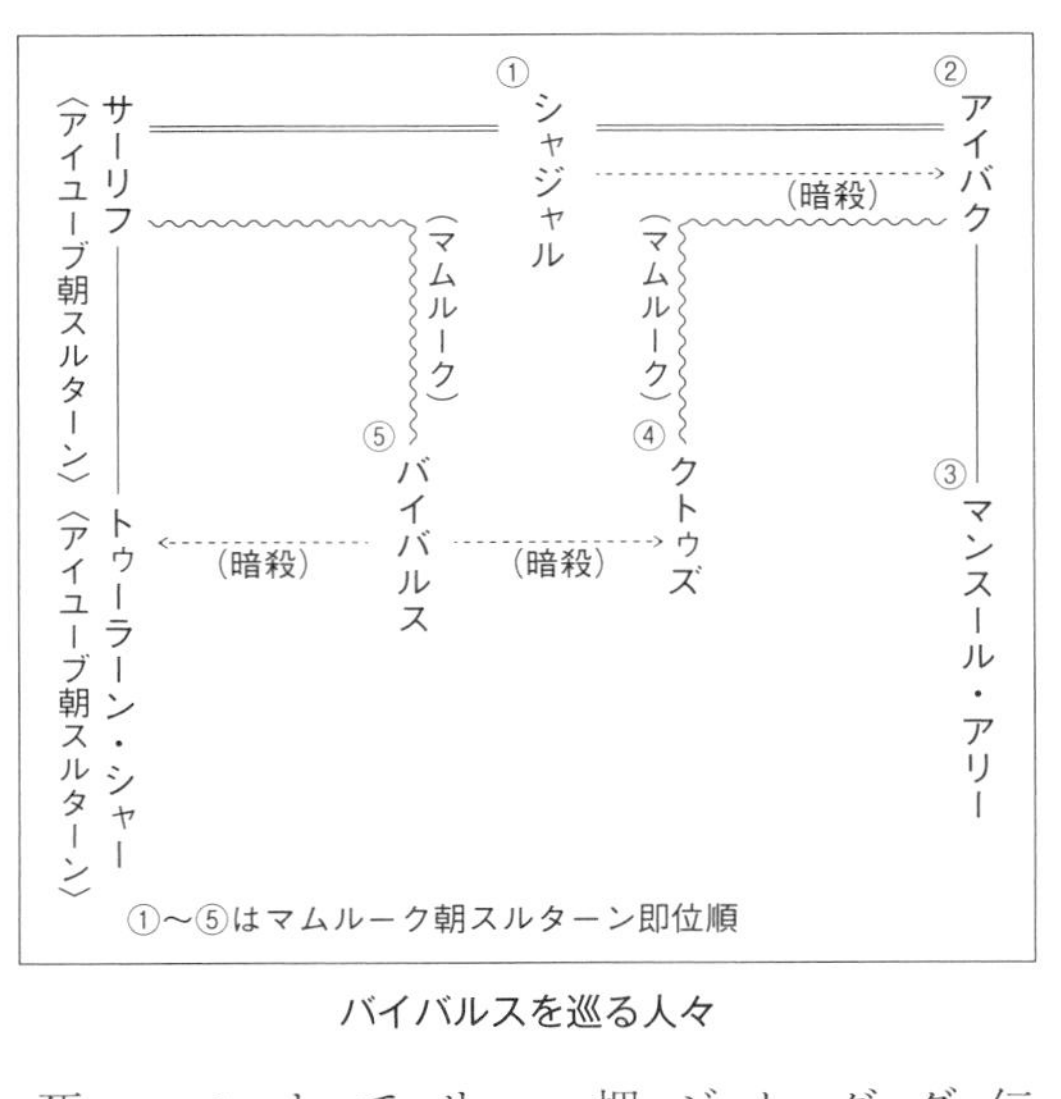

バイバルスを巡る人々

伝えられますが、シャジャルの場合は、バグダードのハレムにいたトルコ系の奴隷で、バグダードのカリフからサーリフにプレゼントして贈られた女性だったようです。このシャジャルこそが、バイバルスを歴史の表舞台に押し上げることになるのです。

彼女は、エジプト軍の動揺を抑えるためにサーリフの死を秘匿し、サーリフが可愛がっていたバフリーヤの長をトゥーラーン・シャーの元に急派します。そして、副将のバイバルスにこう打ち明けます。

「お前たちを可愛がってくれたスルターンは死んだ。フランス軍は目の前まで来ている。これは弔い合戦であるから、私が指揮を執る。バイバルスよ、私はそなたを恃みにしているぞ」

こうして一二五〇年、バイバルスはマンスーラの戦いに圧勝します。急襲してきたフランス軍を町の中におびき寄せ、マムルーク軍団を率いてあっという間に蹴散らし、ルイ九世の弟、ロベールを敗死させます。そして帰国してきたトゥーラーン・シャーと力を合わせて、敵の大将ルイ九世を捕虜にしてしまったのです。

その後の展開はどうなったかというと、新スルターンとなったトゥーラーン・シャーがバフリーヤに暗殺されてしまう。首謀者はバイバルスだったといわれています。戦いには勝ったものの、新スルターンは父の子飼いのマムルークを謀反を起こす元凶とみなしたため、それを察知したバフリーヤに先手を打たれて殺されてしまったということでしょう。もちろん、裏には同じトルコ系の継母シャジャルの意図もあったと思われます。こうしてアイユーブ朝が絶えた後、バイバルスたちに推される形でシャジャル自らが、マムルーク朝初代スルターンの座にすわります。

もっとも、「妃が王位に就かざるを得ないほど人材がいないのか」といったバグダードのカリフの声もあったので、三カ月後、シャジャルはイッズッディーン・アイバク（在位一二五〇―五七）というマムルーク出身の男性と再婚し、彼をスルターンに就ける。本音ではバイバルスをスルターンにしたかったようですが、まだ若いバイバルスでは貫禄が不足していたのでしょう。

こうしてマムルーク朝がスタートしましたが、アイバクはバフリーヤを追放します。孤立したシャジャルは結婚七年後に、モースルの有力者の娘との再婚を考えたアイバクを暗殺してしまう。そのあとはアイバクの息子マンスール・アリー（在位一二五七―五九）が即位するものの、国を治める能力がなく、アイバクのマムルークであったムザッファル・クトゥズ（在位一二五九―六〇）にスルターンの座を明け渡します。クトゥズはホラズム・シャー朝の一族であると自称していたようです。

シャジャルはどうなったかといえば、アイバクの息子の生母に殺される……と、最期は悲惨なものでした。それにしてもシャジャルは興味深い女性です。捕虜にしたルイ九世の釈放にあたっては、十字軍側と粘り強い交渉をして高額な身代金を勝ち取るなど、美しいうえに政治力にも長けていて、バフリーヤからの信頼も篤かった。誰かシャジャルの一生を物語にしてくれる人はいないものでしょうか。

この間、バイバルスはエジプトを追われてシリアを放浪しています。バイバルスもアイバクもマムルークの出身という点では同じですが、バイバルス本人としては先代スルターン、サーリフの私兵という意識が高かったのでしょう。そこでアイバクは反旗を翻される恐れのあるバイバルスのグループを追放したのです。しかしシリアでも歓迎されず、バイバルスは辛酸をなめ続けます。

ところがスルターンがクトゥズに代替わりすると、クトゥズは彼を呼び戻します。なぜなら、モンゴル軍が今にも攻めてくる事態になっていたからです。

その頃、モンゴル世界帝国ではチンギスの孫モンケが即位しており、モンケは弟のクビライに中国（南宋）を、その下の弟フレグには西方を征服せよと命じました。一二五八年、フレグはアッバース朝の首都バグダードを落としダマスカスをも落として、着々とエジプトに迫っていたのです。

ただし、ここでモンケが死んでしまう。モンケは、慎重な性格のクビライがなかなか南宋を落とさないのに業を煮やし、クビライを首にして、自ら陣頭に立って戦場へ出かけたのですが、熱病であっけなく死んでしまいます。それを西方攻めの途中、シリアで知ったフレグは、「俺が兄のクビライを差し置いて次期皇帝（カアン）になれるかもしれない」と考えて、大半の軍を返します。

しかし、アゼルバイジャンまで引き返したところで、クビライがすでに即位したとの一報が入る。「これではもう俺の出る幕はないな」と、フレグはその地にフレグ・ウルスをつくります。

ところで、こうしたモンゴル側の内部事情を知らないバイバルスは、エジプトへ使者を送って、今こそ対モンゴルの共同戦線を張るべきだと伝えます。クトゥズも、確かにここで仲間割れしている場合ではないと、バイバルスを司令官に任ずる。ここからがバイバルスの真骨頂です。守って勝てたためしはないとばかりに、ダマスカスに待機していたモンゴル軍に攻められる前に、エジプトからシリアに打って出た。これが有名なアイン・ジャールートの戦い（一二六〇年）で、不敗のモンゴル軍が初めて敗れた戦いです。

もっともモンゴル側は、大将のフレグがイラーンまで引き返していますから、わずかな兵力しか残っていません。戦力としては圧倒的にエジプト側が優勢で、その比率は一対三とか一対五、あるいは一対一〇だったという見方もあります。フレグからあとを任されたキト・ブカ将軍には、エジプト軍ぐらいひと捻り（ひね）といった奢（おご）りもあったことでしょう。

もうひとつ、モンゴル側が敗れた理由を挙げるなら、フレグが率いているモンゴル軍の主体は、ほとんどがトゥルクマーンだったこと。対するバイバルスも、ロシアのキプチャク草原で生まれたトゥルクマーンです。ですから大胆にいってしまえば、アイン・ジャールートの戦いは、トゥルクマーン同士の戦いということになります。

同じ集団同士の戦いならば、地の利があるほうが有利です。実際、バイバルスは地形をうまく利用して戦っています。エジプト軍を二手に分け、バイバルスが先鋒隊を率いて前に出る、そして突撃してきたモンゴル側から追いかけられたところを隠れていたクトゥズの本隊が包囲し、撃退したのです。

†イスラームの英雄、バイバルス

こうして勝利を得たバイバルスは、カイロに凱旋する途中で、今度はクトゥズを殺してしまいます。このときも、クトゥズから危険視されたバイバルスが、先手を打ったということでしょう。ここからバイバルスの天下が始まります。

意気揚々とカイロに戻ってきたバイバルスを、民衆は万歳の嵐で迎えました。モンゴル軍は宣伝の天才でもあって、「モンゴルと戦うと皆殺しになる」とか「骸骨の山が築かれる」などの噂を撒き散らしていたため、エジプトの民衆もモンゴル軍に蹂躪(じゅうりん)されて奴隷にされるのを半ば覚悟していた。そこへバイバルスが凱旋したのですから、もう一躍英雄です。クトゥズを殺害したことも不問に付され、三〇歳を超えたぐらいでスルターンの位に就きます(在位一二六〇―一二七七)。

バイバルスは真に戦争の天才でした。一七年の治世の間に、シリアに三八回遠征し、モンゴル(フレグ・ウルス)とは九回、十字軍とは二一回戦い、そのことごとくに勝利を収めたのです。一二六八年にはアンティオキア公国を最終的に滅ぼしました。

さらにバイバルスの卓越したところは、常識を超えた外交戦略にありました。

実は、フレグがシリアから撤退する途中で、アゼルバイジャンを中心としてイラーンにフレグ・ウルスを興したとき、一番激怒したのは、その北側に位置するジョチ・ウルスでした。チンギスの長男ジョチとその子孫が興したジョチ・ウルスにしてみれば、チンギスから「西方はみんな、おまえたちに任せる」といわれていたのですから、その領土にフレグが割り込んだ形になります。

牧草豊かなアゼルバイジャンの草原地帯をめぐって、ジョチ・ウルスとフレグ・ウルスは激突し、戦いは何十年にも及ぶのですが、これを見たバイバルスは、ジョチ・ウルスの第

バイバルス

五代、ベルケ（在位一二五七―六六）と同盟を結んでしまう。敵の敵は味方だというわけです。

ベルケはジョチの三男で（バトゥの弟）、イスラーム教に改宗していましたから、マムルーク朝のバイバルスと手を結ぶことに宗教上の問題はありません。しかし、バイバルスがモンゴルの一翼と平然と同盟を結べるというのは、やはり戦略眼があるとしか思えない。トゥルクマーン系キプチャク人であるバイバルスには、モンゴル帝国の一翼とはいえ、キプチャク人が主体のジョチ・ウルスとの同盟に心理的な抵抗がなかったのかもしれません。

こうしてフレグ・ウルスを身動きとれなくして背後の安心を得たバイバルスは、シリアに入って十字軍国家との戦争を始めます。一二七一年には長らく十字軍の拠点となっていたクラッ

ク・デ・シュヴァリエ（世界遺産）という、ヨハネ騎士団が守っていた最も頑丈な城をも占拠してしまう。こうしてバイバルスが世を去る一二七七年頃には、十字軍国家はパレスティナ沿岸の町を三つか四つ残すだけになっていました。

クラック・デ・シュヴァリエ

バイバルスは歴史オタクでもあって、「過去を知らずして勝利なし」という考えを持っていました。暇があれば歴史の本をひもといていたといいます。十字軍とモンゴル帝国を相手に戦わなければならなかったのですから、「昔のことを知らなければ、戦争にも勝てないぞ」と思っていたのでしょう。

賢いうえにスポーツも万能で、狩猟もポロも大好き。鎧（よろい）兜（かぶと）に身を固めてナイル川を泳いで横断してみせたなど、長江を泳いで渡ったという毛沢東のような逸話も残されています。あいや、毛沢東がバイバルスを真似たというべきでしょう。ある記録によれば、カイロからダマスカスまで馬を駆って一週間で走破し、そのままポロの試合に出場したと書かれています。これもパフォーマンスなのでしょうが、上に立つ者が屈強であれば民衆は安心します。

エジプトは豊かな穀倉地帯で、交易も盛んに行っていましたから、外の勢力から狙われやすい。けれど、「俺たちのスルターンは、フランス軍だろうと十字軍だろうとモンゴル軍だろうと、どのような敵が攻めてきても大丈夫だ」と、民衆は安心する。不敗のモンゴル軍を破って民衆の人気も高まっていましたから、そこで安住してしまってもおかしくはなかったでしょう。ところがバイバルスは着実に手を打って、さらに民衆の信頼を高めていく。

バイバルスの紋章

バイバルスの紋章は、ライオンをかたどった印象的なものです。これも、モンゴル軍を倒した王者の象徴として自ら考案したものかもしれません。バイバルスが攻略したパレスチティナのカラック城の門にも、このライオンの紋章がはめ込まれています。こうしたことからも、単に腕っ節が強いだけではなく、何が人びとの心に訴えるか、どう振る舞えば民衆の心を摑めるか、考えつくされた戦略があったように思えます。

一二六〇年、マムルーク朝第五代のスルターンとなったバイバルスは、その翌年、ムスタンスィル二世をカリフに擁立します。彼は、モンゴル軍に滅ぼされたアッバース朝の最後のカリフ、ムスタアスィムの叔父にあたる人物で、バグダードからカイロへ落ちのびてきたのです。

カリフといえば宗教上の最高権威者で、ムハンマドの代理人を指すことばですが、その地位に就けてやった自分には宗教的権威をも左右する力があるのだという、これもバイバルス一流のパフォーマンスでしょう。同時に、それまではバグダードにしか存在しなかったアッバース朝カリフの座所が、カイロに移ったことになります。

これには後日談があって、カリフとしてカイロに留まっていたムスタンスィル二世は、自分がお飾り的な存在にすぎないと気づき、やがてバグダードへ帰りたいと言い始めます。バイバルスはそれに応えて、きちんと護衛をつけて送っていく。ただし、国境まで。そこから先は、モンゴル帝国の支配下にある。案の定、ムスタンスィル二世はユーフラテス川を越えたところでモンゴル軍の手にかかって殺されてしまいます。

これなど、バイバルスのクールな一面を表すとともに、計算された戦略を示す好例でもあります。ムスタンスィル二世はエジプトの民衆にもカリフとして知られた存在でしたから、簡単に見捨ててしまえば、バイバルスの信用も低下する。そこを護衛までつけて送りだしているのですから、言い訳も立つというもの。

立派な業績を上げたリーダーはとかく過酷な政策をとりがちで、民衆からの人気がないことが多いのですが、バイバルスの場合は、毅然としたところがありながら、部下からも民衆からも愛されている。それも、こうした計算があったからでしょう。もちろん、後継のカリフを即位させることも忘れませんでした。

バイバルスは毎年一回、マッカ（メッカ）に大キャラバン隊を送って、カアバ神殿に掛ける黒い布、キスワの奉納を行っています。このときから、カアバ神殿にキスワを奉納する人物がイスラーム世界のリーダーであるという慣習が定着します。なお、のちにティムール朝第三代君主のシャー・ルフがキスワを奉納したいと言ってきたとき、マムルーク朝はそれを断っています。

今のサウジアラビア国王の正式呼称は「二聖モスク（マッカとマディーナ）の守護者」というものですが、この呼び方もバイバルスが始めたもの。こうした伝統づくり、権威づくりがマムルーク朝を長続きさせたのです。

バイバルスの政治力はまだまだ発揮されます。彼は、マムルーク朝永続の鍵がカイロとダマスカスの二つの都にあることをよくわきまえていて、二つの都市の間にバリード（駅伝制度）を整備します。駅伝制度とは、中央から辺境に通じる道路網に沿って、適切な間隔で人馬を常備した駅を置き、駅を基点に往来する交通・通信制度を指します。

アッバース朝の第二代カリフのマンスールやモンゴル帝国のウゲデイの駅伝制度はよく知られていますが、名君といわれる人はダレイオス一世から始まりひとしく駅伝制度をつくっています。それも当たり前で、交通網が整備されず情報が入らなかったら、何事にも迅速に対応できないからです。

バイバルスのバリードは、カイロ―ダマスカス間を平均四日で行き来できたといいます。二都市間は七〇〇キロメートル程ありますから、一日に走る距離はおよそ二〇〇キロ弱になります。当時の交通事情や十字軍の抵抗などを考えると、大変な速さです。そう、バイバルスが一週間で駆け抜けたのも、この路です。駅伝なら人の交替がありますが、バイバルスはひとりで走破したというのですから、その強靭な体力たるや驚くべきです。

このように今に残るイスラーム世界のリーダーシップを確立したのが、トゥルクマーンのキプチャク人のバイバルスだったのです。こうして彼は、サラディンと並ぶ民衆の英雄になっていきます。

僕が小さい頃は、祭りの時期になると神社の境内に紙芝居がやって来て、「源平合戦」や「里見八犬伝」といった講談物を聞かせてもらうのが何よりの楽しみでした。これと同じようにバイバルスの英雄譚は、イスラーム世界でカーッスと呼ばれる物語師によって長く語り継がれていきます。「昔々、キプチャク平原で生まれた子どもが、当時、世界で一番豊かなカイロの町でスルターンとなって、フランス軍やモンゴル軍、十字軍をボコボコにやっつけました……」といった具合でしょうか。

一二七七年、バイバルスは、その波瀾に満ちた約五〇年の生涯を閉じます。戦いを終えて凱旋したダマスカスで、祝杯のクミズ（馬乳酒）を交わす最中に倒れ、まもなく死去したといわれています。クミズの飲みすぎがたたったとも、毒殺されたという説もあります。しかしこの英雄の死は軍の反乱を防ぐため秘匿され、二年後になってダマスカスのサラディン廟の近くに墓が建てられました。二人は死後も肩を並べることになったのです。

バイバルスの後は、子どものバラカ（在位一二七七―七九）が継ぎましたが、キプチャク出身でバイバルスの同僚だったカラーウーンがバラカを廃位して、幼いバラカの弟、サラーミシュ（在位一二七九）を一旦スルターンに擁立、その後、自らがスルターンに即位しました。（在位一二七九―九〇）。ここでバイバルスの血統は途絶え、その後は、大体においてカラーウーン家の人間がスルターンに就くようになります。

カラーウーンは、チェルケス人（コーカサス人のグループ）のマムルークを重用しましたが、彼らはカイロ市内の城砦中の塔に居住していたので、ブルジー（塔）・マムルークと呼ばれるようになりました。（やがて彼らの長、バルクークが一三八二年にブルジー・マムルーク朝を開きます）。カラーウーンは一二八一年、ホムスの戦いでフレグ・ウルス軍を破ると、十字軍国家との戦いに専念します。

一二八九年には、トリポリが陥落、最後に残ったアッコは、一二九一年、カラーウーンの子アシュラフ・ハリール（在位一二九〇―九三）によって陥落、その後残っていたティールやシドンなどもマムルーク朝に相次いで降伏し、十字軍国家は姿を消しました。

一二五〇年に始まったマムルーク朝は、オスマン朝に敗れて滅亡する一五一七年まで続きました。二七〇年の治世は徳川幕府とほぼ同じ長さです、その間ずっと、サラディンが開拓した紅海ルートを引き継いで王朝の富を確保してきました。富の中でも有名なのが砂糖。イスラームでは飲酒が禁じられているので、歴代のスルターンは、がんばった将兵には砂糖を惜しげもなく与えたようです。おかげで糖分の摂取量が半端ではなかったようですが。

ここで話をルイ九世に戻します。身代金を払って解放されたルイ九世は帰途エルサレムに巡礼します。マムルーク朝の支配下にあっても、キリスト教徒の巡礼はこれまで通り許容されていました。この状態は、後のオスマン朝になっても変わりませんでした。

フランスに戻ったルイ九世は、再びヨーロッパの調停者として一二六四年にはイングランドで生じた第二次バロン戦争の調停を行いました。第二次バロン戦争は、ヘンリー三世と、議会制度の基礎を作ったシモン・ド・モンフォール（一二〇八—六五）を統領とする改革派諸侯の争いでした。そして、一二七〇年には再びエーグ＝モルトを船出し、第七回十字軍を起こします。当時のチュニジアは、ハフス朝（一二二九—一五七四）の時代です。ムワッヒド朝から独立したハフス朝はフェデリーコ二世に貢納し、海上交易の権利を認められていました。

第七回十字軍は、王弟のシャルル・ダンジューがハフス朝を傘下に収めようとしてルイ九世を唆したことが原因だともいわれています。しかし、チュニス包囲中に、ルイ九世が病没し、十字軍は成果を収めることなく撤退。これが約二〇〇年に及ぶ十字軍の最後となりました。

なお、ルイ九世の子どもロベール（クレルモン伯）は婚資により、フランス中部のブルボネー地方を獲得しました。そしてロベールの子どもルイ一世（初代ブルボン公）が後のフランス王家、ブルボン家の祖となったのです。

†シチリアの晩鐘

フェデリーコ二世の訃報を聞いてドイツから駆けつけた嫡子、ドイツ王のコンラート四世が、南イタリアで急死（一二五四）した後、南イタリアとシチリアは、フリードリヒの庶子マンフレーディ（在位一二五八―六六）が統治することになりました。ホーエンシュタウフェン家を放逐したい一念のローマ教皇、インノケンティウス四世（在位一二四三―五四）は、ルイ九世の弟、アンジュー伯シャルル（シャルル・ダンジュー）に、コンラート四世に代わってシチリア王になることを提案しましたが、ヨーロッパの平和を願うルイ九世はこれを拒否しました。

困ったローマ教皇庁は、次にイングランド王ヘンリー三世の次男エドマンド（初代ランカスター伯）を担ぎ出そうと画策しましたが、戦費の調達（＝増税）をめぐって貴族が反対したため、この話は立ち消えとなりました。そこで再びシャルルにお鉢が回ってきたのです。シチリア王位を、庶子であるマンフレーディが継いだこともルイ九世の心証を悪くし、シャルルは一二六六年初頭にローマ教皇クレメンス四世（在位一二六五―六八）からシチリア王カルロ一世として戴冠されました（在位一二六六―八五）。

シャルルとマンフレーディは、一二六六年、ベネヴェントで激突し、父の理想に殉じてイタリアをスローガンとしたマンフレーディは戦死しました。こうしてシチリアと南イタリアは、シャルルのものとなったのです。

コンラート四世の遺児、コンラーディンはドイツからイタリアに長駆し、一二六八年、シャルルとタリアコッツォの戦いに臨みました。武運つたなく敗れたコンラーディンは、ナポリで斬首され（まだ一六歳でした）、ホーエンシュタウフェン朝は断絶しました。その後、しばらくドイツでは王が定まらず、大空位時代と呼ばれています。

シャルル・ダンジュー

もっとも、王がいなかったわけではなく、何人もの君主が王位を主張しています。プロヴァンス四姉妹のところで述べたコーンウォール伯リチャードもその一人です。一般に大空位時代は、コンラート四世が死去した一二五四年からハプスブルク家のルドルフ一世（在位一二七三―九一）が王位に就いた一二七三年までを指すものとされています。ホーエンシュタウフェン家の断絶は、結果としてハプスブルク家の台頭を促すことになったのです。ドイツは、ザクセン朝のオットー一世以来、強力な王権をいち早く確立したにもかかわらず、三〇〇年にわたって、ザクセン朝、ザーリアー朝、ホーエンシュタウフェン朝の三大王家がイタリア政策に熱中したため、肝心のドイツ本国の中央集権化は一向に捗らず、フランスやイングランドに遅れをとる結果となりました。もちろん、熱中されたイタリアも遅れをとりましたが。

ドイツの諸侯がルドルフ一世を王位に就けたのは、アルザスを本拠とするスイス最大の封建領主ではあっても、ドイツにほとんど領土を持たず、御しやすいと考えたからでした。しかし、諸侯の目論見は外れます。ルドルフ一世は、野心的なプシェミスル朝のボヘミア王（兼オーストリア公）、オタカル二世（在位一二五三―七八）をマルヒフェルトの戦いで敗死させ、ウィーンに一門の拠点を移しました。

ハプスブルク家の強盛を恐れたドイツの諸侯はルドルフ一世の死後、ナッサウ伯アドルフ（在位一二九二―九八）を王位に就けましたが、アドルフはルドルフ一世の子アルブレヒト一世（在位一二九八―一三〇八）と戦って敗死し、アルブレヒト一世が次の王となりました。なお、ルドルフ一世が死去した一二九一年にスイスでは三つの州（カントン）が永久盟約を結び、これが現在のスイスにつながっていきます。

北アフリカでは一二六九年に、ムワッヒド朝が、モロッコのマリーン朝（一一九六―一四六五）によって滅ぼされました。首都マラケシュがマリーン朝の英主アブー・ユースフ・ヤアクーブ（在位一二五九―八六）によって陥落したのです。マリーン朝は首都をフェズに置きました。マリーン朝は、アンダルスに何度も出兵して、キリスト教勢力を押し返しましたが、大勢を覆すには至りませんでした。ついにアンダルスに地歩を築くことができなかったのです。

一二七四年、ナポリ大学で学び、パリ大学で教鞭を取る傍ら『神学大全』を著した教会博士、聖トマス・アクィナス（一二二五―）が没しました。トマスの「哲学は神学の婢（はしため）」という言葉は余りにも有名です。トマスは、イスラーム神学を学びアリストテレスの論理学を活用して、キリスト教神学を完成させました。

トマス・アクィナス

南イタリア、シチリアに地歩を固めたシャルルは、ノルマン王国以来の夢であった東ローマ帝国の征服、地中海帝国の樹立に向けた準備を進めていました。

第七回十字軍も、後方を固めるという意味で、その一環であったと思われます。東ローマ帝国（ニカイア帝国）は、一二六一年にコンスタンティノープルを奪回し、ラテン帝国を滅ぼして再興を果たしていました。再興の立役者ミカエル・パレオロゴスは幼いニカイア帝国最後の皇帝、ヨハネス四世（在位一二五八—六一）を廃して、自らミカエル八世（一二六一—八二）として即位しました。

一二六五年には、庶子マリア（デスピナ）をフレグ・ウルスに嫁がせ同盟を結びます。またジョチ・ウルスの有力者ノガイの元にも庶子エウフロシュネーを嫁がせて東方を固めました。シャルルの侵攻を脅威ととらえたミカエル八世は、密かにシャルルの圧政に不満を持つシチリア人やマンフレーディの娘、コスタンツァを正妃としていたアラゴン王ペドロ三世（在位一二七六—八五）に働きかけます。

一二八二年三月、アンジュー兵がパレルモでシチリアの女性に暴行したことをきっかけに、住民が立ち上がり、四〇〇〇人ものフランス系住民が虐殺されました。晩禱の鐘を合図に暴動が始まったことから、この事件はシチリアの晩禱（ばんとう）（晩鐘）と呼ばれるようになりました。

シャルルと親しかったローマ教皇マルティヌス四世（在位一二八一—八五）は、十字軍の東方遠征（シャルルの東ローマ帝国侵攻）を防害したという理由でシチリアの全島民を破門、シャルルも鎮圧作戦に乗り出します。ところが、八月に突如としてペドロ三世が上陸し、フランス軍を破ってシチリアを占領、シチリア王として即位しました（在位一二八二―八五）。シャルルの東方遠征の夢はその直前にこうして頓挫したのです。

一二三七年にカタルーニャと連合して、西地中海に乗り出したアラゴン王国は、ハイメ一世（在位一二一三―七六）の時代に、バレアレス諸島やバレンシアを征服し、強大化していました。アラゴンと隣接するカスティージャ王国では、賢王アルフォンソ一〇世（在位一二五二―八四）が、政治的には失政を重ねたものの、法典と史書の編修を指揮し、アラビア語学術書の翻訳事業を推進していました。

画期的なことには、ラテン語ばかりではなく、口語のカスティージャ語にも翻訳したのです。その代表がイスラーム教徒やユダヤ人をも集めて製作した「サンタ・マリア頌歌集」です。現在では、アルフォンソ一〇世は、カスティージャ語による文学を創始したと考えられています。

一二六四年、アルフォンソ一〇世のトレードの工房で、ユダヤ人アブラハムによって翻訳された「階梯（かいてい）の書」は、ムハンマドの天国と地獄への旅を扱ったものですが、この書物は、翌一二六五年に生れたダンテにインスピレーションを与えることになります。

シチリアの晩禱の結果、シャルルの領土は南イタリアのみとなりました。このシャルルのナポリ王国は、シャルルの長子カルロ二世（在位一二八五―一三〇九）によって継承されます。その妃はハンガリー王イシュトヴァーン五世の娘マリアでした。二人の子、カルロ・マルテッロは、ハンガリーの王位を請求します。そして、アールパード家最後のアンドラーシュ三世（在位一二九〇―一三〇一）が没すると、カルロ・マルテッロの子、カーロイ一世（在位一三〇八―四二）がハンガリー王に就き、ハンガリー・アンジュー朝を開きました。しかし、本家のナポリ王国は、一四四三年にアラゴン王国に征服され、シチリアと南イタリアは、再び統一されました。しかし、この事件は、後にフランス王のイタリアへの介入を招くことになるのです。

イングランドでは、一二八四年、ヘンリー三世を継いだエドワード一世（在位一二七二―一三〇七）が、ウェールズを征服しました。そして、ウェールズ人の人心掌握のためにウェールズ生まれの王太子エドワード二世（在位一三〇七―二七）を、プリンス・オブ・ウェールズに任じましたが、これが現代まで続くイングランド王室の慣例（王太子の称号）となりました。

一二八五年、フランスではフィリップ四世（在位―一三一四）が即位しました。

フランスでは、オーギュスト（フィリップ二世）、ルイ八世、ルイ九世と有能な国王が相次いで現れ、国力が充実していました。フランス王の祖先は高貴なトロイア人フランシオン（ローマの建国者アエネーイスの友人）という伝承も創られ、王権は格段に強化されていました。いずれ、ローマ教皇との対立は避けられないでしょう。一二九〇年、カスティージャから嫁いできた愛妃エリナーを失ったエドワード一世は、葬列の道一マイル毎に十字架を建てさせました。その内の一つが、今に残るロンドンのチェアリング・クロスです。

一二九一年、前述したようにマムルーク朝によって、十字軍の最後の拠点、アッコが攻略され、エルサレム王国は消滅しました。十字軍が勝利を収めたのは、第一回だけでしたが、点と線になりながらも、二〇〇年間、パレスティナの拠点を維持しえたのは、ヴェネツィアやジェーノヴァの海軍力によって、補給が途絶えることがなかったからです。十字軍によって、東方の進んだ文明が西方にもたらされました。築城技術も、東方に学んで格段の進歩を遂げたのです。

ヴェネツィアやジェーノヴァは、十字軍によって大国への道が開かれました。幸運にも、モンゴル世界帝国の時代と重なっていたため、東西の貿易が飛躍的に拡大したのです。しかし、後進地域である西欧には、毛織物以外、競争力のある輸出商品がなかったので、銀が東方に流出することになりました。この基本構図は、産業革命の時代まで変わることなく続きます。

チェアリング・クロス（ロンドン）

一二九一年、『薔薇園』や『果樹園』を著したペルシャの国民的な詩人、サアディー（一二一〇—）が没しました。一二九二年、カスティージャとジェーノヴァの連合艦隊は、ナスル朝からジブラルタルを奪取して、北アフリカとアンダルスの連携を断ち切りました。これにより、地中海とフランドル、北海、バルト海が連結されました。

これまで、ヨーロッパの北方と地中海世界は、陸の道（シャンパーニュの大市など）によって繋がれていましたが、ここに、海の道が開かれたのです。ヨーロッパ世界は、十字軍（東地中海）で失ったものを、西地中海・大西洋で取り戻した結果となりました。

もっとも、ジブラルタルは一三三三年にマリーン朝によって再び奪還され、その後一三七四年にグラナダ王国に割譲されます。ジブラルタルが最終的にカスティージャのものになったのは、一四六二年のことでした。

一二九五年、エドワード一世の模範議会が開かれました。マグナ・カルタから八〇年後のことです。イングランドは、議会の祖国となって行くでしょう。

†クビライによる大都の建設

賢明にも大クリルタイをあきらめたクビライは、一二六七年、大都の建設に取りかかりました。先に開いた上都は夏の都、こちらは冬の都というわけです。大都が完成するのは二六年あとになりますが、のちに明の永楽帝のとき、北京と呼ばれる町になります。

大都は二つの特徴を持っていました。ひとつは、海につながるように設計されていること。もうひとつは、中国歴代の首都の中で、何もない更地にゼロから立ち上げた都はここだけだということです。

まず、海につながっている点については、大きな湖沼のそばに大都を建設し（現在の北京に北海や中南海として残っています。中南海は共産党本部や要人の官邸があることで有名です）、そこから運河で天津の港と結びつけました。つまり大都は、初めから海上の交易を企図してつくられた都市でした。広州や泉州に運ばれてきた西洋やイスラームの物品は、慶元（寧波）を経由して、大都に運ばれました。

大都は大消費都市ですから、大量の食糧をどこからか運んでこなければならない。それには二つのルートが用意されていました。ひとつは、はるか昔、隋の煬帝がつくった大運河（北京―杭州）であり、いまひとつは、クビライが新たに切り開いた天津経由の海の道です。

これはマンスールがやはり更地に開いたバグダードと同様の発想です。彼もチグリス川、ユーフラテス川を使って海外と交易を行う前提でバグダードという町をつくりました。ゼロからつくられたという点でも、この二つの都は共通しています。

大都は杭州と同じように、マルコ・ポーロと呼ばれる誰かの『東方見聞録』によってヨーロッパ中に知られることになります。「東方に素晴らしい都があり、そこは豊かな物品で溢れていて、人びとはみな裕福である」という幻想がヨーロッパ中にあふれたのです。だからクリストバル・コロン（コロンブス。一四五一―一五〇六）は、大都（カン・バリク）を目指して航海に出たのでした。

コロンだけではありません。フランス国王フランソワ一世の命令で、フランス人ジャック・カルティエ（一四九一―一五五七）が一六世紀の初めに北米に探検に行き、セントローレンス川を遡ります（先住民イロコイ族の村落を意味する言葉からその辺りをカナダと名付けました）。彼が目指していたのも、やはり大都でした。一六世紀といえば、とうの昔にモンゴル帝国は滅んでいるのですから、それほど大都という憧れの夢の都の伝説が長く生き残っていたことになります。

「マルコ・ポーロと呼ばれる誰か」　ジェーノヴァとの海戦で捕虜となったヴェネツィア商人、マルコ・ポーロは、ジェーノヴァの獄中で、ピサの冒険作家ルスティケロに、「世界の驚異」と呼ばれる書物を口述した、といわれています。これが、「東方見聞録」です。わが国では、日本（ジパング）を初めて西欧に紹介した書物として広く知られています。特にクビライの宮廷に関わる記述は正確で、直接、クビライに接した人間でなければ描けないような情報が盛り込まれていますが、マルコ・ポーロの名は、漢文や当時の実質的なリンガ・フランカであったペルシャ語などの資料には一切出てこないのです。一方、クビライの宮廷に伺候した西欧人の名はほぼすべてが記録されています。従ってマルコ・ポーロの実在は、現在のところ確かめようがないのです。

次に、ゼロから建設したという特徴についていうと、西安（長安）も洛陽も、もともと町があったところを首都にしているのに対して、この大都は、『周礼』（紀元前五世紀頃の作とされる儒教経典のひとつです）に書かれた理想的な都のとおりにデザインされています。たとえば、今の中国の町ならどこにでもある鐘楼や鼓楼は、時を告げるためのものですが、これらも『周礼』の記述に従ってつくられたものです。鐘楼や鼓楼は、日本の天守閣のモデルになったともいわれています。

先に、モンケが西方へ行くフレグに天文学者を連れて来るように頼んだ話を述べました。モンケが死んだあとフレグは、まずマラーゲにフレグ・ウルスの首都を設け、そこにナスィールッディーン・トゥースィー（一二〇一―七四）をはじめとするペルシャの名だたる大学者をすべて集めて大天文台を建てました。そしてイルハン天文表という素晴らしく正確な観測データをつくらせ、モンケのあとにカアンとなったクビライにそれを送り届けたのです。そこでクビライも大都に天文台を建て、それをベースにして郭守敬（一二三一―一三一六）という学者に、授時暦という大変正確な暦をつくらせました。

『天地明察』（冲方丁著・角川書店）という小説に、江戸時代の囲碁棋士にして暦学者の渋川春海が、貞享暦をつくったことが描かれていましたが、これは授時暦をもとに、中国と日本の経度差を考慮してつくられたものです。フレグのマラーゲ天文台、北京の授時暦、日本の貞享暦、サマルカンドのウルグ・ベク天文台（ティムール朝）、それを引き継いだインドのムガール朝（第二ティムール朝）の天文台と、それらはすべて、モンケの発想から生まれたといっていいでしょう。

大都の建設に取りかかって四年後の一二七一年、クビライは国号を大元ウルスと改めました。実は、中国で皇帝自らが国の名前を付けたのはこれが初めてです。それまでの中国の王朝は、すべて建国前の他称が国名になっていました。たとえば漢という国は、項羽から漢中の地を与えられた劉邦が漢公と呼ばれたため、国の名前も漢に。あるいは唐は、高祖・李淵の父が北周の唐公だったので唐に、といった具合です。それが、クビライ以降は国の名前は皇帝自身が付けることになるのです。そういう面でもクビライは画期的なのです。

†クビライの外交政策

次に、クビライの外交政策を見てみましょう。

クビライのアジア攻略の手始めとしては、まず日本とのモンゴル戦争が挙げられます。一二五九年、モンゴルに降伏した高麗は、一二六八年、モンゴルの使者となり、クビライの書をもって日本を訪れました。クビライの書は国交を求める穏便で丁寧なものでしたが、国際情勢に疎い鎌倉幕府は、その真意を理解できませんでした。クビライの使者は、何度も黙殺されたので、一二七四年、モンゴル・高麗軍は博多湾に来襲しましたが、これは小手調べであって一週間ほどで帰国しました（文永の役）。

この第一次モンゴル戦争の主目的は、おそらく火薬に使う硫黄が欲しかったものと思われます。火山国の日本は、硫黄をたくさん産していたからです。なお、モンゴル戦争について日本では元寇という言葉がよく使われますが、元寇という言葉の初見は、のちの江戸時代に徳川光圀の命によって編纂された『大日本史』で、これが幕末の勤王思想に影響を与えたことは記憶に留めておいていいでしょう。

二年後の一二七六年、モンゴル軍の総大将バヤン（一二三六―九五）が南宋を無血開城させますが、このバヤンの出自が興味深いのです。その一二年前、フレグ・ウルスから大都へ外交団の一員としてやって来たバヤンという青年を接見したクビライが、いかにも利発そうな面立ちを見て家臣としてスカウトしたのです。当時、バヤンは二八歳でした。

そして、苦難を共にした古くからの幕僚ではなく、モンゴル貴族とはいえペルシャ出身の四〇歳のバヤンを、南宋攻略というクビライの一世一代の大作戦に総司令官として起用し、また、バヤンもよくそれに応えました。ここに、クビライの出自にとらわれない人材登用の柔軟性が見てとれます。

南宋を攻略して中国全土を支配下に置いたのもさることながら、南宋の首都、臨安（杭州）

を無血開城させたあとの対処策にも、クビライの政治力が光ります。なぜなら、宋室とともに海上に逃れて抵抗を続け、最後に入水した家臣はほんのひと握りにすぎなかったため（文天祥のように獄中でも節を曲げなかった忠臣もいましたが）、大勢残った南宋の官僚や軍人たちを放置すれば、不平分子となり、いつ反乱を起こすかもしれない。

そこでクビライは、大出版事業を興します。中国全土を掌握したのだから、次は文化振興だと、いわば官営の出版社を設立して、知識人である南宋の官僚をその社員にしたのです。その結果、多くの大字本や小字本、一種の百科事典『事林広記（じりんこうき）』など、後世に残る膨大な漢籍の数々が生み出されています。持ち運びに便利な小字本は日本にも流入し、五山文化を豊かにしました。

一方、軍人は反乱の火種としては官僚よりも厄介です。そこでクビライは次々と周辺アジア諸国の攻略に乗り出します。つまり、失業軍人を殖民に送り込む目的で戦いを始め、その一環として第二次モンゴル戦争（弘安の役、一二八一年）を企てたのではないでしょうか。一二七九年、鎌倉幕府はクビライの使いを博多で斬りました。外交使節を斬った以上、開戦は不可避となりました。

同じ一二七九年、タイでは、スコータイ朝のラーマカムヘン（在位―一二九八）が、即位しました。ラーマカムヘンは、マレー半島、カンボジアを制圧し、ベンガルにも勢力を拡げて、タイの最大領土を実現したので、大王と呼ばれています。ラーマカムヘンの治下で、スリランカから、上座仏教が招聘され、それまでの大乗仏教に替わって、東南アジアの地に浸透して行くことになりました。

一二八一年、高麗軍と江南軍が九州に来襲しましたが、最後は暴風雨にあって撤退しました（弘安の役）。この戦闘から、神風が吹いて日本を救ったという迷信が生れたのです。大量の船舶を失った高麗の海運業は衰退しました。ここに前期倭寇誕生の萌芽が見られます。

北ベトナムでは、一二二五年に、陳朝（―一四〇〇）が成立していましたが、モンゴルは、服属を求めて、一二八二年から八八年にかけて再び侵攻しました。しかし、ゲリラ戦や名将、陳興道（チャンフンダオ）（一二二八―一三〇〇）の活躍もあって敗退を余儀なくされました。一二八七年、ビルマのパガン朝は、雲南から南下したモンゴル軍に滅ぼされました。

一二九三年、モンゴルはジャワにまで遠征しました。朝貢を拒否したシンガサリ朝（一二二二―九二）の君主、クルタナガラを懲罰するためです。ところが、ジャワでは、シンガサリ朝に滅ぼされたクディリ朝（一〇五〇―一二二二）の末裔が、一二九二年にクルタナガラを倒して新政権を樹立していました。

クルタナガラの娘婿、ウィジャヤ（在位一二九三―一三〇九）は、到着したモンゴル軍を上手く誘導し、クディリ軍を討伐させた後、モンゴル軍を追い返して、インドネシア最後のヒンドウー教王国、マジャパヒト王国（一二九三―一五二七）を開きました。大元ウルスとの関係は当然悪化しましたが、クビライの死後両国は和解して一二九五年から一三三二年の間に一〇回の朝貢が行われています。

しかし、クールに考えてみると、アジア攻略の本意が失業対策、反乱対策にあったととらえるなら、勝敗は二の次でしょう。要は、元軍人たちが暇を持て余して良からぬことを考えなければいいわけですから。

その傍証もあります。服部英雄・九州大学名誉教授の『蒙古襲来』（山川出版社）に書かれているように、日本と戦っても交易量はストップするどころか、逆に増えている。両者が反目したのは一瞬で、商売は別とでもいうのか、クビライは日本船を受け入れているのです。このことは、クビライが日本侵攻に込めた意図を推測する材料のひとつになるでしょう。

†クビライの死とその後のモンゴル帝国

一二八七年、ナヤンの反乱が起こります。ナヤンは、東方三王家の筆頭王家の当主です。クビライ即位時のとき東方三王家はクビライを応援しました。だから、「クビライはもう引退の時期だ。そろそろ俺たちに恩返しのため、国を譲ってくれるはずだ」と考えて、ナヤンは反乱を起こしたのです。

確かにこの時点で、クビライは七二、三歳にもなる高齢者です。対してナヤンはまだ二十代後半の若者。三王家の若い指導者がカイドゥらと示し合わせて立ち上がれば、さしものクビライも宮殿の奥で震え上がるに違いない、そう考えてもおかしくありません。それで戦う前に、前祝いと称して大宴会を開いた。

これを聞いたクビライは、「何をあの洟垂れ小僧が生意気な」と、自ら戦象に乗って敵の宴会場へ駆け出した。近衛部隊も遅れじと慌てて追いかける。こうなると勝敗は明らかです。戦意にあふれた鎮圧側と、酒に酔った反乱側。あっという間に勝負はつきました。これもクビライの若さのあらわれと思考能力の柔らかさを示しているのでしょう。

一二九四年、ついにクビライに死がおとずれます。すでに四人の子はみな亡く、皇太孫テムル（在位一二九四―一三〇七）が跡を継ぐのですが、もはやクリルタイは開かれませんでした。なぜなら、クビライ自身が中国の王朝の統治者として生きていくことを選択していたので、各地に散らばるウルスの代表を集めて了解をとりつける必要がなくなっていたからです。

また、クリルタイが開けない事情もありました。この頃のモンゴル帝国は、ロシアに本拠地を置いていたジョチ・ウルス、ペルシャのフレグ・ウルス、中央アジアのチャガタイ・ウルス、それに中国の大元ウルスと、この四つの連合体から成っていましたが、チャガタイ・ウルス近辺ではカイドゥがまだ抵抗を続けていたからです。

クビライの言葉が残っています。思想、宗教、信条など、頭の中にあるものは目で見ることができない。そんなものを理由に人の首を斬っても、なんの益もない――。十字軍の時代、クビライの考え方のあまりの斬新さに目が開かれる思いがします。

では、クビライを支えたのはどういう人たちだったのでしょうか。

クビライ政権の担い手としては、中国伝統の科挙を通ってきた官僚では役に立たないことはすぐにわかります。そうした経歴の持ち主は、得てして守旧派になってしまう。彼らに銀の大循環など理解できるはずがありません。そこでクビライは、世界中から優秀な人材を登用したのです。ウイグル人、アラビア人、ペルシャ人……。だから科挙を実施しなかったのです。

締め出された漢人エリートは、江南へ行きました。中国の経済を担っていたのは、すでに宋の時代から長江（揚子江）の南の地域でした。温暖で米もたくさんとれますから、そこには大地主がいる。そういう家の家庭教師として召し抱えられたのです。

とはいえ、彼らの心中は複雑です。モンゴル人さえいなければ政府の高官に出世してぜいたくな暮らしができたのに、今ではしがない家庭教師で口を糊している……。彼らのこうした精神状態に、朱子学がぴたっとフィットしたのです。

宋代の儒学者、朱熹は、それまでの儒教を理論化・体系化して朱子学を完成させたことで知られています。しかし同時に、前述したように歴史にイデオロギーを持ち込んだ人でもありました。たとえば三国時代については、正統政権は明らかに魏であったのに（魏晋南北朝という時代区分にあらわれています）、漢王朝の血を引く劉備の蜀を正統政権だと強弁しているし、また南宋の秦檜と岳飛についても、現実的な外交を行った秦檜は売国奴で岳飛こそが正しい人だと指摘しました。なぜ、こうした歪曲がなされたかというと、彼の信念が「遊牧民の政権はみな正統ではない。それが孔子様のお考えである」というものだったからです。それが、キタイ、金、モンゴルと遊牧民に圧迫され続けた当時の漢民族の偽らざる心境だったのでしょう。

朱子学は、モンゴルのグローバル政策に乗り遅れた人びとにとってのうっぷん晴らしだったという一面があります。それで漢民族の王朝である次の明の時代に、朱子学は全盛時代を迎えるのです。大元ウルスの時代にいい思いをしなかった人びとが元の歴史を書いたので、モンゴル人は無知蒙昧で粗暴というイメージが、現代にまで引きずられてきたといわれています。

しかし、これまで述べてきたように、モンゴル人は大出版事業を行い、孔子の一族を中国史上で一番大切にした政権でもあるのです。孔子の一族は退嬰的な明の時代になって嘆いています。大元ウルスの時代にはわれわれをあんなに大切にしてくれたのに、と。

クビライは身をもって世界初のグローバリゼーションを体現した人だといえるでしょう。ただ、彼の前半生がよくわかっていないので、彼がどこでその世界感覚を身に着けたのかがはっきりしない。ほんとうに謎に満ちた、稀有な人物だと思います。

一二九五年、フレグ・ウルスでは、名君、七代ガザン・ハン（在位一二九五—一三〇四）が即位しました。フレグ・ウルスでは、キリスト教徒（ネストリウス派）の君主が生まれるなど政情が不安定でしたが、ガザンはイスラームに改宗し、ユダヤ教徒の医師、ラシードゥッディーン（一二四九—一三一八）を宰相に抜擢して、中央集権化を推し進めました。ラシードは八代、オルジェイトゥ（在位一三〇四—一六）にも仕え、優れた才能を発揮して、フレグ・ウルスの全盛期を現出しました。カイドゥの乱も終結に向かったこの時代、一三世紀末から一四世紀初頭にかけては、また、モンゴル世界帝国全体にとっても極盛期といっていいでしょう。

大元ウルスではテムルの後、テムルの兄ダルマバラの子どものカイシャン（在位一三〇七—一一）とアユルバルワダ（在位一三一一—二〇）が相次いで帝位につきました。カイシャンの時代までが、おそらく大元ウルスの全盛期でしょう。チンギスの后妃（ハトゥン。ハーンの女性形）ボルテやクビライの后妃チャブイ、クビライの皇太子チンキムの正妃ココジンなどを輩出した名族、コンギラト出身の皇太后ダギ（ダルマバラの正妃）は、寵臣テムデルとともに、アユルバルワダとシデバラの時代に専横を奮いましたが、それでも大元ウルスはビクともしませんでした。

ジョチ・ウルスでも、最盛期を築いたウズベク・ハン（在位一三一三—四二）が出ました。

中国の青花（せいか）（青磁器）は世界中で好まれ、安定したモンゴル世界帝国を背景に、これまでの人

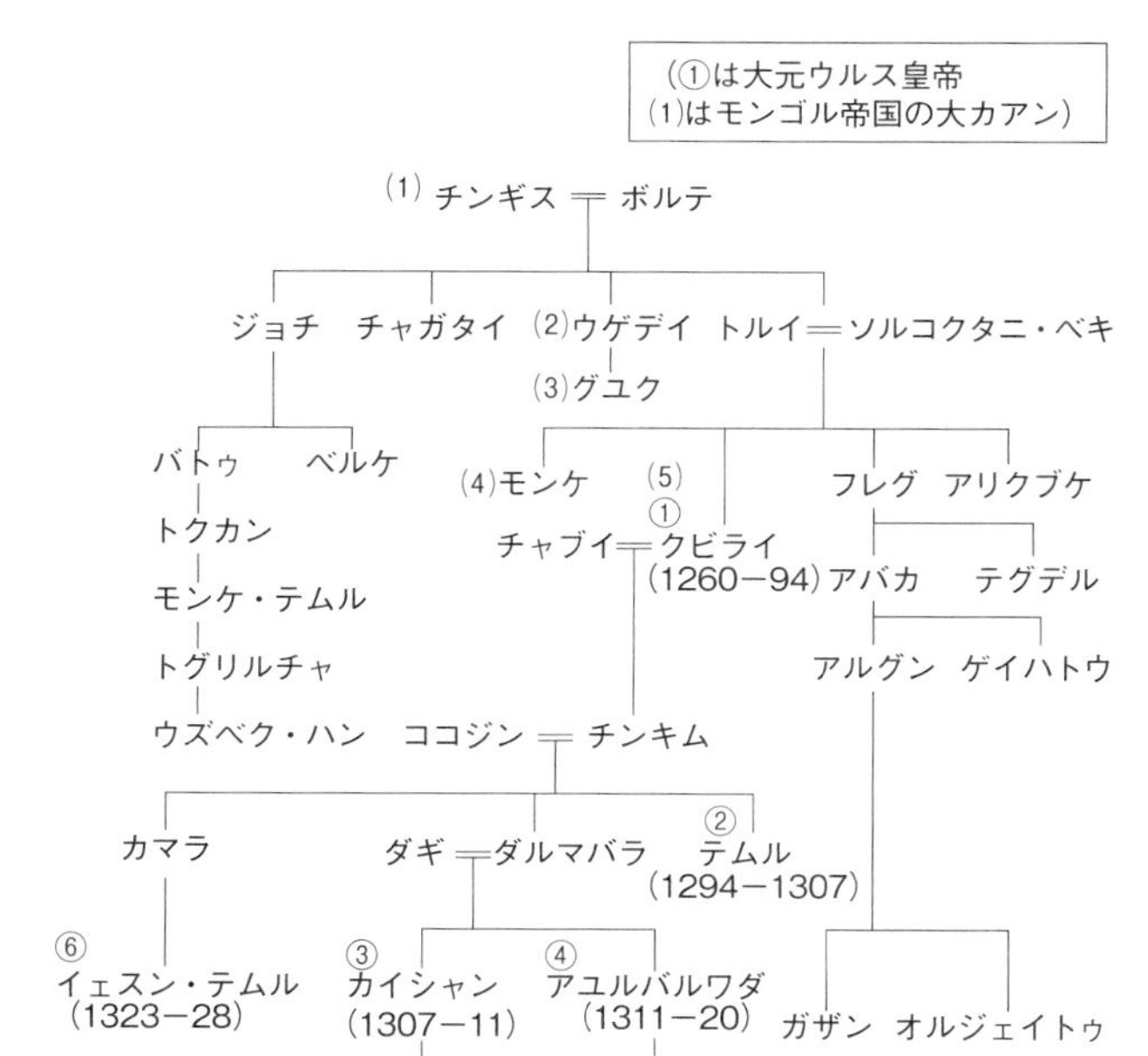
（①は大元ウルス皇帝
(1)はモンゴル帝国の大カアン）
(1) チンギス ＝ ボルテ
ジョチ
チャガタイ
(2)ウゲデイ
トルイ＝ソルコクタニ・ベキ
(3)グユク
バトゥ
ベルケ
トクカン
モンケ・テムル
トグリルチャ
ウズベク・ハン
(4)モンケ
(5) ① クビライ (1260－94)
チャブイ
フレグ
アリクブケ
アバカ
テグデル
アルグン
ゲイハトウ
ココジン ＝ チンキム
カマラ
ダギ ＝ダルマバラ
② テムル (1294－1307)
⑥ イェスン・テムル (1323－28)
③ カイシャン (1307－11)
④ アユルバルワダ (1311－20)
ガザン
オルジェイトゥ
⑤ シデバラ (1320－23)
⑧ コシラ (1329)
⑦ トク・テムル ⑨ (1328－32)
⑪ トゴン・テムル (1333－70)
⑩ イリンジバル (1332)

チンギス家系図

類の歴史を総述しようとする試みが、世界規模で高まりました。その金字塔が、『史記』と並ぶ史書の大傑作、ラシードゥッディーンが編集した『集史』です。美しいミニアチュールの挿画が集史を飾りました。

この頃大元ウルスでは、全相本（全頁挿画入り）が大流行していました。ユーラシアは、出版文化の面でも一つになっていたのです。また、イブン・アッティクタカーの手になるイスラームの君主論、『アルファフリー』も、この時代の産物です（『貞観政要』の影響が見られます）。

中国では、一四世紀の初めに、史上稀に見る空前の出版ブームが巻き起こり、ありとあらゆる書籍が、官民共同で出版されました。決して、元曲（げんきょく）や平話（へいわ）（歴史説話）だけではありません。我々が、現在、多くの中国の古典に接することができるのも、実は大元ウルスによるところが大きいのです。一三一四年の科挙復活が、それに拍車をかけました。チャート式や多色刷りの受験参考書の類も登場し、儒教（朱子学）が広く流布して、朝鮮や日本にも書籍を通じて拡がっていったのです。

地方の廟学や書院には、永久保存を目的とした大字本が送られ、消耗品として小字本も刊行されました。小字本を日本の僧侶等が購入し、これが五山版の原典となったのです。大字本は、紅巾の乱などで官庁が破壊され、明は文化に背を向けた政権であったこともあって、そのほとんどが散逸しました。

この時代背景の中で『十八史略』が生まれました。通俗本という評価が定着していますが、歴史を大衆化したという意味では、偉大な書物といっていいでしょう。一三二二年、宋の宋室につながる偉大な文人（書家、画家）、趙孟頫（ちょうもうふ）（一二五四）が没しました、大元ウルスに仕えたことで朱子学の見地からは評価されませんでしたが、典雅な書は王羲之に匹敵するとさえいわれています。一二九九年、オスマン・ベイ（在位一一三二六）が、アナトリアの西部、東ローマ帝国との国境近くで自立してオスマン朝の基礎を築きました。

(4) ペストの大流行と明の建国、百年戦争の始まり（一三〇一年〜一四〇〇年）

†ローマ教皇のアヴィニョン捕囚

一四世紀初頭のアンダルシアを除いた西ヨーロッパでは、フィレンツェ、ヴェネツィア、ミラノ、ジェーノヴァ、パリが、五大都市でした。中でも、織物産業で財をなしたフィレンツェが最も裕福であり、その富は銀行に蓄えられました。一四世紀に入って、ヨーロッパでも火薬が使われ始めました。モンゴル軍はすでに火薬を用いており、モンゴル戦争時に、日本も火薬の洗礼を受けています。

ルイ九世の孫にあたるフランス王のフィリップ四世は、その美貌から端麗王（ル・ベル）と呼ばれ、寡黙で敬虔でしたが、考え方はすこぶる近代的で世俗の有能な法曹（レジスト）を活用して中央集権化を推し進めました。

フィリップ四世は、豊かなフランドルを狙って一二九四年からイングランドのエドワード一世と戦争を始め、一二九七年からはフランドル諸都市と戦争を始めました（フランス・フランドル戦争。一二九七―一三一四）。これらの戦費を調達するために、フィリップ四世はフランスで初めて教会を含む全国的課税に踏み切りました。教会課税は、ローマ教皇ボニファティウス八世（在位一二九四―一三〇三）にとって大きな痛手となりました。いわばフランスの教会からの献金が少くなったのです。

ボニファティウス八世は個性の強い人で、教皇至上主義を掲げて教会課税を禁止する勅書を出し、フィリップ四世と激しく対立します。またローマでは、反対派の有力貴族のコロンナ家を追放しました。そして教皇は一三〇〇年を、初めての聖年（ローマへの巡礼者に特別の赦しが与えられる年。ユダヤの五〇年節にヒントを得たもの）と宣言し、その結果巡礼者が増えて教皇

フィリップ４世

庁の財政は、大いに潤いました。教会に課税するなら、信徒にお金を持ってローマに来させようというわけです。

激怒したフィリップ四世は、一三〇二年、三部会（聖職者、貴族、平民からなる三院制の会議）を創設、召集して、国内の支持を取り付けた上で一三〇三年、大法官、ギヨーム・ド・ノガレ（一二六〇―一三一三）をアナーニ（教皇の離宮）に派遣して、ボニファティウス八世を逮捕しました。三週間後に教皇は憤死しました。これがアナーニ事件です。

フィリップ四世はさらに、教皇選挙に介入してフランス人を教皇に選ばせ（クレメンス五世。在位一三〇五―一四）、一三〇九年には、教皇庁をローマからアヴィニョンに移してしまいました。これを教皇のアヴィニョン捕囚（―一三七七）と呼んでいます。この時代の教皇は、すべてフランス人でした。かつての東ローマ皇帝やドイツ王のように、フランス王も、教皇を従属させたのです。

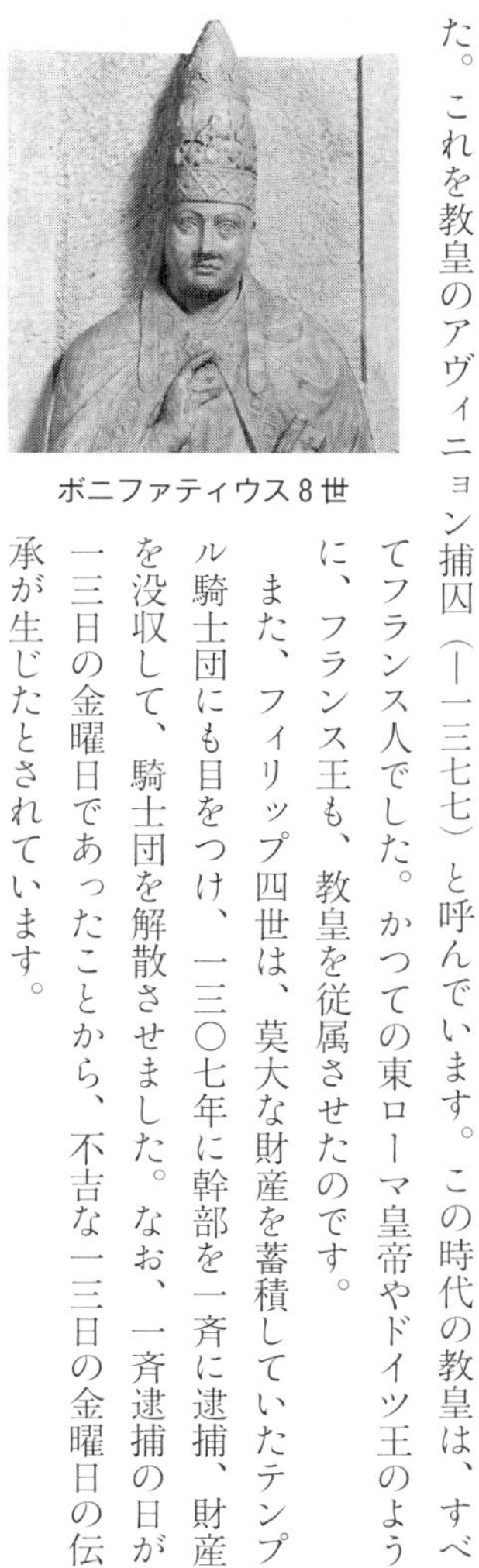
ボニファティウス8世

また、フィリップ四世は、莫大な財産を蓄積していたテンプル騎士団にも目をつけ、一三〇七年に幹部を一斉に逮捕、財産を没収して、騎士団を解散させました。なお、一斉逮捕の日が一三日の金曜日であったことから、不吉な一三日の金曜日の伝承が生じたとされています。

十字軍運動の約二〇〇年の間に、騎士団は多くの寄進を受けましたが、それは各国に散らばる土地であったり城館であったりしました。これらの不動産を運用して収益を上げ、お金をパレスティナに送らなければいけない、平たくいうと、騎士団は国を超えた汎ヨーロッパ的な投資銀行であり総合商社だったのです。

中央集権化を進めるフランス王にとって、騎士団は障害そのものであり、またその莫大な資産や金融システムは、喉から手が出るほど魅力的でした。加えて、十字軍国家が消滅した後は、騎士団の存在そのものにも疑問符が投げかけられていたのです。

ヨハネ騎士団はアッコが一二九一年に陥落した後、キプロスに逃れ、一三〇九年には、東ローマ帝国からロドス島を奪ってここを本拠としました。一五二二年、オスマン朝のスレイマン一世によってロドス島が陥落した後は、シチリア王からマルタ島を借り受け、マルタ騎士団としてイスラーム勢力と戦い続けます。一七九八年、エジプト遠征に赴くナポレオンによってマルタ島が奪われた後は、一時ロシアを頼りましたが、一八三四年に本拠をローマに移して現在に至っています。

ドイツ騎士団は早くも一二二六年に、一三世紀のビスマルクと呼ばれた時の総長ヘルマン・フォン・ザルツァ（一一六五—一二三九）が、皇帝フェデリーコ二世からリミニの金印勅書（一説では偽造ともいわれています）を受け、異教徒プルーセン人に対する十字軍を開始します。こうしてプロイセンに、ドイツ騎士団領が誕生したのです。

一五二五年に世俗化してプロシア公領となり、一六一八年にはホーエンツォレルン家が支配するブランデンブルク選帝侯領との同君連合に、さらに一七〇一年にはプロイセン王国に昇格しました。ドイツ騎士団は修道会として、現在もオーストリアやドイツで活動を続けています。

このように、ヨハネ騎士団やドイツ騎士団は、パレスティナからの転進を図って生き延びましたが、最大の騎士団であったテンプル騎士団は、将来の青写真が描けないまま、フランス王の餌食となってしまいました。

異端として一三一四年に火刑に処されたテンプル騎士団の最後の総長、ジャック・ド・モレーは、フィリップ四世とクレメンス五世を呪ったといわれています。この二人が一三一四年にそろって急死したこともあって、テンプル騎士団の物語は、後々の世までフィクションの格好のネタになりました。

一三〇二年、ヴェネツィアは、マムルーク朝のアレクサンドリアに、領事を駐在させました。ヴェネツィアは、第四回十字軍以来、東ローマ帝国との関係が悪化し、大草原の道の終点である黒海ルートが、宿敵ジェーノヴァに押さえられることになりました。そこで、紅海ルートに活路を見出そうと努めたのです。この戦略はみごとに成功しました。

ヴェネツィアとの同盟は、マムルーク朝にとっても好都合でした。紅海ルートが地中海への太いパイプを得たからです。当時のスルターンは二度の廃位と三度の復位を成し遂げた、カラーウーンの子どものナースィル・ムハンマド（在位一二九三―九四、一二九九―一三〇九、一三一〇―四一）でした。ムハンマドは、アイユーブ朝の血を引く名臣で大歴史家のアブ・アル＝フィダ（一二七三―一三三一）を登用して、マムルーク朝の最盛期を現出しました。

一三一二年、西アフリカでは、マリの王、マンサ・ムーサ（在位―一三三七頃）が即位しました。王は、ジェンネやトンブクトゥにモスクを建設し、イスラームの普及に努めました。西アフリカに、アブー・バクルが蒔いた種はみごとに実ったのです。

一三〇八年に、ハプスブルク家のアルブレヒト一世が暗殺されると、ドイツの諸侯はやはり弱小領主であったルクセンブルク家のハインリヒ七世を王位に就けました。（在位―一三一三）。ハインリヒ七世は、息子ヨハンをプシェミスル朝のボヘミア王ヴァーツラフ二世（在位一二七八―一三〇五）の娘、エリシュカと結婚させ、ハプスブルク家を押しのけてヨハンをボヘミア王位に就けました（在位一三一〇―四六）。ボヘミア最初の王朝、プシェミスル朝は、ヴァーツラフ三世（在位一三〇五―〇六）が暗殺されて断絶していたのです。

国内での地歩を固めたハインリヒ七世はイタリアに向かいました。教皇はアヴィニョンにいましたので、一三一二年に枢機卿から帝冠を受けましたが、それでもドイツ王がローマで戴冠して皇帝に就任したのはフェデリーコ二世が没してから六二年振りのことでした。ダンテはハインリヒ七世をイタリアに秩序をもたらす名君として称揚しました。しかしハインリヒ七世は、一三一三年ナポリへ遠征する途中で死去します。

その後は、ヴィッテルスバッハ家のルートヴィヒ四世（在位一三一四―四七）とハプスブルク家のフリードリヒ三世が争いますが（最有力者のボヘミア王ヨハンは例によって外されます）、一三二二年のミュールドルフの戦いで、ルートヴィヒ四世がフリードリヒ三世を捕虜にして勝利を収めました。フリードリヒ三世は一三三〇年の死去まで共治王という立場を受け入れて妥協します。この後一〇〇年余りハプスブルク家は王位から遠ざかります。

ルートヴィヒ四世は一三二八年にローマに遠征し、元老員議員から戴冠されましたが、教皇のいないローマにわざわざ出向く意味はもはやどこにも見い出せませんでした。一三三八年のフランクフルトの帝国会議は、選挙で選ばれたドイツ王は同時にローマ皇帝にも選ばれたのであって、教皇の承認は不要であると決議しました。

ルートヴィヒ4世

そうなるとローマに行かないのにローマ皇帝とは何事か、ということになって、いつしか帝冠をドイツ国民の神聖ローマ皇帝と呼ぶようになったのです。因みにこの名称の正式採用は一五一二年のことです。従って本書は、それまでは一貫してローマ皇帝と呼んでいるのです。

†百年戦争の始まり

ルートヴィヒ四世は自家の所領の拡大に狂奔したため、諸侯に見離され、一三四六年には教皇クレメンス六世（在位一三四二—五二）から廃位されます。そしてヨハンの息子のカール四世（ボヘミア王としてはカレル一世。在位一三四六—七八）が、次のドイツ王として選ばれました。

一三〇二年、市内の政争に敗れて、故郷のフィレンツェを追われたダンテが没しました。永遠の名作『神曲』の中で、フィレンツェの政争を煽った教皇ボニファティウス八世は、地獄に落とされることになります。

一三二四年、マンサ・ムーサは、マッカ巡礼の旅に出ました。路銀として大量の金を運んだため、カイロの金相場は暴落しました。この事実から、黄金の都、トンブクトゥの伝説が生まれ、後世、数多の冒険者がトンブクトゥを目指してサハラに旅立つことになるのです。

一三二五年、モロッコの人イブン・バットゥータ（一三〇四—六九）が、インド、中国、西アフリカに至る大旅行（—一三五四）を開始しました。クビライによるグローバリゼーションが、このような大旅行を可能にしたのです。彼の『大旅行記（諸都市の新奇さと旅の驚異に関する観察者たちへの贈り物）』は、『東方見聞録』と並んで、ヨーロッパの冒険者たちの心に火を灯しました。

一三二八年、イヴァン一世（在位一三二八—一三四〇）がモスクワ大公国（—一五四七）を建国しました。イヴァンは、ジョチ・ウルスのウズベク・ハンに忠誠を誓い、徴税を誠実に請負うとともに、ジョチ・ウルス軍に従軍して功績を認められ大公位を得たのです。同じ一三二八年、元々はキエフに置かれていたロシア教会の府主教座がウラジーミルからモスクワに移り、イヴァン一世は精神的な権威をも手中に収めることとなりました。同年、フランスでは、カペー朝の傍系ヴァロワ朝（—一四九八）が、フィリップ六世（在位—一三五〇）によって開かれました。

イブン・バットゥータ

一三一四年に急死したフィリップ四世には、三人の息子がいました。この三人は相次いでフランス王に即位します。ルイ一〇世（在位一三一四—一六。遺児、ジャン一世は四日で死去）、フィリップ五世（在位一三一六—一三二二）、シャルル四世（在位一三二二—一三二八）です。しかし、この三人の息子たちが揃って夭折したため、フィリップ四世の弟で輝かしい軍歴を残したヴァロワ伯シャルル（一二七〇—一三二五）の息子がフィリップ六世としてフランス王位に就いたのです。

フィリップ四世はナバラ女王ファアナ一世を正妃として、ナバラ王国と同君連合を組んでいました。従ってシャルル四世までのフランス王は、同時にナバラ王でもあったのです。ところがフィリップ六世にはナバラの血は継承されていません。そこで同君連合は解消され、ナバラの王位はルイ一〇世の遺児ジャンヌ、即ちファナ二世（在位一三二八―四九）が継ぐことになりました。なおナバラの王位は最終的にはブルボン朝を開いたアンリ四世（在位一五八九―一六一〇）によって、フランス王位に統合されました。

ところで、ヴァロワ朝に対して、イングランドのエドワード三世（在位一三二七―七七）は、母イザベラ（フィリップ四世の娘）の血統を根拠に、フランス王位を要求し、一三三七年、イングランドとフランスは百年戦争（―一四五三）に突入しました。この背景には、エドワード三世と対立していたスコットランド王デイヴィッド二世（在位一三二九―七一）をフィリップ六世が庇護したという事情もありました。

また、イングランドにとっては、葡萄酒の産地アキテーヌ（葡萄酒は、ボルドーからロンドンに輸出されました。当時、イングランドは寒冷地のため葡萄酒を産しませんでした）と羊毛の輸出先、フランドルを確保したいという国益もあったのです。

そして、この大戦争の準備を可能ならしめたのは、フィレンツェのバルディ家やペルッツィ家からの巨額の融資でした（両銀行ともエドワード三世から貸金を回収出来ずに破産するのですが）。一三四六年、クレシーの戦いで、フランス軍は大敗しました。射程距離の長いイングランドの

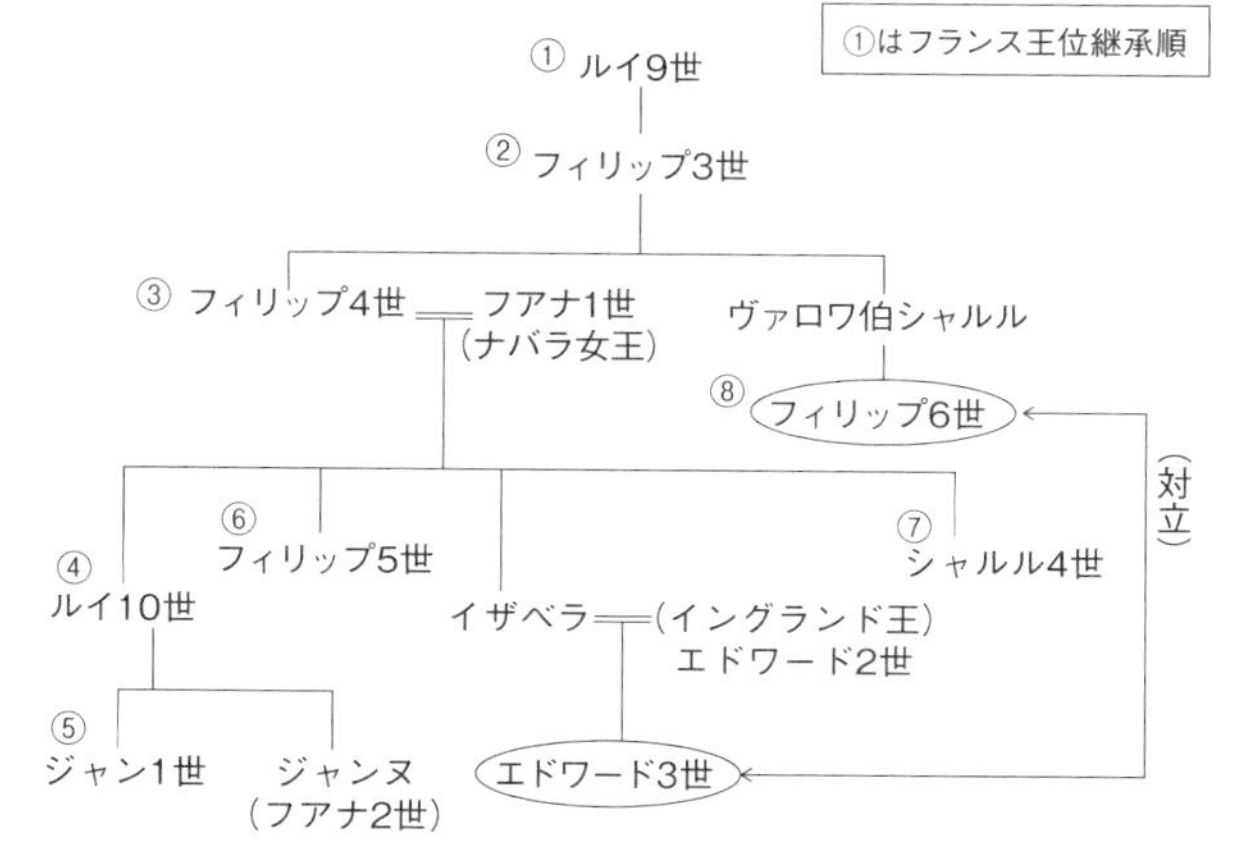

百年戦争の理由

ロングボウ（長弓。元はウェールズの武器でした）が、フランスのクロスボウ（弩）を凌駕したのです。黒い鎧に身を固めたイングランドの王太子エドワードが大活躍し、黒太子（ブラック・プリンス）の名を得ました。

一三四七年にはカレーが落城しました。市民代表六名は、自らエドワード三世の前に出頭し、町を救いました（ロダンの「カレーの市民」は、この故事からモチーフを得ています）。得意絶頂のエドワード三世は、一三四八年、憧れていた円卓の騎士に因んで、ガーター騎士団を創設しました。なお、一三四九年、ドーフィネ地方を得たフランスは、これを王太子の領地としました。ここから、フランスの王太子は、ドーファンと呼ばれるようになります。

円卓の騎士

「アーサー王と円卓の騎士」 アーサー王はウェールズの伝承の王（王妃はグウィネヴィア）で、石につき立てられた剣を抜いて王位に就き、湖の乙女から名剣エクスカリバーを与えられます。円卓には優劣がなく、一二人の騎士（数については異同があります）がアーサー王に仕えたといわれています。代表的な騎士には、湖の騎士ランスロット（グウィネヴィアとの不義の恋で有名）、アーサー王の甥ガウェイン、聖杯探索のパーシヴァル、イゾルデとの悲恋で有名なトリスタン、聖杯を見つけたガラハッド（ランスロットの子）などがいます。

一三三〇年、バルカンでは、セルビアのステファン・ドゥシャンがブルガリア軍を大破し、バルカンの覇権はセルビアに移りました。翌年、ウロシュ四世（在位一三三一―五五）として即位したステファンは、セルビア王国の極盛期を築くことになります。バルカンの三分の二は彼が支配したのです。一三四九年にザコニック（ドゥシャン法典）を発布して国内を固めたウロシュ四世は、東ローマ帝国に進軍を始めましたが、途上で病没し、以後、セルビアの勢力は急速に衰えました。生誕間もないオスマン朝の視界は、こうして開けたのです。

†ペストの猛威

一四世紀に入ると、地球の気候は徐々に寒冷化し、不安定になりました。モンゴル世界帝国によるグローバリゼーションは、ユーラシアにおける人や物の自由な往来を飛躍的に向上させましたが、そのことは、同時に、病原菌のユーラシアにおける拡散をも意味していました。それ以前のユーラシア世界では、中国、東南アジア（インドを含む）、西アジア及びヨーロッパという相対的にそれぞれ孤立した三地域の人口集団が独自の免疫システム（病原菌との共存）を確立していましたが、当然のことながら、他の地域からの病原菌の侵入には、そもそも免疫を持っていないので一たまりもなかったのです。

即ち、クビライによるグローバリゼーションは、ユーラシアの免疫システムを最終的には統一させることになったのですが、気候の不順化と相俟（あいま）って、そのプロセスで一四世紀のユーラシアに大災害をもたらしました。この大災害のプロセスは、コロン（コロンブス）のアメリカ到達による、旧大陸と新大陸の邂逅（かいこう）によって、もう一度繰り返されることになります。

一三四七年、中央ユーラシアを横断して黒海の港町カッファからジェーノヴァに上陸したペスト（黒死病）は、一三五一年にかけて猛威を奮い、西ヨーロッパの人口のおよそ三割を死に至らしめたといわれていますが、気候の不順による農業生産力の低下、それによる体力、抵抗力の低下と、病原菌の拡散は、中国でもイスラーム圏でも同様に猛威を奮った模様です。これが、大元ウルス主導のモンゴル世界帝国を滅亡に導く基本的な要因となりました。いわばペストが、パクス・モンゴリア（モンゴルによる平和）を崩壊させたのです。

インドでは、マムルーク朝が内紛で乱れる中、ハルジー族（トゥルクマーンですがアフガン族との混血が進んでいました）の七〇歳を超えた族長ジャラールッディーン（在位一二九〇—九六）がマムルーク朝を倒してハルジー朝を開きました。

寛容な政治を行ったジャラールッディーンを暗殺して実力で第三代スルターンにのし上がった甥で娘婿のアラー・ウッディーン（在位一二九六—一三一六）は五度にわたるモンゴルの侵入を撃退して、自らスィカンダル・サーニー（第二のアレクサンドロス大王）と称しました。

その後、智勇を兼ね備えた宦官のマリク・カーフール（生年不詳—一三一六）を登用してデカン、南インドへの略奪作戦を敢行し戦利品で国庫は潤いました。ヤーダヴァ朝（八五〇頃—一三一七）はこの南征で実質的に滅びます。アラー・ウッディーンは軍制や税制を改革し、物価を強力に統制しました。これらの諸改革は、後のスール朝による大改革の先鞭をつけたものと評価されています。また、クトゥブ・モスクの境内に一五〇mのアラーイー・ミナールの建造を試みました。今日、その基部だけが残っています。アラー・ウッディーンの死後、マリク・カーフールが一時権力を握りましたが暗殺されて、ハルジー朝は急速に衰退します。

そして、一三二〇年、モンゴルとの戦いで勇名をはせたやはりトゥルクマーンの将軍、ガーズィー・マリクがギヤースッディーン（在位一三二〇―二五）と称してハルジー朝に次ぐ第三の王朝、トゥグルク朝を建てました。新スルターンは息子のウルグ・ハーンを南インドに遠征させ、マリク・カーフールに侵略され弱体化していたカーカティーヤ朝（一〇〇〇―一三二三）とパーンディヤ朝（BC六世紀頃―一三四五）を実質的に滅ぼして、北インド・デカン・南インドを支配しました。これはマウリヤ朝以来の快挙で、ここにデリー・スルターン朝は最大領土を得たのです。

父親の事故死の後、第二代スルターンに就位したウルグ・ハーン（ムハンマド・ビン・トゥグルク。在位一三二五―五一）は、一三二七年、全インドを統一すべく、都をデカン高原のダウラターバード（かつてのヤーダヴァ朝の都デーヴァギリ）に移しましたが、デリーの快適さに慣れた群臣の反対もあって一三三四年にはデリーへの帰還を余儀なくされました。しかし、これにより、南インドと北インドの交通網は格段に整備されたのです。

アラー・ウッディーン

ムハンマドは、この交通網を活用して南インドの中小国の征討を行い、一三二八年頃までに、ほぼ、全インドを再統一しました。その後ヒマラヤを超えて、チベットにまで遠征していきます。しかし、遷都やインド全土の再統一には、莫大なコストがかかり、国勢は衰退に向かいました。

ムハンマドは、天才か狂人かと評された奇矯な君主でした。謙遜、公平で貧民をあわれみ善政を行いながら、気まぐれで残虐で平気で人を殺しました。ムハンマドにはイブン・バットゥータが六年も仕えたため、デリー・スルターン朝については彼の大旅行記に、たくさんのエピソードが残されているのです。

一三三六年には、ハリハラ一世（在位―一三五六）とブッカ一世（在位一三五六―七七）の兄弟が、インド南部にヒンドゥー教のヴィジャヤナガル王国（四王朝がいずれもヴィジャヤナガル、現ハンピを首都として連続した王国。―一六四九）を建国しました。さらに、一三四七年には、アフガン傭兵出身のデカン地方総督アラーウッディーン・ハサン（バフマン・シャー。在位―一三五八）が、デカン高原にイスラームのバフマニー朝（―一五二七）を開いて、トゥグルク朝の領土は半減しました。

ムハンマドの後は、従兄弟のフィールーズ・シャー（在位一三五一―八八）が継ぎましたが、内政面では盛り返したものの対外的には退勢を挽回することはできず、彼の死後内紛が起こり、王朝は衰退します。そして一三九八年にはティムールがインド北部に侵攻、デリーは略奪を受けて、トゥグルク朝は壊滅的な打撃を受けました。

一三三三年、日本では、鎌倉幕府が滅亡して、後醍醐天皇による建武の新政（天皇親政）が始まりました。この背景には、中国からの大量の銅銭の流入がありました。マネーの奔流が、既存の秩序を破壊し、マネーの活用に長じた在地の新興武装集団（悪党と呼ばれました）が登場したのです。後醍醐に与した楠正成は、悪党の代表格でした。

しかし、この新しい政権は、後醍醐の現実を無視した教条的な失政により、たちまち破綻します。そこで、一三三六年、足利尊氏が、京都に幕府を開きました。平清盛→源頼朝→執権・北条氏（平家）→足利尊氏（源氏）と続く武家政権の流れは、やがて、源平交代思想を生み出すでしょう。

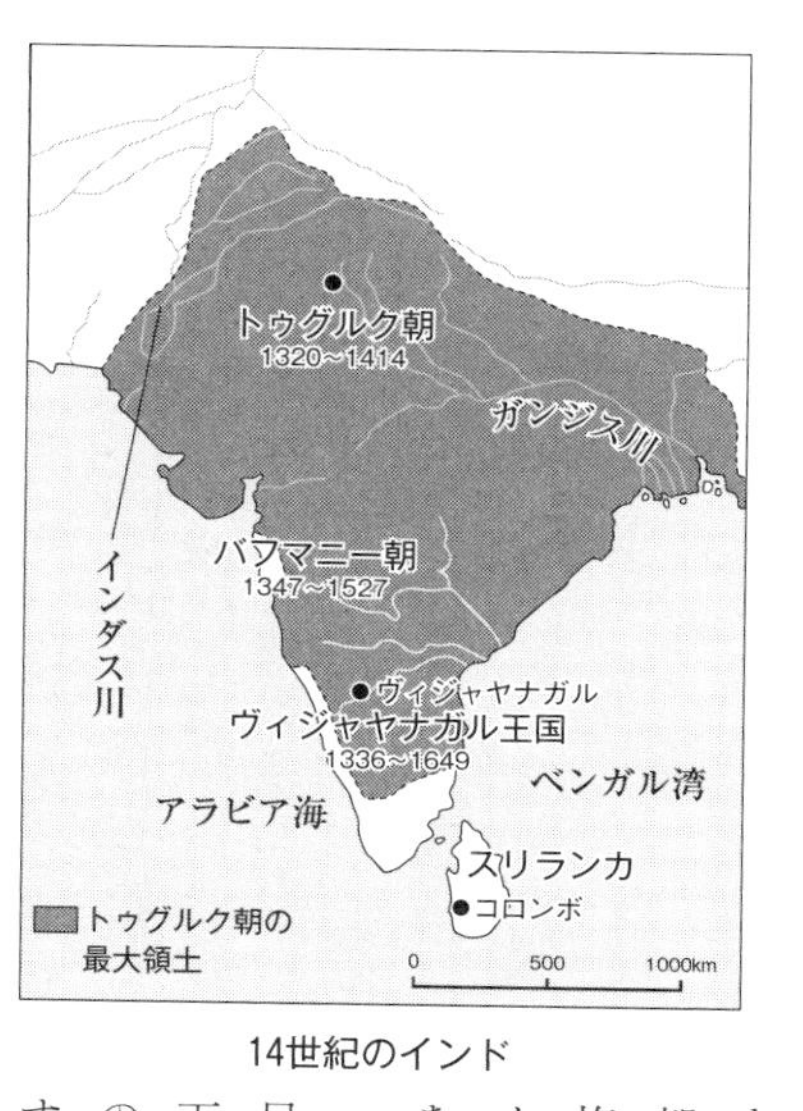

14世紀のインド

後醍醐は、吉野に逃れて南朝を開きました。現足利氏の擁立した天皇を北朝といいます。現天皇家です。南朝は弱体でしたが、足利幕府の度重なる内紛に助けられて余命をつなぎます。こうして、全国規模で争いが長引き国内の統制が緩んだので、その間隙を縫って、対馬、壱岐、松浦、五島などを根拠地とする九州の海の民は、西日本の悪党と結んで、以前にも増して大々的な海上交易に乗り出しました。クビライの確立した海のグローバリゼーションの恩恵を最大限に活用したのです。

モンゴル戦争に対する復讐の意味もあって、中には、朝鮮や中国の沿岸を襲うグループもありました。一三四〇年代には、ペストで弱体化した大元ウルスの海に対する統制が弱まったので、中国の海民の中にも倭寇への協力者が現れるようになりました。これが、前期倭寇の始まりとなったのです。

†明の建国

一三五一年、タイでは、第二の王朝、アユタヤ朝が成立しました。創建者はラーマーティボーディー一世（在位一三五一―六九）で、スコータイ朝と争いを始めます。なおアユタヤ朝はインドのヴィジャヤナガル王国同様、王統は一つではなく五つの家系が王朝をつないでいきます。

同じ一三五一年、中国では、紅巾（こうきん）の乱が起こりました。東晋の慧遠（えおん）（三三四―四一六）は、四〇二年、廬山（ろざん）で念仏結社（白蓮社（びゃくれんしゃ））を創設し、浄土教を開きましたが、その一部が、南宋の時代に白蓮教として衣替えしました。白蓮教は大元ウルスの時代に未来仏である弥勒信仰が混入して革命思想が強くなったため、何度も弾圧を受けていました。韓山童（生年不詳―一三五一）が、この白蓮教を率いて、目印に赤い布を付け、決起に踏み切ったのです。寒冷化による凶作飢饉やペストなど病気の蔓延に加えて、アユルバルワダ以降、大元ウルスでは、権臣が専横を奮い、短命の皇帝を押し立ててはお互いに争ったので、国内は混乱していました。

朱元璋

張士誠

紅巾の乱の中で、貧農出身の朱元璋（明の太祖、洪武帝。在位一三六八―九八）が頭角を現し、一三五六年、南京（応天府）を拠点に自立しました。当時湖北から江西にかけては、やはり紅巾の乱で頭角を現わした陳友諒（一三二〇―六三）が勢力を伸ばしており、江南は海運を握る張士誠（一三二一―六七）を含めて三分されるかに思われました。

しかし朱元璋は、一三六三年、火攻めで鄱陽湖の戦いに勝利を収め、陳友諒を敗死させました。この戦いが『三国志通俗演義』における赤壁の戦いの脚色に使われたことは、余りにも有名です。朱元璋は応天府に知識人を集めましたが、その中に諸葛孔明と並び称される軍師、劉基（一三一一―七五）や『元史』を編纂した宋濂（一三一〇―八一）らがいました。張士誠

劉基

と戦うつもりだった朱元璋に、先に陳友諒を討つべきだと進言したのは劉基です。

紅巾の乱により、大都と穀倉・江南との陸路や内水路が絶たれたので、海路が大元ウルスの命綱となりましたが、海運王、張士誠が叛旗を翻すに及んで、大元ウルスの命運は尽きました。一三四〇年、大元ウルスの皇帝トゴン・テムル（在位一三三三―七〇）は権勢を奮っていたメルキト部のバヤン（生年不詳―一三四〇）を、バヤンの甥のトクト（一三一四―五六）の協力を得て追放します。

トクトは有能で、『宋史』などを編纂するとともに、黄河の氾濫に対応し、紅巾軍を討伐して大功を立てます。しかし、政治権力の奪取を狙う皇太子アユルシリダラ、奇皇后と寵臣ハマの讒言にあい、一三五四年、張士誠征討中に職を解かれます。こうして大元ウルスは、内紛によって自壊していきました。

朱元璋は、江南の穀倉地帯と海運をバックに自立した張士誠を、一三六七年、本拠の蘇州（隆平府）の戦いで撃破すると、北伐を開始し、一三六八年、南京に明を建国しました。白蓮教は、秩序を乱すものとして直ちに弾圧されました。韓山童の遺児、韓林児（生年不詳―一三六六）は、朱元璋に呼ばれて応天府へ赴く途中、長江で船が転覆して溺死しています。

朱元璋は謀臣、李善長（一三一四―九〇）の言を容れて、やはり農民出身の劉邦を意識して振る舞い、勇将、徐達（一三三二―八五）や常遇春（一三三〇―六九）など有為の人材を上手に活用しました。北伐に向かった徐達は、同年、大元ウルスが自らモンゴル高原に去った後の大都を手中に収めました。同年、日本では、三代将軍に足利義満が就任しました。

なお、朱元璋が活用した幕僚（知識人）の多くは、南宋の朱熹の系譜を引いていましたので、朱子学は、明によって、国家イデオロギーにまで昇りつめることになりました。

「中国四大奇書」 中国の四大奇書とされる「三国志通俗演義」（正史である「三国志」とは別の書物）と「水滸伝」は、いずれも明の初期に成立しています。両作品とも、宋代以降民間に流布していた講談を小説として纏めたもので（「東京夢華録」には三国志語り、の記述があります）、作者はそれぞれ、羅貫中、施耐庵といわれていますが、この二人が実在したかどうかさえ、定かではありません。ただし、羅貫中は、朱元璋の配下にいたことがあるらしく、三国志通俗演義での諸葛孔明の活躍振りは、劉基の采配をモデルとして脚色されたようです。また、施耐庵は、張士誠と同郷であり、その事跡が、水滸伝に反映されているともいわれています。おそらくわが国で最も広く人口に膾炙している外国小説、三国志通俗演義は、登場人物は三世紀に実在した人物ですが、描かれている実際の舞台は、一四世紀なのです。また、蜀漢を正統王朝として描いているのは、朱熹や明の尊皇攘夷思想を受け継いだものです。なお、残る二書は、「西遊記」と「金瓶梅」（いずれも明の時代に書かれました）ですが、他に「紅楼夢」や「封神演義」を推す意見もあります。

一三七〇年、中央アジアでは、トルコ系のティムール（在位一一四〇五）が、チャガタイ・ウルスを撃破して、覇権を確立しました。ティムール朝が始まったのです。戦争の天才、ティムールは、チンギスを理想として、征服地を拡げて行くでしょう。

†暗黒政権、明

明は、文化的、開放的な大元ウルスと比較すると、極めて退嬰的な暗黒政権でした。貧農から身を起こした朱元璋は、商人と文人を憎悪しており、文字の獄と呼ばれる中国史上空前の知識人の大弾圧を行いました。文字の獄は、一般には中国の皇帝権力による粛清の類型の一つで言論（文書）弾圧事件を指しますが、文字の獄がとりわけ顕著だったのは明初のことです。

一三八一年、一三八二年、一三八五年と立て続けに起こった文字の獄では、朱元璋の寵臣として数々の武功をたてた薛祥（生年不詳―一三八一）らが殺されました。朱元璋は一時僧侶を務めていましたが、「光」「禿」「僧」などの字を使っただけで皇帝をあてこすったものとして殺害されたのです。

朱元璋は、科挙についても朱子の解説による四書から出題することとし、宋代の難解な五経は軽視されました。さらに答案の書き方として八股文（対句法を用いて八段構成で論説する特殊な文体）が指定されましたが、八股文は一定の対句作成能力があれば対応が可能で官僚の資質が低下することになりました。

このような状況の中で大元ウルスの時代に花開いた出版文化は長く逼塞することになりました。文化の抑圧は、陶磁器、書画、木版などあらゆる分野で、技術の大幅な低下を招いたのです。大元ウルスの銀の大循環は、朱元璋の目から見れば、中国の物産や富を外部世界に吸い上げるシステムに他なりませんでした。

朱元璋のグランド・デザインは、貨幣経済を排したメカニズムを樹立することにあったのです。一三七一年には、海禁（鎖国）を発令して私貿易を禁止し、農本抑商の自給自足体制を標榜しました。また、近隣の諸外国には来貢を促しましたので、各国もそれに応じました。なぜならそうしなければ、中国の物品が入手できなかったからです。

朝貢システムは、中華の皇帝を基点とする国際秩序を共有するシステムで、各国の序列が定まるので、それを受け入れさえすれば外交交渉がやりやすくなり、加えて貿易の実利も大きかったので、各国も望んで朝貢したのです。もっとも国境を接している朝鮮やベトナムを除いて、当時の朱元璋には、朝貢を強制する力は皆無に近かったものとみられています。一三七二年には、沖縄（琉球）の中山王が初めて朝貢に応じました。

沖縄には、当時三山（北山、中山、南山）と呼ばれた三つの小王国が分立していましたが、一四二〇年代には、中山王の尚巴志（在位一四二二—三九）が沖縄を統一しました。これが琉球王国の始まりです。海禁政策を採っていた明は、永楽帝の時代に琉球を海外産品入手の窓口として、いわば明直属の貿易公社のように位置付けて手厚い助成を行いました。

こうして、琉球は一五世紀には万国の津梁（橋渡し）として大いに栄えました。しかし一五世紀後半になると明が交易に消極的となり（琉球への優遇を停止）、一六世紀に入ると後期倭寇という手強い競争相手が生まれたため、琉球の繁栄は過去のものとなったのです。

九州にいた南朝の懐良親王は、中山王より早く一三七〇年に朝貢していますが、足利政権の朝貢は遅れて義満の時代、一四〇四年のことになります。

朱元璋による粛清は、文字の獄では終わりませんでした。猜疑心の強い朱元璋は、一三九八年に没するまで、建国の功臣を粛清し続けました。

一三八〇年に始まった宰相、胡惟庸（生年不詳—一三八〇）の獄は一〇年にも及びました。宰相を処刑した翌日、朱元璋は中書省を廃止して六部を皇帝直属としました。一三八二年に、糟糠の妻、馬皇后が死去すると朱元璋に諫言できる人物はいなくなりました。諫臣、劉基は既に一三七五年に病死していました。朱元璋は士大夫を輩出してきた江南の地主層にも弾圧を加え、一三八五年には戸部尚書の郭桓（生年不詳—一三八五）の案と呼ばれる大疑獄事件を起こして数万人を処刑、一三九〇年には胡惟庸に加担したとして李善長らを処刑（李善長の獄）、これで建国時の功臣はほぼいなくなりました。

一三九三年には、大将軍、藍玉（生年不詳―一三九三）の獄が起こって胡党の探索を逃れた有力功臣・宿将が一掃されました。胡藍の獄における犠牲者数は合計一〇万人にも及ぶとされていますが、有力功臣とその一族だけで一〇万人です。まさに社会を支える幹部層が根こそぎいなくなったのです。粛清の嫌疑すら不明の事実もあり、まさに朱元璋の妄執という他はありません。

一三九二年に皇太子朱標を病気で失った朱元璋は、孫の朱允炆を皇太孫としましたが、後継者が幼くなったことで後事が心配になり、死の直前までさらに功臣・宿将の粛清をやり続けたのです。朱元璋が没した時、生き残っていた建国時の功臣・宿将はわずか数名にすぎなかったといわれています。

皇帝権力の一層の確立を求めた朱元璋は、また、宦官の専横を抑えるため宦官に学問を禁じました。字が読める宦官は、全員抹殺されました。字が読めると、彼らが文書を改竄するかもしれないと朱元璋は恐れたのです。この禁を改めたのは、第五代宣徳帝（在位一四二五―三五）でした。

宋の時代に確立された皇帝の独裁権は、このようにして朱元璋に至ってさらに強化されたのです。朱元璋は、一三八一年には、魚鱗図冊（宋代からの土地台帳）と賦役黄冊（戸籍台帳）を作り、里甲制、衛所制を布いて、農村の建て直しを図ろうとしました。朱元璋は、人民を土地に縛りつけ、全国津々浦々まで厳しく統制しようと目論んだのです。なお、一世一元制は、朱元璋が始めたもので、明治政府によって日本にも取り入れられました。

一三八二年には、科挙を復活、また同年、モンゴルの支配する雲南を苦戦の末、平定して、後顧の憂いを取り除きました。ただし雲南は、モンゴル支配時と同様、土司と呼ばれる現地の支配層に統治を委ねました。晩年の朱元璋は、西安への遷都を真剣に考慮していた節がありますが、海の中国を敵視し、陸の古代帝国を再確立しようとした朱元璋に相応しい妄想であるといえるのではないでしょうか。

「里甲制、衛所制」 朱元璋は、民衆を四種類、即ち、農民を民戸、兵士を軍戸、手工業者を匠戸、塩の生産者を竈戸に、区分しました。民戸は一一〇戸で里とされ、その中で裕福な一〇戸を長として、それぞれの里長戸にそれ以外の一〇〇戸（甲首戸）を統括させ、この一一戸の集団を甲としました。里の中の、収税や治安維持などの公的業務（正役）は、甲が一年持ち回りで担当（一〇年に一回）することにしたのです。

この他に、土木事業などの雑役や、田地に対する夏税（布）、秋糧（穀物）がありました。朱元璋は貨幣経済や商人を毛嫌いしていましたので、税糧は持参債務とされ、朝廷に納める部分は直接、南京まで運ぶ必要がありました。

軍戸は、軍役の代わりに税役が免除されていました。正丁（成人男子）一一二人で、百戸所、これを一〇束ねて千戸所、これを五束ねて一衛（五六〇〇人）としたのです。明の初頭、全国には三二九衛が置かれました。総兵力は、一八四万人余りとなります。なお、軍糧の調達も、通貨を介せず、開中法によって行われました。これは、商人が軍糧を所定の衛所に運んだら、塩引（塩の販売許可書）を与えるというものでした。商人は、コストの嵩む長距離搬送を嫌うので、前線の後背地の農業開発に注力するようになるという効果がありました。

しかし、以上のような戸を基本としたメカニズムは、早くも一五世紀の中頃から崩壊し始めました。土木の変（一四四九年、交易の拡大を求めたモンゴルのオイラト軍が明に侵攻した事件）の後の軍備の増強は、塩の生産ノルマを引き上げ、雑役を重くしたので、竈戸や民戸から逃げ出す人が続出しました。人々は、土地を離れて、都市や山や海に逃げ込んだのです。戸のメカニズムが崩れると、政府は、銀（通貨）に頼らざるを得なくなります。早くも、一四三三年には、経済先進地域の長江下流域で、米に代えて銀で代納することが認められました。

高麗では、親モンゴル派と反モンゴル派が争い、国内の統制が乱れて、紅巾賊や前期倭寇の跳梁を許す結果となりました。前期倭寇を撃退した反モンゴル派の将軍、李成桂（在位一三九二―九八）は、一三九二年、高麗を倒してソウルに李氏朝鮮（―一九一〇）を建国しました。

永楽帝

しかし、モンゴルとの絆は、その後の朝鮮に根強く残りました。朝鮮は、明とモンゴルを常に天秤に架けていたともいえます。

日本では室町第三代将軍、足利義満が、一四〇一年に明に使いを送り、日本国王として冊封されました。義満は、前期倭寇の取締りを行うと共に、一四〇四年より、政府間貿易（勘合貿易）を開始して巨利を得ました。平清盛同様に交易の重要性をよく理解していた義満は、冊封されることにより実利を取ったのです。

一三九八年、二一歳の皇孫、二代、建文帝（朱允炆）が即位しました。建文帝は、儒学者の方孝孺（一三五七―一四〇二）を用いて徳治による政治体制を目指しました。ところで朱元璋は北方のモンゴルに対する備えとして、長男の皇太子朱標の兄弟を西安や太原、北平（北京）などの要衝の地に藩王として封じていました。

建文帝は、側近の斉泰や黄子澄の進言を容れて、大々的な削藩政策を強行して五人の王を廃絶しました。これに危機感を持った北平の燕王朱棣は、軍師、姚広孝（一三三五―一四一八）の進言を容れて一三九九年に挙兵しました。これが靖難の変です。靖難とは「君難（君側の奸である斉泰と黄子澄）を靖んじる（両名を討伐する）」という意味で、これを大義名分としたのです。

もちろん、正統性は建文帝の側にあり、朱棣は反乱軍の首魁にすぎません。兵力も兵糧も政府軍が圧倒していましたが、朱元璋の粛清により有能な将官が払底しており、また朱元璋に恨みを持つ宦官も朱棣に内通して、一四〇二年には南京が陥落、建文帝は自害します。しかし、遺体が発見されなかったので、僧に変装して落ちのびたという伝承が残されました。朱棣は三代、永楽帝（―一四二四）として即位しました。より厳密に述べれば、簒奪者の朱棣は、二代皇帝として即位したのです。即ち建文帝の治世をなかったものとして、抹殺しようとしたのです。

†カール四世の金印勅書

一四世紀前半、パクス・モンゴリアの時代は、ヨーロッパにとっても景気の山でしたが、突然襲った黒死病（ペスト）の流行は、ヨーロッパを恐怖のどん底に陥れ、「死の舞踏」（数多く描かれた絵画、版画）に代表されるような厭世観を生み出しました。「メメント・モリ（死を想え）」という言葉がその代表です。しかし、その一方で、ジョヴァンニ・ボッカッチョ（一三一三―七五）の『デカメロン』（一三四九―五三年頃執筆）に見られるように、人生を正面から肯定する教会から自立した逞しい人間観をも生み出しました。因みにボッカッチョは、ダンテの傑作を『神曲』と名付けたことでも有名です。「カルペ・ディエム（その日を摘め）」という言葉が、その代表です。

ボッカッチョの友人、ペトラルカ（一三〇四—七四）は、麗人ラウラに捧げた恋愛叙情詩で有名になりました。ペトラルカに啓発された英詩の父、ジェフリー・チョーサー（ジョン・オブ・ゴーントの義兄弟であり、黒太子の秘書をも務めました。一三四三—一四〇〇）は、また、デカメロンの影響を受けて『カンタベリー物語』を著し、教会の道徳観を皮肉りました。ルネサンスの準備は、着々と進んでいたのです。

「死の舞踏」（ホルバイン）

なお、チョーサーもボッカッチョも千夜一夜物語などイスラーム世界の物語のごく一部を西欧に紹介したアンダルス出身のユダヤ人、ペトルス・アルフォンスィから多くの着想を得ていることが明らかになっています。

ルクセンブルク家のボヘミア王ヨハンとプシェミスル家のエリシュカとの間に長男としてプラハで生まれたヴァーツラフは、少年期にパリで養育されました。現代でいえば、アメリカ留学のようなものです。それはカペー朝最後の王、シャルル四世の王妃マリーがヨハンの妹だったからです。シャルル四世は、貴族ピエール・ロジェを家庭教師につけラテン語や帝王学等を学ばせました。感謝したヴァーツラフはシャルル（ドイツ語でカール、チェコ語でカレル）と改名しました。

一三三一年からカールは父ヨハンと共にイタリアに遠征、イタリアで初期の人文主義を学びます。一三三三年ボヘミアに戻ったカールは、一三四四年、プラハの聖ヴィート大聖堂を改築します（現存するゴシック聖堂です）。そして一三四六年、カールは教皇クレメンス六世（在位一三四二―五二）によって、皇帝ルートヴィヒ四世の対立王として擁立されました。教皇はかっての家庭教師、ピエール・ロジェその人でした。

百年戦争でフランスに与した父ヨハンがクレシーの戦いで戦死したため、カールは一三四七年、ボヘミア王位に就きます。ほどなくしてルートヴィヒ四世が没したのでカールは単独のドイツ王となりました。一三四八年、カールはプラハにカレル大学を設立しました。カールはプラハを皇帝の都、東方のパリにしようと目論んだのです。

ボッカッチョ

ボヘミアを固めたカールは一三五四年イタリア遠征に出発し、一三五五年、ローマで皇帝として戴冠しました。カール四世（在位―一三七八）は、教皇インノケンティウス六世（在位一三五二―六二）と協約を結び、教皇か

カール4世

らの干渉を受けない（皇帝選出には教皇の認可を必要としない）ことの見返りとしてイタリアへの干渉を放棄しました。そして、イタリアの諸都市からは不干渉の代償として大金を供出させました。カール四世は、イタリアに執着したこれまでのドイツ王とは異なり、ドイツやボヘミアの発展に集中しようとしたのです。

一三五六年、カール四世は、金印勅書を発布して、ローマ王（ドイツ王）並びにローマ皇帝は、マインツ、トリーア、ケルンの三聖職諸侯、プファルツ、ザクセン、ブランデンブルク、ボヘミアの四世俗諸侯が、選帝するものと定めました。ライバルのハプスブルク家（オーストリア公国）やヴィッテルスバッハ家（バイエルン公国）は、巧妙に外されました。

しかし、ドイツの王権によるイタリア支配は、約一〇〇年前、ホーエンシュタウフェン家の断絶により破綻して久しく、ローマ王をローマ皇帝に戴冠すべき教皇は、アヴィニョンに囚われたままでした。ローマ王やローマ皇帝という称号にいかほどの価値があったのでしょう。

この金印勅書は、ドイツの七選帝侯による分割支配を固定化する結果となりました。ドイツにおける強力な中央政府の不在は、ハンザ都市のような有力自治都市にとっては極めて好都合でした。なお一三五七年には、プラハでカレル橋の建設が始まっています（完成は一四〇二年）。

「ローマ王とローマ皇帝」 ドイツの王権がいつ頃からローマ王という称号を使い始めたのかは定かではありませんが、ザーリアー朝のハインリヒ三世（皇帝在位一〇四六―五六）が父コンラート二世の死去からローマ皇帝に戴冠するまでの七年間、ローマ王を名乗っていたのは確実で、以降、皇帝戴冠前のドイツの君主の称号としてローマ王が定着しますが、その実態はドイツ王に他なりません。そこで本書では、一貫してドイツ王と表記しています。ローマ王はまず、アーヘン大聖堂でケルン大司教の手によって戴冠式を行います。次いでイタリアに遠征し、モンツァ大聖堂に保管されているランゴバルド王国の鉄王冠を用いてパヴィアでイタリア王として戴冠し、最後にローマに赴いて、ローマ教皇によってローマ皇帝に戴冠されるのが、正式のプロセスであると考えられていました。

†相次ぐ農民反乱とハンザ同盟の成立

同じ一三五六年、ポワティエの戦いで、イングランド軍はフランス軍にまたもや大勝し、フランス国王ジャン二世（在位一三五〇―六四）を捕虜にしました。王権が失墜したフランスでは、英仏双方の傭兵が農村を略奪し領主は重税を課して私腹をこやしたので、百年戦争の戦場になったフランス北東部を中心に大規模な農民反乱が起きました。これが、一三五八年のジャックリーの乱です。当時の農民がジャック（短い胴衣）を着ていたことに由来するといわれています。指導者はギヨーム・カルル（生年不詳―一三五八）でした。

カルルは、パリ市長で「中世のダントン」（ダントンはフランス革命で活躍した革命家）と呼ばれたエティエンヌ・マルセル（一三一五―五八）との連携を模索します。エティエンヌ・マルセルは、ジャン二世が百年戦争の戦費調達のため一三五五年に召集した三部会で王権と対立して、一時パリを支配下に置きましたが、ジャックリーの農民軍がメロの戦いでナバラ軍に敗れると、中世のダントンの人気も下火となり暗殺されました。

しかし、ジャン二世の子で、ジャン二世の虜囚後、王太子として摂政の座に就いていた賢明王シャルル五世（在位一三六四―八〇）が即位した前後から、フランスの巻き返しが始まります。名将、ベルトラン・デュ・ゲクラン（一三二〇―八〇）の活躍もあって、シャルル五世治世の後半には、イングランドに占領されていた領土の大半を取り戻しました。なお、シャルル五世はフランスで最初にドーファンになった王太子であり、イングランドと戦うために定期的な徴税を行ったことから、税金の父とも呼ばれています。

ジャックリーの乱と同じ一三五八年、帝国自由都市（皇帝直属の都市で一定の自治が認められていました。五〇を超える帝国自由都市がありました）のリューベックとハンブルクの商業同盟に端を発した北海、バルト海（北の地中海）のハンザ同盟が成立しました。

一三七〇年、バルト海の覇権を巡ってデンマークとの戦争に勝利したハンザ同盟は、ロンドン、ブルージュ、ベルゲン、ノヴゴロドを含む二〇〇余都市を擁して、沿岸の交易を独占し、一五世紀にかけて全盛期を誇ることになります。一三七五年にはカール四世が、ハンザ同盟の貿易独占権を承認しています。ハンザ同盟は、実態的には一つの主権国家でした。

一四世紀に入って、北欧で塩漬けの技術が完成し（リューベックが押さえたリューネブルクには、豊富な岩塩がありました）、バルト海の鰊（にしん）や鱈（たら）が内陸まで運ばれるようになりました。ヨーロッパは、それまでは、人口池などの淡水魚に頼っていました。アヴィニョンの教皇宮殿では当時の養魚池の様子を描いた絵を見ることができます。ハンザ同盟は有力な輸出商品を獲得したのです。これが、ハンザ同盟繁栄の基盤となりました。

なお、ハンザとは団体の意味で、都市の間を交易して回る商人の組合を指した言葉です。ハンザ同盟の慣習が、海事法の母体となりました。

一三六一年、オスマン朝は、バルカンに位置するアドリアノープル（後にエディルネと改称）を攻略し、首都を小アジアのブルサから遷しました。第三代スルターン、ムラト一世（在位一三六〇―八九）は、キリスト教徒の優秀な子弟を改宗させて軍人や官僚に用いるデヴシルメ制度を確立し、安定的な人材供給に道を開きました。

こうして形成された軍人・官僚層（カプクル、家の奴隷の意味）が、オスマン朝の要職を独占することになるのです。特に、イェニチェリと呼ばれた直属の歩兵軍団は火器で武装し、伝統の騎馬軍団頼みの戦術に軍事革命をもたらしました。これまでのトルコ系の王朝は、いずれも、トゥルクマーンやマムルークの武力とペルシャ人官僚に多くを頼ってきましたが、オスマン朝は、東ローマ帝国領内のキリスト教徒に、将来のオスマン国家の担い手を見出したのです。

一三七五年には、アナトリアの東部にカラコユンル朝（黒羊朝）が、一三七八年にはその西隣に、アククコユンル朝（白羊朝）が建国されています。いずれもトゥルクマーンの王朝で、フレグ・ウルスが衰退した後、その西部一帯を押さえたモンゴル系のジャライル朝（一三三六―一四三二）に朝貢していました。

アメリカ大陸では、一三世紀にインカ帝国（―一五三三）が成立していましたが、一三二五年には、メキシコの地に、アステカ帝国（―一五二一）が成立しました。一三七七年、ドミニコ会の在俗の修道女、シエナの聖カタリナ（一三四七―八〇）の熱心な働きかけやカール四世の尽力によって、教皇グレゴリウス一一世（在位一三七〇―七八）はローマに戻り、アヴィニョン捕囚は終わりました。一三七八年、ローマでウルバヌス六世（在位―一三八九）が新しい教皇に選出されましたが、フランス人枢機卿団は納得せず、アヴィニョンで対立教皇クレメンス七世を押し立てました。

ウルバヌス六世は、枢機卿を経ないで登位した最後のローマ教皇で、教皇のローマ帰還を熱狂的に歓迎したローマ市民に取り囲まれた状況下で選出されたイタリア人の教皇でした。アヴィニョン捕囚は七〇年にも及び、アヴィニョンには教皇庁で働く官僚集団などが形成されていました。彼らは、教皇がローマに帰還して職を失ったのです。当然ながら彼らは対立教皇を支持し、フランス王シャルル五世も同調しました。これに対してカール四世は、ウルバヌス六世を支持します。こうしてローマ教会の分裂（シスマ）は、一四一七年まで、約四〇年間続くことになりました。

一三八一年には、百年戦争で増税が強化されたイングランドで、大規模な農民反乱（ワット・タイラーの乱）が起こりました。

ワット・タイラー（生年不詳—一三八一）率いる農民軍は一時ロンドンを占拠して、エドワード黒太子の息子である国王リチャード二世（在位一三七七—九九）と面会します。一回目の会見は無事に終了しましたが、二回目の会見のとき、王の傍にいたロンドン市長ウィリアム・ウォルワースがタイラーを斬り殺します。これを境として、思想的な指導者と目されたジョン・ボール神父を含め反徒は鎮圧、処刑されました。ジョン・ボールの「アダムが耕しイヴが紡いだとき、誰がジェントリ（地主）だったのか」という言葉は余りにも有名です。

一四世紀後半には、フランスでも前述したジャックリーの乱（一三五八）、フィレンツェでもチョンピの乱（一三七八）が起こっています。チョンピの語源は不明ですが、これは、毛織物工業の準備工程で働く下層労働者の反乱でした。民衆の力は、侮れないものとなりつつあったのです。

なお、ワット・タイラーの乱の背景には、ジョン・ウィクリフ（一三三〇―八四）の教説があるとして、ウィクリフはオックスフォード大学を追われました。ウィクリフは、最初の宗教改革者といわれる神学者です。シスマを見てローマ教会に幻滅したウィクリフは、聖書のみに権威を求め、誰でも聖書を読めるようにと自ら聖書を英訳しました。リンカーンの名演説で有名になった、「人民の人民による人民のための統治」は、ウィクリフの聖書の序文にある言葉です。

なおウィクリフの影響を受けたグループをロラード派と呼んでいます。ロラードとはおしゃべりの意味です。ジョン・ボールもロラード派と見なされていました。エドワード黒太子の弟、初代ランカスター公ジョン・オブ・ゴーント（フランドル地方の都市、ゲント生まれのジョン）は、ウィクリフの教会改革を支持しました。

一三八六年、ポーランドとリトアニアは、同君連合を結成し、ヤギェウォ朝が始まりました。モンゴルの侵攻以来の荒れ果てた国土を建て直しクラクフ大学（ヤギェウォ大学）を創設したポーランド王、カジミェシュ三世（大王。在位一三三三―）が一三七〇年に没すると、ボレスワフ一世（在位九九二―一〇二五）に始まるポーランド最初の王朝、ピャスト朝は断絶し、姉の子で、シチリア・アンジュー家のハンガリー王、ラヨシュ一世（在位一三四二—八二）が跡を継ぎました。

ラヨシュ一世が一三八二年に没すると、娘の聖ヤドヴィガがポーランド王に即位しました。ヤドヴィガは女性の君主でありながら、女王ではなく王と称されました。これは稀有なことです。ヤドヴィガは、リトアニア大公のヨガイラ（ヤギェウォ）と結婚して、共通の敵、ドイツ騎士団に対抗することを考えました。これが一三八五年のクレヴォ合同です。

ヨガイラは、ローマ教会に改宗し、ヴワディスワフ二世（一三八六—一四三四）として即位しました。そして、期待に応えて、一四一〇年、タンネンベルクの戦い（グルンヴァルトの戦い）で、ドイツ騎士団を打ち破り、北の大国としての地位を確かなものとしたのです。

なお、ラヨシュ一世は、成人した娘二人を残しましたが、ヤドヴィガの姉のマーリアがカール四世の子どものジギスムントと結婚したために、ルクセンブルク家にハンガリーの王冠がころがりこんできたのです。

一三八九年、コソヴォの戦いでセルビアなど南スラヴ諸侯に勝利したオスマン朝は、バルカン半島に確かな地歩を築き、コンスタンティノープルは、東西から挟撃される形となりました。オスマン朝の膨張に危機感を抱いたハンガリー王ジギスムント（在位一三八七—一四三七。後にローマ皇帝となります）は、急遽十字軍を結成し、一三九六年、ニコポリスの戦いで、稲妻と

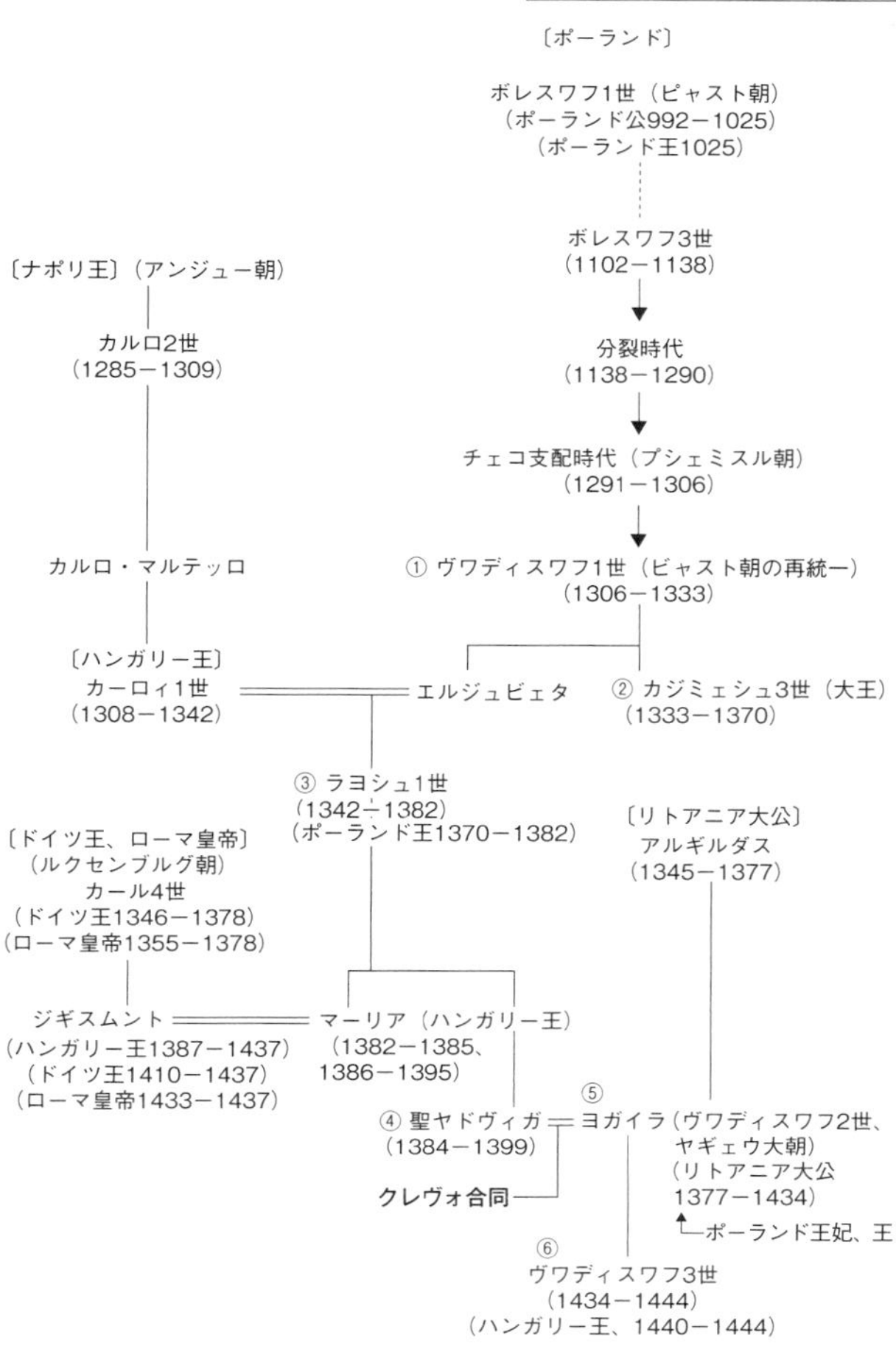
① 印はポーランド王位継承順
〔ポーランド〕
ボレスワフ1世（ピャスト朝）
（ポーランド公992－1025）
（ポーランド王1025）
ボレスワフ3世
（1102－1138）
分裂時代
（1138－1290）
チェコ支配時代（プシェミスル朝）
（1291－1306）
① ヴワディスワフ1世（ピャスト朝の再統一）
（1306－1333）
② カジミェシュ3世（大王）
（1333－1370）
〔ナポリ王〕（アンジュー朝）
カルロ2世
（1285－1309）
カルロ・マルテッロ
〔ハンガリー王〕
カーロィ1世
（1308－1342）
エルジュビェタ
③ ラヨシュ1世
（1342－1382）
（ポーランド王1370－1382）
〔リトアニア大公〕
アルギルダス
（1345－1377）
〔ドイツ王、ローマ皇帝〕
（ルクセンブルグ朝）
カール4世
（ドイツ王1346－1378）
（ローマ皇帝1355－1378）
ジギスムント
（ハンガリー王1387－1437）
（ドイツ王1410－1437）
（ローマ皇帝1433－1437）
マーリア（ハンガリー王）
（1382－1385、
1386－1395）
④ 聖ヤドヴィガ
（1384－1399）
⑤ ヨガイラ（ヴワディスワフ2世、
ヤギェウ大朝）
（リトアニア大公
1377－1434）
ポーランド王妃、王
クレヴォ合同
⑥ ヴワディスワフ3世
（1434－1444）
（ハンガリー王、1440－1444）
ポーランドの王位継承

綽名（あだな）されたスルターン、バヤズィト一世（在位一三八九—一四〇二）率いるオスマン軍と激突しました。

結果は、オスマン軍の大勝に終わり、東ローマ帝国の運命は尽きたかと思われました。しかし、その時、オスマン朝の東方国境に、ティムールが迫りつつあったのです。

一三世紀に、フレンツェの歴史に初めて登場した新興のメディチ家は、チョンピの乱に加担したサルヴェストロ（生年不詳—一三八八）が追放されて一時勢力を失いましたが、一族のジョヴァンニ・ディ・ビッチ（一三六〇—一四二九）は、一三九七年、ローマにあったメディチ銀行の本店をフィレンツェに移して、銀行業の建て直しに本格的に取り組み始めました。クアトロチェント（一五世紀）のフィレンツェの繁栄は、もうそこまで来ています。

同じ一三九七年、北欧では、デンマークを盟主とした北欧三国（スウェーデン、ノルウェー）のカルマル同盟（物的同君連合）が結ばれました。リーダーシップを執ったのはデンマーク王国のマルグレーテ一世でした。デンマークはこれによりハンザ同盟に再挑戦しようとしたのです。

マルグレーテ一世は女王ではありませんでしたが、実質的にはカルマル同盟の三国を支配したので、女王に準じた扱いを受けています（在位一三九七—一四一二）。マルグレーテ一世は、デンマーク王ヴァルデマー四世（在位一三四〇—七五）の次女として生まれ、ノルウェー王、

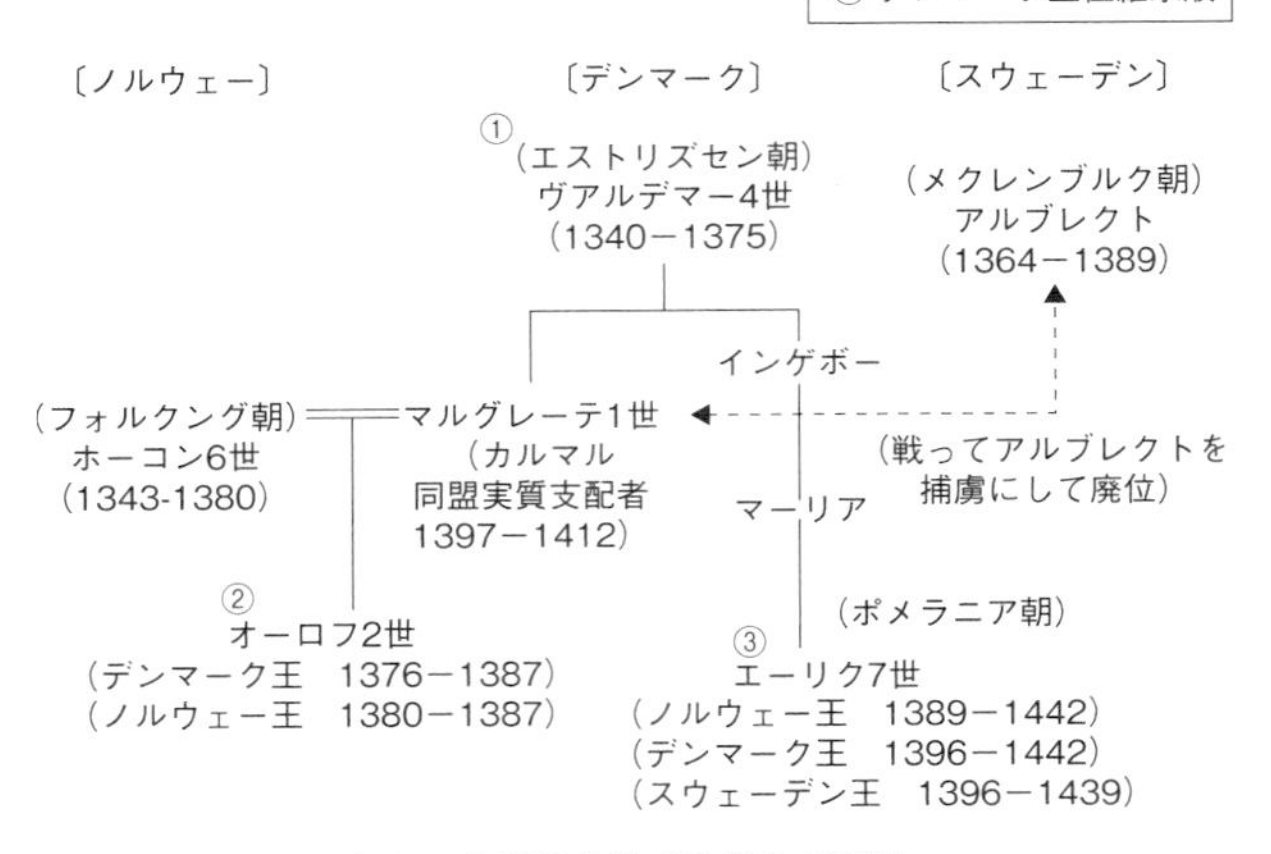

カルマル同盟をめぐる君主相関図

ホーコン六世（在位一三四三―八〇）に嫁ぎました。二人の間に生まれたのがオーロフです。

ヴァルデマー四世には息子がいなかったので、マルグレーテ一世はオーロフをデンマーク王に就け（オーロフ二世。在位一三七六―八七）自らは摂政となります。オーロフはホーコン六世が没すると、ノルウェー王位を継ぎます。

オーロフ二世が一七歳で夭折すると、両国の王位はマルグレーテ一世の従甥にあたるポメラニア公家のエーリクに引き継がれます。エーリクの母はマルグレーテ一世の姉インゲボーの娘のマーリアだったのです。

マルグレーテ一世は、一三八九年にスウェーデン王アルブレクト（在位一三六四―八九）と戦ってアルブレクトを捕虜とし廃位させます。そして後任にエーリクを選んだのです。こうして、カルマル同盟が成立することとなったのです。エーリクはカルマル同盟の初代君主となりました。ノルウェー王エイリーク三世（在位一三八九－一四四二）、デンマーク王エーリク七世（在位一三九六－一四三九）、スウェーデン王エリク一三世（在位一三九六－一四三九）です。

もちろん、実権はマルグレーテ一世が握っていました。エーリクは、一四二九年にエーレスンド海峡を航行する船舶から通行税を徴収することに成功し、ハンザ同盟に一矢を報いました。

「同君連合」 同君連合には、人的同君連合と物的同君連合があります。人的同君連合はたまたま君主が同一人であるだけで、それぞれの政府は従来通り独立して機能しています。典型例としては、一七一四年から一八三七年の間のグレートブリテン王国とハノーファー選帝侯国があげられます。これに対して、物的同君連合の場合はそれぞれの政府の上に、外交・軍事・財務などを司る中央政府が設けられます。一八六七年から一九一八年の間のオーストリア＝ハンガリー帝国が、典型例です。

†ティムールの進軍

チャガタイ・ウルスのトルコ系の武将ティムール（在位一三七〇―一四〇五）は、一三七〇年、チャガタイ・ウルスの旧領をほぼ制覇した後、サマルカンドを首都としてマー・ワラー・アンナフル（川の向こうの土地。アム川とシル川の間）で権力を確立しました。ティムール朝の成立です。ジョチの系統のトクタミシュ（在位一三七七、一三七八―一四〇六）は、一三七八年からティムールの支援を受けて分裂していたジョチ・ウルスを再興、一三八二年には一時モスクワを占領して、クリコヴォの戦い（一三八〇）以降自立を図っていたモスクワ大公国に痛打をあびせました。

ティムール像

北方の安全を確保したティムールは、フレグ・ウルスの後継諸王朝の征討を始めます。一三八一年には、ヘラートを首都としていたアフガニスタンのクルト朝（一二五一―一三八一）を滅ぼし、一三八六年には西アジアに向かい、バグダードを落としてイラーン、イラクのジャライル朝（一三三六―一四三二）を実質的に滅ぼします。

イラーン南部のムザッファル朝（一三一四―九三）も一三八七年には、首都シラーズが陥落

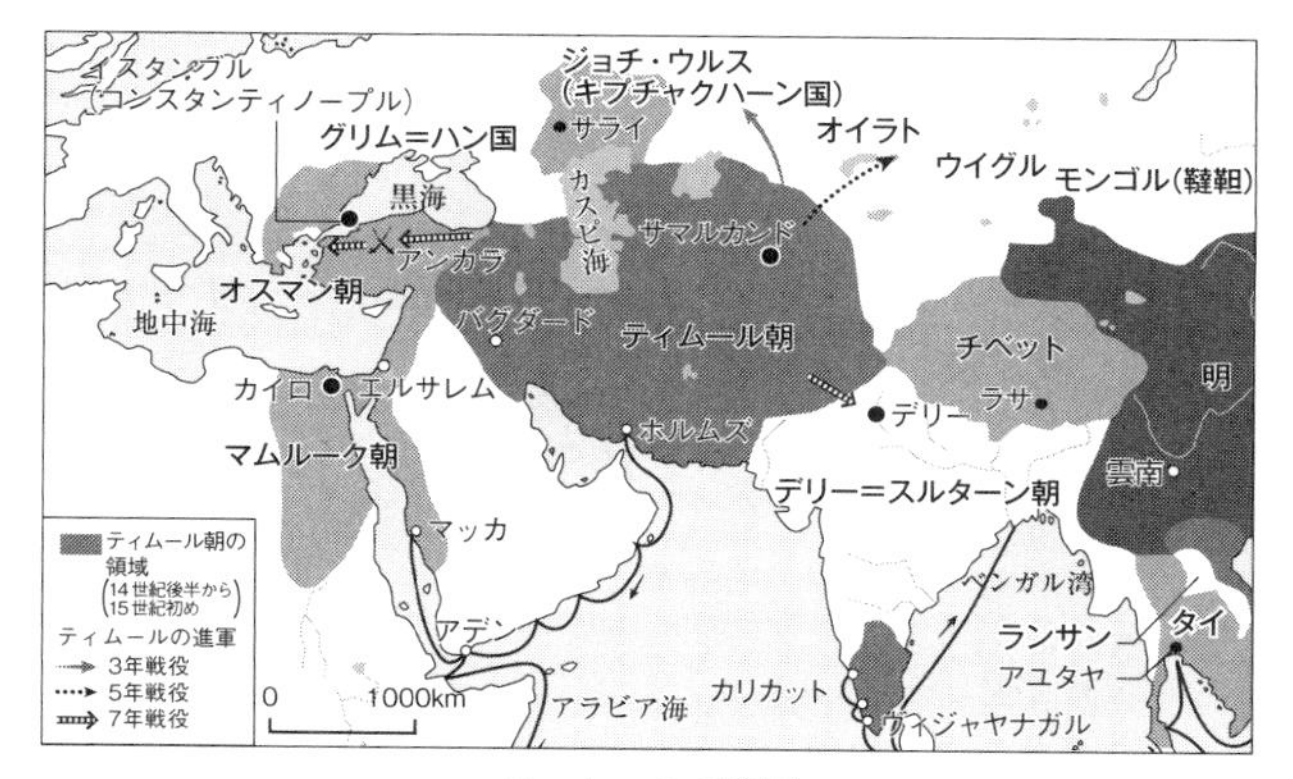

ティムールの進軍

し事実上滅びます。ところが、一三八八年春にトクタミシュがマー・ワラー・アンナフルに侵攻してきます。ティムールは止むなく軍を東へ返しました。なお一三八六年に始まったこの西アジアへの遠征は、三年戦役と呼ばれています。ティムールはトクタミシュを追って、一三九一年のコンドゥルチャ川の戦いで大勝し、トクタミシュに大きな打撃を与えました。

一三九二年から再び西アジア遠征が再開されます。五年戦役です。トクタミシュがまた策動を始めたのでティムールは、北上して九五年にはテレク川の戦いに勝利し、その後ジョチ・ウルスの都サライを破壊しました。こうしてティムールは、大元ウルスを除く旧モンゴル世界帝国の大半を約三〇年かけて手中に収めたのです。

九六年に、ティムールはサマルカンドに帰還。五年戦役は終了しました。一三九八年から九九年にかけて、ティムールはインドに向かいます。デリーを落としてトゥグルク軍を敗走させ、多くの財宝を手にしました。一三九九年、ティムールは休む間もなく三たび軍を西方に向けます。七年戦役の始まりです。ティムールはシリアまで進み、ダマスカスに入城します。ダマスカス包囲中のティムールが、イスラーム世界を代表する歴史家、思想家のイブン・ハルドゥーン（一三三二―一四〇六）と会見したことは、余りにも有名です。その主著『歴史序説』は全世界で今も読み継がれています。

シリアから軍を返したティムールはアナトリアに進み、一四〇二年アンカラの戦いでバヤズィト一世の率いるオスマン軍を一蹴しました。バヤズィト一世は捕虜となり、オスマン朝は、一時消滅します。なおオスマン朝は、一四一三年にバヤズィト一世の子、メフメト一世（在位一四一三―一四二一）が復興しました。インドの敵も西方の敵も、霧散したのです。

チンギス一族の女性を娶って、大カアンの後継者を自任していたティムールは、一四〇四年、後顧の憂いなく中国遠征に出立しました。永楽帝との決戦は、もし実現していれば、どのような結果に終わったのでしょうか。しかし、一四〇五年、ティムールは、遠征途上のオトラルで病没しました。六八歳の生涯でした。

ティムールは、戦争に次ぐ戦争に明け暮れましたが、交易の重要性をよく理解していました。また、征服地の学者や職人、芸術家をサマルカンドに集めましたので、各地の文化が融合し、かつてモンゴル軍に破壊されたサマルカンドは、青いタイルで飾られた美しい都となって蘇りました。それは、今日まで受け継がれています。

チェスが好きだったティムールは、対局中に子どもが生まれたとの連絡を受け、ちょうど手にしていた駒のルークから四男の名前をつけたといわれています。三代目のその四男、シャー・ルフ（在位一四〇九－四七）は、父を凌ぐ統治の才能を示しました。オスマン朝や明と平和条約を締結し、都をヘラートに移して、交易を盛んにし、帝国の安寧と繁栄を実現したのです。

東アナトリアで勃興しつつあったカラコユンル朝（黒羊朝。拠点タブリーズ）も、シャー・ルフの治世の間は、何度も反抗を試みたものの服従を続けていました。文化もさらに発展し、特にサマルカンドを任されたシャー・ルフの長男、ウルグ・ベク（第四代。在位一四四七－四九）が開いた天文台は、当時の世界最高水準を行くものでした。

紫禁城

インドでは、ティムールの武将、ヒズル・ハン（在位一四一四－二一）が、サイイド朝（一四一四－五一）を開きましたが、この王朝は弱体で北インドを確保するのが精一杯でした。デカンのバフマニー朝とヴィジャヤナガル王国は、豊かな国境地帯を巡って常に争っていました。

永楽帝は、即位すると翌一四〇三年には都を北京（北平）に移しています（実際に移ったのは一四二一年です）。南京は、居心地が悪かったのでしょう。北京は、大都の約三分の二の規模です。永楽帝は、早速、紫禁城の建設に着手しました。一四二一年に完成した紫禁城は、ほぼ当時の姿で現存しています。北京にあってモンゴルと対峙していた永楽帝は、クビライに憧憬し、クビライ同様に世界帝国の理念を持っていました。農本主義、鎖国志向の朱元璋とは全く逆の発想です。

(5) ルネサンスの世紀（一四〇一年〜一五〇〇年）

†鄭和の大航海

一四〇五年、永楽帝は、広く世界に朝貢を促すため宦官、鄭和（一三七一―一四三四）に、大航海を命じました。雲南生まれの鄭和は、ムスリムで、祖父や父はマッカに巡礼したことがありました。鄭和は、戦争捕虜として去勢されましたが、堂々とした体軀と将軍としての優れた資質を持っていました。そして、目前には、クビライが開いた海の道がどこまでも通じていたのです。

鄭和は一四三三年まで、七回にわたって、インド洋、アラビア海を往来し、マッカやアフリカのケニアまで到達しています。鄭和艦隊は、六〇隻以上、約二万八千名の乗組員を擁していました。今日のアメリカ海軍以上のパワーを持つ無敵艦隊であったことは確実です。

主力艦は少なくとも一二〇〇トン以上（発掘された船体の一部から推定）、中心を成す宝船の中には、長さ一二五m以上、幅五〇m以上という巨艦もあったと伝えられています。今日の船では一万トンクラスに相当します。ただし、当時の技術では、長さ五〇m程度が限界という学説もあります。約一〇〇年後のコロン（コロンブス）の艦隊が、全長二五m、三隻、八八人であったことを想起すれば、宋からモンゴルへと受け継がれてきた中国の造船技術や海運力の高さが、実感できるでしょう。

鄭和像

鄭和艦隊は、まさに海上に浮かぶ帝国であり、その威容に恐れをなした沿岸諸国は、揃って朝貢に応じました。鄭和艦隊によって、東シナ海～インド洋～アラビア海～東アフリカ沿岸に至る海の道の安全は、確実に保障され、平和な交易が可能となりました。明が海禁（鎖国）政策を採らなければ、そして、鄭

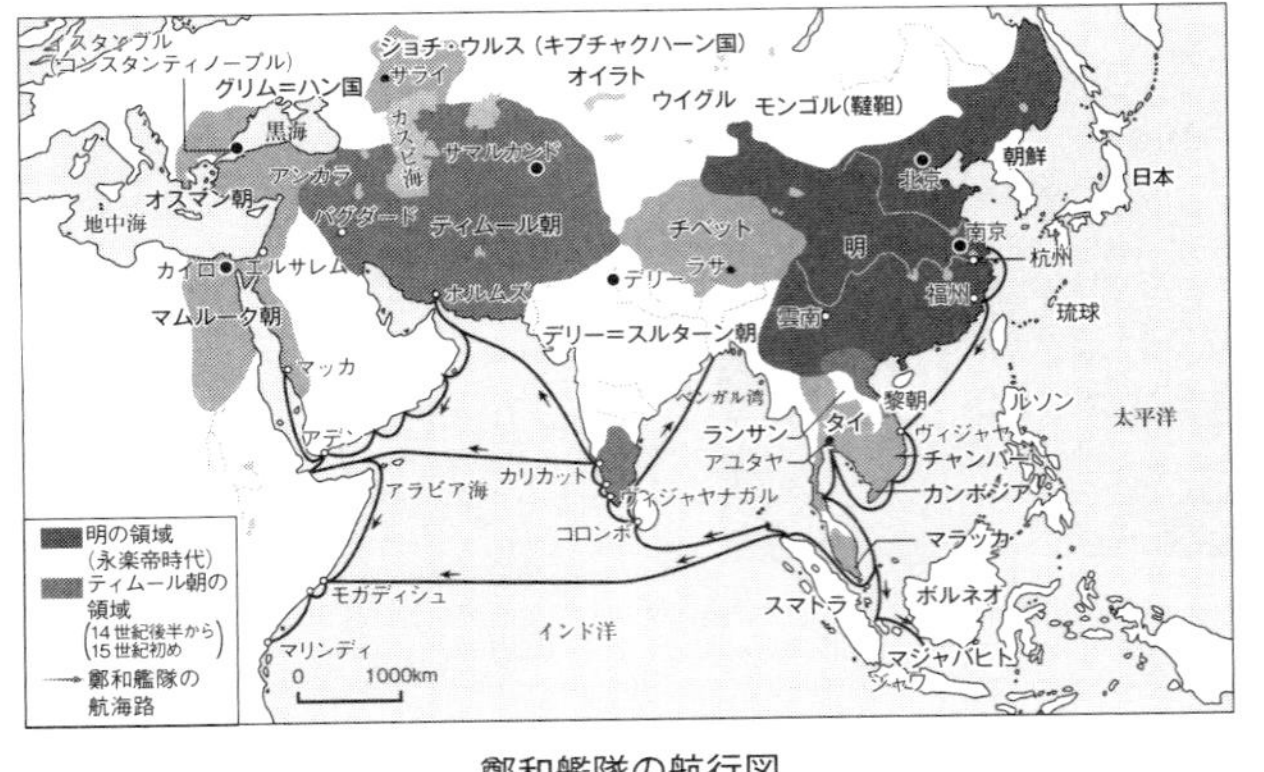

鄭和艦隊の航行図

和艦隊を解散させなければ、ポルトガルやスペインが、インド洋に入ってアジアに進出することは全く不可能だったでしょう。

何よりも、一六世紀のヨーロッパの海外進出を支えたイノベーション(印刷術、大砲の火薬、磁石、羅針盤、機械時計、鋳鉄、複帆航海術、数量的製図法など)は、すべて、中国から移入したものであったからです。鄭和艦隊の記録は、莫大な費用のかかる航海の再開を恐れた明の官僚によって廃棄されてしまったので、詳細はわかりませんが、艦隊の一部がアメリカに達したという説すら出されています。

一四〇二年、ジャワ島を本拠地とするマジャパヒト王国(一二九三―一五二七)に追われて、マレー半島を転々としたスマトラのシュリーヴィジャヤ王国(六五〇―一三七七)の王子、パラメスワラ(在位一四〇二―一四)が、イスラームの都市国家、マラッカ王国を建国しました。マラッカ王国は、その揺籃期を鄭和艦隊に保護され、東南アジアの海の道の中継港として大いに栄えることになります。交易の中枢部をマラッカ王国に握られたマジャパヒト王国は、徐々に衰退していきました。なおマラッカ王国は、一五一一年、ポルトガル艦隊を率いたアルブケルケによって滅亡します。

北ベトナムでは、一四〇〇年に陳朝が、外戚の胡氏によって滅ぼされましたが、永楽帝は、陳朝の復権を口実に大軍を送って一四〇七年に胡朝を滅ぼし、北ベトナムを直轄領としました。北ベトナムが独立を回復するのは、二〇年後のことになります。

モンゴル高原に逃れた大元ウルスは北元と呼ばれるようになりますが、クビライの血統はトゴン・テムル以降三代で一三八八年に途絶え、その後はクビライ家のカアンを弑逆(しいぎゃく)した、アリクブケの血を引くイェスデル(在位一三八八―九二)が継ぎました。明はクビライ家が断絶したことを受け、北元をタタール(韃靼(だったん))と呼ぶようになります。イェスデルはモンゴル高原の西部を本拠とするオイラト部に支持されていましたが、東部に割拠する親クビライ家のモンゴル部と争いが起こります。

二つの部族連合は、チンギスの血を引くカアンを次々と擁立しては覇権争いを始めます。有力者であったモンゴルのアスト部のアルクタイ(生年不詳―一四三四)が一四一〇年に永楽帝に敗れるとオイラト部のマフムード(生年不詳―一四一六)が台頭しますが、マフムードが一四一四年に永楽帝に敗れると、再びアルクタイが勢力を盛り返します。北元は、アルクタイとマフムードの争いの中で五度にわたる永楽帝の親征を受け、弱体化していきました。

文化面では、永楽帝は一四〇八年に『永楽大典』を完成させましたが、これは、中国史上、最大級の類書（百科事典）で、二二、八七七巻・目録六〇巻・一一、〇九五冊から成っていました。うち四〇〇冊（全体の三・六％）前後が現存しています。永楽帝は、簒奪者の負い目から、終生、建文帝側の人間を許さず、簒奪に関する言論を厳しく取り締まりました。その意味では、朱元璋同様、恐怖政治を敷いたと非難されても仕方がないでしょう。また、永楽帝は、大運河を改修し、江南から北京に至る物資の搬送ルートを確保しました。

永楽帝に次ぐ、第四代、仁宗、洪熙帝（在位一四二四—二五）、第五代、宣宗、宣徳帝（在位一四二五—三五）の時代が、明の最盛期とされています（仁宣の治）。宣徳帝の死後、後を継いだ第六代、正統帝（在位一四三五—四九）は、海禁を強化して鄭和艦隊に象徴された中国の海外進出を閉ざしてしまいます。この判断が、世界史におけるとてつもなく大きな分水嶺となりました。やがて、真空状態となったインド洋に、ヨーロッパ勢が大挙して押し寄せてくるでしょう。こうしてアヘン戦争に至る道が開かれたのです。一四一九年、チベット仏教界最大の学僧であり、チベット仏教四大宗派の中で最大の勢力を誇るゲルク派（黄帽派）を開いたツォンカパが死去。代々のダライ・ラマもゲルク派に属しています。

一四二八年、北ベトナムは再び独立を回復し、黎朝（一一七八九）が始まりました。レ・ロイ（黎利）は、一四一六年に挙兵して明への抵抗運動を続けてきましたが、ついに一四二八年に明軍を北ベトナムから撤退させることに成功したのです。レ・ロイは湖の精霊からタンキエムと呼ばれる魔剣を授かり、明軍を追い払ったと伝えられています。アーサー王の伝承とよく似ています。

中部ベトナムは二世紀以降チャンパ王国が支配していました。チャンパ王国にはヴィジャヤとパーンドゥランガという二つの核になる地域がありましたが、一四七一年、黎朝はヴィジャヤに侵攻して滅ぼし、中部ベトナムまで領土を拡げました。

一四二九年には、中山王の尚巴志が、北山、南山を滅ぼし、琉球王国を建国しました。琉球王国は一六〇九年、日本の薩摩の島津藩に服属するまで独立を維持しました。

モンゴル高原では、オイラト部にエセンが登場します。マフムードの孫にあたるエセンは、モンゴル部を抑えて、モンゴル高原を統一し、長城を越えて明を攻撃しました。暗愚な正統帝は、宦官の王振（生年不詳—一四四九）の勧めで親征に踏み切りましたが、一四四九年、土木でエセンに敗れ、正統帝は捕虜になりました（土木の変）。野戦で中国の統一王朝の皇帝が遊牧民の捕虜となったのは、これが唯一の例です。

北京では、南遷論が検討される中で、気骨のある宰相于謙（うけん）（一三九八—一四五七）が、皇弟の景泰帝（在位一四四九―五七）を立て、徹底抗戦を行ったので、エセンは一四五〇年に和議を結んで、正統帝を送り返しました。

正統帝は軟禁されましたが、一四五七年に景泰帝が病気になると、正統帝は武官の石亨（生年不詳―一四六〇）や宦官の曹吉祥（生年不詳―一四六一）らと謀って奪門の変を起こし、天順帝（在位一四五七―六四）として重祚しました。于謙は粛清されます。奪門の変の恩赦によって五〇年以上幽閉されていた建文帝の遺児朱文圭（一四〇一―五七）は自由の身となりました。土木の変でこりた明は、万里の長城の修復に力を注ぐようになります。その建設資金は、鄭和艦隊を廃止したことによって賄れたのです。現在の万里の長城は、この時代のものが中心となっています。

エセンは一四五三年、自らカアン位に就きましたが、エセンがチンギスの子孫でないこともあって反発が強まり、反乱が起こって、一四五四年に殺され、オイラトの勢力は瓦解しました。一四七九年、モンゴル部のダヤン・カアン（ダヤンは、大元の意味です。在位一四七九―一五一六）が即位して、再び、モンゴル高原を統一すると、オイラトは、西に追いやられることになりました。

かつてのモンゴル帝国の領域では、依然として、チンギスの血統が王位の正統性の根拠と看做されていたのです。ダヤンは、チンギス、クビライに次ぐ大カアンとして今でも高い人気を集めています。

インドでは、一四五一年、アフガン人のサルダール（指導者）、バフルール・ローディー（在位一一四八九）が、サイイド朝の跡を継いで、ローディー朝（—一五二六）を開きました。ローディー朝はバフルールの息子の第二代スルターン、シカンダル（在位一四八九—一五一七）の時代に全盛期を迎えます。

デカンのバフマニー朝は、ペルシャ出身の名宰相、マフムード・ガーワーン（生年不詳—一四八一）の下で、カーンチプラムやゴアなどヴィジャヤナガル王国の領内深く侵入し、極盛期を築きましたが、ガーワーンの失脚後、一四八二年には五つの王国に分裂しました。

ティムール朝では、シャー・ルフの跡を、嫡子ウルグ・ベクが継ぎましたが、二年で息子に殺され、サマルカンドとヘラートの二つの政権が相争う形となりました。これを見たカラコユンル朝（黒羊朝）のジャハーン・シャー（在位一四三八—六七）は、叛旗を翻し、ペルシャの大部分を支配下に置き、一時はヘラートを占領するほどの勢いを見せました。

しかし、カラコユンル朝の覇権は、二〇年と続きませんでした。西隣のライバル、アクコユンル朝（白羊朝）の英主、ウズン・ハサン（在位一四五三—七八）が、一四六七年、ジャハーン・シャーを敗死させ、ペルシャの盟主に躍り出たのです。アクコユンル朝は、ディヤルバクルを拠点としていましたので、隣接するオスマン朝をいたく刺激しました。

一四七三年、オスマン朝の征服者メフメト二世（在位一四四四—四六、一四五一—八一）は、東に向かいます。両者の激突（バシュケントの戦い）は、オスマン朝に凱歌が揚がりました。ユーラシアで無敵を誇った騎馬軍団が、火器を装備した常備軍イェニチェリに敗れたのです。長篠の戦い（一五七五）のおよそ一〇〇年前の出来事でした。両者は講和し、ユーフラテス川を国境と定めましたが、アクコユンル朝の威信は失墜しました。

日本では、一四六七年、応仁の乱（—一四七七）が始まって、室町幕府の統制力が弱まり、やがて細川政権（一四九三—一五四九）が成立して戦国時代に道を開きました。

†シスマの終結

一四〇六年、グレゴリウス一二世（在位—一四一五）がローマ教皇に選ばれました。対立教皇ベネディクトゥス一三世は、一三九四年にアヴィニョンで選出されたもののフランス軍にアヴィニョンを占領されて、一四〇三年にはアヴィニョンを離れその影響力は小さくなっていました。

一四〇九年にイタリア、フランス双方の枢機卿が集まり、ピサ教会会議が開かれました。そしてシスマを終結させるべく、二人を廃位してミラノ大司教を新たに教皇に選出しました。アレクサンデル五世です。しかし、前任の二人が廃位を拒否したため、三人の教皇が並び立つという異常事態となりました。アレクサンデル五世の急死後は、ヨハネス二三世が跡を継ぎました。

メディチ家のジョヴァンニ・ディ・ビッチは、一四一〇年、教皇庁会計院の財務管理者となりました。これは、リスクを果敢に取り、対立教皇ヨハネス二三世を即位させた報酬でした。一五世紀から、聖年は二五年周期となり、ローマには巡礼者が溢れるようになったので、ジョヴァンニの得たポストは、大変旨味のあるものでした。ジョヴァンニは、その後も、爵位を断り、あくまで一市民としての立場を貫きます。

ローマ皇帝カール四世が一三七八年に死去すると、ドイツとボヘミアの王位は息子のヴェンツェル（ドイツ王在位一三七六—一四〇〇）に引き継がれました。しかしヴェンツェルは無能で、一三九五年にイタリアの僭主(せんしゅ)の一人、ジャン・ガレアッツォ・ヴィスコンティ（一三五一—一四〇二）を献金の見返りにミラノ公に任じて正式にミラノ公国を成立させたことで、ドイツ諸侯の不満が高まり、一四〇〇年に廃位されました（ボヘミア王位は維持）。なお、ミラノの大聖堂は一三八六年にジャン・ガレアッツォ・ヴィスコンティが起工したものです。（完成は一八一三年）。

諸侯は、ヴィッテルスバッハ家のプファルツ選帝侯ループレヒト（在位一四〇〇—一〇）をドイツ王に選びました。ループレヒトの死後、ヴェンツェルの異母弟でハンガリー王のジギスムントがドイツ王に選ばれ（在位一四一〇—三七）、王位はルクセンブルク家の手に戻りました。

ジギスムント

ジギスムントは、三教皇鼎立の異常事態を終わらせようと、コンスタンツに公会議を召集しました（一四一四―一八）。ここで、三人の教皇を廃して、新たにマルティヌス五世（在位一四一七―三一）が教皇に選ばれシスマは終結しましたが、公会議は、イングランドのジョン・ウィクリフとその衣鉢を継いだボヘミアのヤン・フス（一三六九―一四一五）を異端と断定します。ウィクリフ（一三八四没）の遺体とフスは、火刑に処せられました。

一四一九年、ヴェンツェルの死後ジギスムントがボヘミア王を兼任すると、怒った民衆はヤン・ジシュカ（一三六〇―一四二四）に率いられて反乱を起こしました。いわゆるフス戦争です。ジギスムントは、一四三三年にはローマ皇帝として戴冠しましたが、戦闘には敗れ、政治的な収拾にも失敗し、威信を失墜して没しました。ジギスムントの死により、ルクセンブルク家の男系男子は絶えます。

ドイツ、ハンガリー、ボヘミアの王位は、ジギスムントの一人娘、エリーザベトと結婚したハプスブルク家のアルブレヒト二世に引き継がれましたが、アルブレヒト二世は一年余りでオスマン朝との戦争中に病を得て急死、その後任のドイツ王には又従弟で傍系のフリードリヒ三世（在位一四四〇―九三）が選ばれました。

フリードリヒ三世は、大愚図というニックネームからもわかるように、凡庸そのものの君主でしたが、長生きして五三年もドイツの王位に留まり続けたことでハプスブルク家の覇権を確固たるものにしました。なお、一四五二年にはローマで皇帝として戴冠していますが、これがドイツ王のローマでの最後の戴冠式となりました。

†百年戦争の再開

百年戦争に嫌気がさしたイングランドとフランスは、一三九六年に休戦協定を結びますが、それぞれの内実は、複雑でした。ワット・タイラーの乱を乗り切ったイングランドのリチャード二世は、自信を深めて親政に乗り出しましたが、失政が続いて議会の反発を招き、国王軍と議会軍が激突、一三八七年のラドコットブリッジの戦いで議会軍が勝利を収めました。一三八八年の非情議会で国王側近が追放、処刑されてリチャード二世は屈服しましたが、議会側の内部対立を利用して一三八九年には主導権を取り戻します。

一三九二年にアミアンでリチャード二世はフランス王シャルル六世（在位一三八〇―一四二二）と会見、一三九六年にパリで、一三九八年から一四二六年までの休戦協定を発表しました。ところで、王家の実力者、エドワード黒太子の弟のランカスター公、ジョン・オブ・ゴーントは、ボルゴーニャ家（ポルトガル最初の王朝）のカスティージャ王ペドロ一世（在位一三五〇―六六、六七―六九）の娘コンスタンスと結婚していました。

カスティージャでは、ペドロ一世と異母兄で庶子のエンリケ二世（トラスタマラ家）が王位を争い（第一次カスティージャ継承戦争）、ナヘラの戦い（一三六七）では黒太子の支援を受けたペドロ一世が大勝したものの、最終的にはフランス王の支援を得たエンリケ二世（在位一三六九―七九）がモンティエルの戦い（一三六九）でペドロ一世を敗死させて勝利を収めました。第一次カスティージャ継承戦争は、いわば英仏百年戦争の代理戦争でした。

ランカスター公は、一三八六年からイベリア半島に遠征して、コンスタンスの権利としてカスティージャの王位を求めます。しかし果たせず、娘のカタリナとトラスタマラ朝二代目のフアン一世（在位一三七九―九〇）の息子エンリケ三世（在位一三九〇―一四〇六）を結婚させることで妥協し、一三八九年にイングランドに帰国しました。なおカタリナの息子フアン二世（在位一四〇六―五四）は、レコンキスタを完成させたイサベル一世（在位一四七四―一五〇四）の父にあたります。

リチャード二世は帰国したランカスター公を信認し、議会側に圧力をかけます。しかし一三九九年にランカスター公が死去すると、広大な公領を没収し、政敵でもある議会側のランカスター公の息子ヘンリー・ボリングブルックの追放処分を六年から終身へと切り替えました。へンリー・ボリングブルックは挙兵して、国王軍を撃破、リチャード二世を廃位して、ヘンリー四世（在位一三九九―一四一三）として即位し、ランカスター朝（一三九九―一四六一、一四七〇―七一）を開きました。幽閉されたリチャード二世は、一四〇〇年に獄死しました。

フランスでは、シャルル六世に精神異常の兆しが見られ、叔父のブルゴーニュ公フィリップ二世豪胆公（シャルル五世の弟）と王弟オルレアン公ルイ一世が、実権を争う形となりました。シャルル六世の発狂は、母ジャンヌ・ド・ブルボン（一三三八―七八）の血統によるものと考えられています。ジャンヌの父、祖父、兄弟の多くが遺伝性の精神病を患っており、ジャンヌもまたその例外ではありませんでした。一三九二年に初めて精神異常の兆候が現われ、不安にかられた王妃イザボー・ド・バヴィエール（バイエルンのヴィッテルスバッハ家出身）は、王弟オルレアン公ルイと関係を持ち、王室の権威を損いました。

一四〇四年にフィリップ二世豪胆公が死去すると、息子のジャン一世無怖（むふ）公が跡を継ぎ、一四〇七年にオルレアン公ルイを暗殺しました。オルレアン公ルイの息子シャルルは一四一〇年に舅のアルマニャック伯ベルナール七世たちとアルマニャック派を結成し（ジアン同盟）、ブルゴーニュ派との内戦を始めました。

一四一三年、ロンドンでは、名君、ヘンリー五世（―一四二二）が即位しました。フランスの内戦を好機とみたヘンリー五世は、一四一五年にアキテーヌ、ノルマンディー、アンジュー

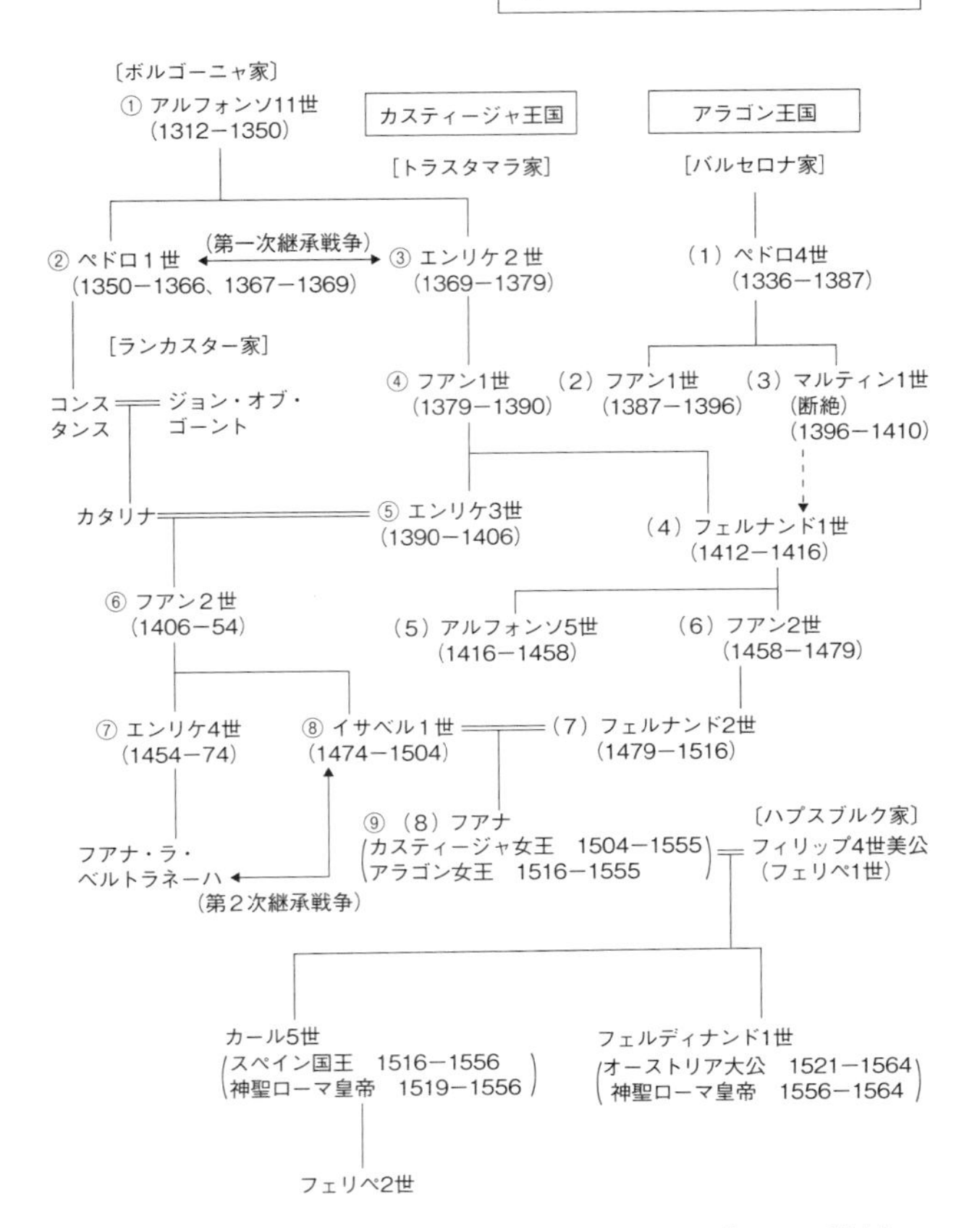
①～カスティージャの王位継承順
(1)～アラゴンの王位継承順
〔ボルゴーニャ家〕
① アルフォンソ11世
(1312−1350)
カスティージャ王国
アラゴン王国
［トラスタマラ家］
［バルセロナ家］
(第一次継承戦争)
② ペドロ1世
(1350−1366、1367−1369)
③ エンリケ2世
(1369−1379)
(1) ペドロ4世
(1336−1387)
［ランカスター家］
④ フアン1世
(1379−1390)
(2) フアン1世
(1387−1396)
(3) マルティン1世
(断絶)
(1396−1410)
コンスタンス
ジョン・オブ・ゴーント
カタリナ
⑤ エンリケ3世
(1390−1406)
(4) フェルナンド1世
(1412−1416)
⑥ フアン2世
(1406−54)
(5) アルフォンソ5世
(1416−1458)
(6) フアン2世
(1458−1479)
⑦ エンリケ4世
(1454−74)
⑧ イサベル1世
(1474−1504)
(7) フェルナンド2世
(1479−1516)
⑨ (8) フアナ
カスティージャ女王 1504−1555
アラゴン女王 1516−1555
〔ハプスブルク家〕
フィリップ4世美公
(フェリペ1世)
フアナ・ラ・ベルトラネーハ
(第2次継承戦争)
カール5世
スペイン国王 1516−1556
神聖ローマ皇帝 1519−1556
フェルディナンド1世
オーストリア大公 1521−1564
神聖ローマ皇帝 1556−1564
フェリペ2世
なおカスティージャのフアン1世、フアン2世と
アラゴンのフアン1世、フアン2世は別人である

カスティージャの王位継承図

の返還を求めて百年戦争を再開し、一四一五年のアジャンクールの戦いでフランス軍を粉砕しました。

同じ一四一五年、ポルトガルの航海王子エンリケ（一三九四―一四六〇）のアフリカ西岸探検が開始されました。目的は、イスラーム商人が牛耳るサハラルートを経ずして、西アフリカの黄金に直接アクセスすることでした。伝説の黄金都市トンブクトゥが、エンリケの背中を押したのです。ノルマンディーの首都、ルーアンを落とされたフランスは、一四二〇年、トロワ条約を結んで和睦しましたが、これは、シャルル六世の娘、カトリーヌとヘンリー五世を結婚させ、ヘンリー五世にフランス王位を継承させるというフランスにとっては屈辱的なものでした。

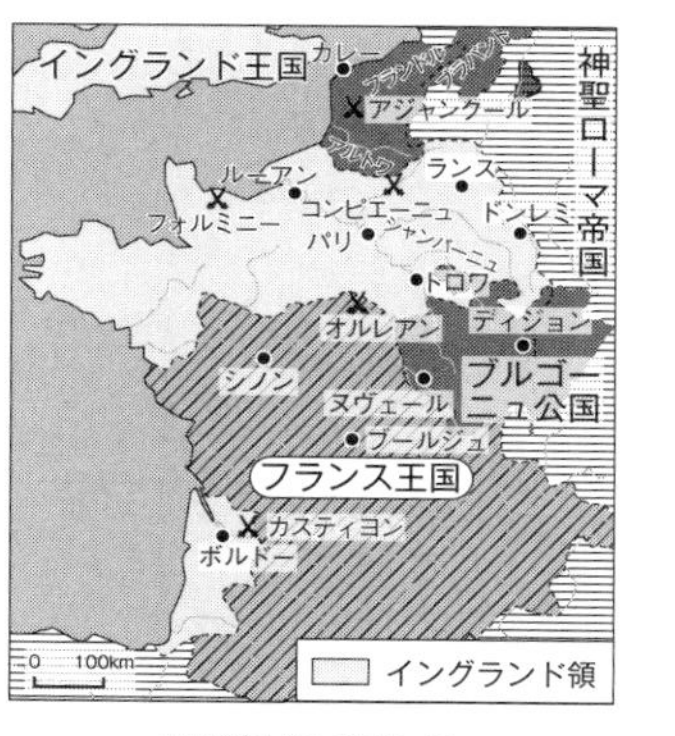

1420年のフランス

この背景には一四一九年に王太子シャルル（後のシャルル七世）が、ブルゴーニュ公ジャン一世を暗殺したので、三代、ブルゴーニュ公フィリップ三世善良公は、ヘンリー五世と結んで、王太子やアルマニャック派と対抗しようと考えたのです（アングロ・ブルギニョン同盟）。イングランドと交易関係の深いフランドルを所領とするブルゴーニュ公国としては、国益に配慮する必要があり

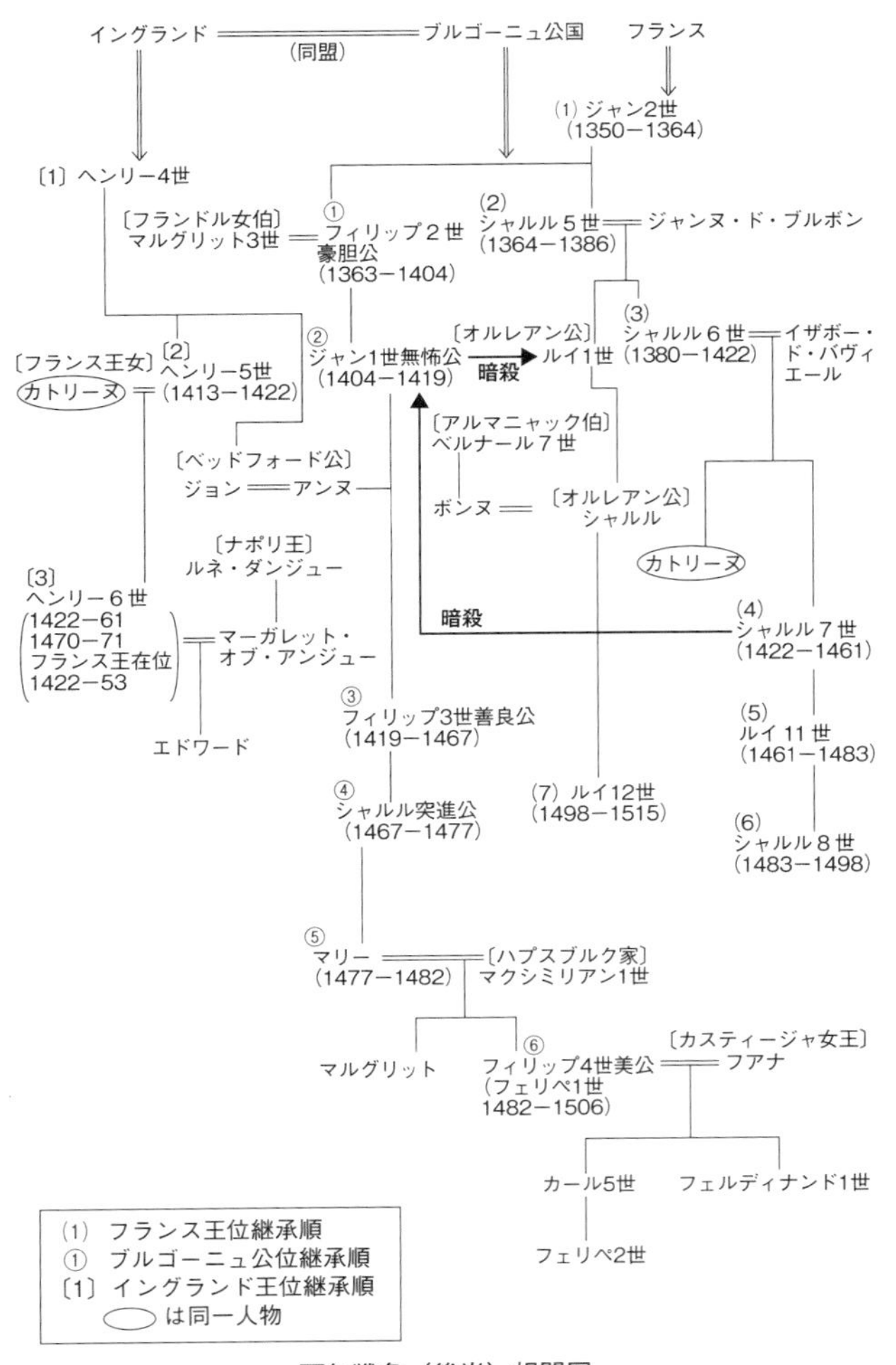

イングランド
(同盟)
ブルゴーニュ公国
フランス
(1) ジャン2世
(1350−1364)
〔1〕ヘンリー4世
〔フランドル女伯〕
マルグリット3世
①
フィリップ2世
豪胆公
(1363−1404)
(2)
シャルル5世
(1364−1386)
ジャンヌ・ド・ブルボン
〔オルレアン公〕
ルイ1世
(3)
シャルル6世
(1380−1422)
イザボー・
ド・バヴィ
エール
〔フランス王女〕
カトリーヌ
〔2〕
ヘンリー5世
(1413−1422)
②
ジャン1世無怖公
(1404−1419)
暗殺
〔アルマニャック伯〕
ベルナール7世
〔ベッドフォード公〕
ジョン
アンヌ
ボンヌ
〔オルレアン公〕
シャルル
カトリーヌ
〔ナポリ王〕
ルネ・ダンジュー
〔3〕
ヘンリー6世
1422−61
1470−71
フランス王在位
1422−53
マーガレット・
オブ・アンジュー
暗殺
(4)
シャルル7世
(1422−1461)
エドワード
③
フィリップ3世善良公
(1419−1467)
(5)
ルイ11世
(1461−1483)
④
シャルル突進公
(1467−1477)
(7) ルイ12世
(1498−1515)
(6)
シャルル8世
(1483−1498)
⑤
マリー
(1477−1482)
〔ハプスブルク家〕
マクシミリアン1世
マルグリット
⑥
フィリップ4世美公
(フェリペ1世
1482−1506)
〔カスティージャ女王〕
フアナ
カール5世
フェルディナンド1世
フェリペ2世
(1) フランス王位継承順
① ブルゴーニュ公位継承順
〔1〕イングランド王位継承順
は同一人物

百年戦争(後半)相関図

ました。ヨーロッパ屈指の豊かさを誇るフランドルは、フィリップ二世がフランドル女伯のマルグリット三世と結婚したことで、ブルゴーニュ公家にもたらされていたのです。

一四二〇年末、ヘンリー五世はシャルル六世、フィリップ三世と共にパリに凱旋しました。パリ大学と三部会がトロワ条約を支持したので、王太子を廃されたシャルルは、ブールジュに逃れロワール川以南の支配に専念することになりました。この時代については、『パリの住人の日記』という素晴らしい一級資料が残されており、堀越孝一の名訳で読めるのは幸運以外の何物でもありません。

ところが、一四二二年、ヘンリー五世は急逝し、後を追うようにシャルル六世も没しました。生後九カ月のヘンリー六世が残され、ヘンリー六世（在位一四二二―六一、七〇―七一）。なお、フランス王の在位は一四二二―五三）は、イングランドとフランスの王位に就きました。

✝ジャンヌ・ダルクの登場

イングランドはブルゴーニュとの同盟を強化すべく、一四二三年にフィリップ三世善良公の妹アンヌとヘンリー五世の弟でヘンリー六世の摂政に就任していたベッドフォード公ジョンを結婚させました。しかし一四三二年にアンヌが死去すると、両国の関係は冷却していきます。

加えてジョンの弟、グロスター公ハンフリーが一四二四年からネーデルラントに侵入し、フィリップ三世は激怒しました（一四二八年に、ハンフリーはネーデルラントの利権をあきらめました）。こうしてアラスの和約が準備されたのです。

ヘンリー六世の生母カトリーヌは、若くして寡婦となりました。なお、イングランドでひっそりと暮らしていたカトリーヌは、オウエン・テューダーと秘密結婚して、エドマンドを生みました。その子が、テューダー朝を開いたヘンリー・テューダーです。

ジャンヌ・ダルク像

元王太子のシャルルは、ブールジュで抵抗を続けました。フランスの摂政ベッドフォード公ジョンは、一気に決着をつけようとブールジュ侵攻を画策し、一四二九年、オルレアンを包囲しました。そのとき、彗星のように一人の乙女（ラ・ピュセル）が現われ、フランス軍を勝利に導きます。聖ジャンヌ・ダルク（一四一二―三一）が登場したのです。

勝利したフランス軍は、その勢いでランスに進軍して、シャルル七世（在位一四二二―六一）の戴冠式を行いました。フランス王は、初代フランク王クローヴィス所縁のランスで戴冠する慣習があったのです。潮目は変わりつつありました。ブルゴーニュ派に捕らえられたジャンヌは、一四三一年、異端審問によりルーアンで火刑に処せられましたが、シャルル七世は、ブルゴーニュ公フィリップ三世と一四三五年に和解し（アラスの和約）、その後の戦いを有利に進めることになりました。

一四三九年、フランスの三部会は、貴族の徴兵、課税を禁止して徴兵・課税権を国王に一元化、またローマ教皇のフランスへの介入を排除する国本勅諚を採択し、王権はさらに強化されました。シャルル七世は、フランス王国大元帥アルテュール・ド・リッシュモン（一三九三―一四五八）を信認して、中央集権化を進めましたが、三部会で徴兵・課税権を失った貴族は反発して、一四四〇年にはプラグリーの乱が起きます。

シャルル７世の戴冠式

これを鎮圧したシャルル七世は、一四四九年にルーアンを奪回し、一四五〇年にはフォルミニーの戦いでリッシュモン率いるフランス軍がイングランド軍に大勝、ノルマンディーを回復しました。そして、一四五三年のカスティヨンの戦いでギュイエンヌ（アキテーヌ）が平定され、百年戦争はフランスの勝利の内にその幕を閉じました。

イングランドには大陸の所領としては、カレー市のみが残されました。フィリップ三世善良公は一四六一年にはベネルクス三国をすべて手中に収め、ブルゴーニュ公国の全盛期を現出させました。北方ルネサンスが花開き、金羊毛騎士団が創設されて（一四三〇）騎士道文化が盛んとなりました。まさに「中世の秋」（ホイジンガ）が実りの時期を迎えたのです。

コジモ・デ・メディチ

†メディチ家の春

フィレンツェのメディチ家では、一四二九年のジョヴァンニの死後、長男コジモ（一三八九—一四六四）が跡を継ぎました。一四三三年、政変が起こり、コジモは政敵に一時追放されますが、一四三四年に帰還すると、メディチ派をフィレンツェの要職に就け、自らは無冠の帝王となりました。メディチ銀行は、イタリアの主要都市の他、ジュネーヴ、バーゼル、ブルージュ、ロンドン、アヴィニョンにも支店を開設し、大いに業容を拡大しました。コジモは、フィレンツェの税金の六五%を一人で払っていたといわれています。

一四三六年、フィリッポ・ブルネレスキ（一三七七—一四四六）によって、フィレンツェの花の聖母寺（大聖堂）のクーポラが完成しました。現在でも、石積のドームとしては、世界最大です。コジモは、一四三九年、フィレンツェに東西教会の合同を審議する公会議を招聘しましたが（前年の一四三八年にフェラーラで開催された公会議は、財政問題や疫病の流行などで続行が困難になっていました）、この公会議には、東ローマ皇帝や、東方教会のコンスタンティノープル総主教も参加していました。

すでに、ギリシャ、ヘレニズムの学問は、アンダルスを経由して、イタリアに伝えられていましたが、公会議の際に、東ローマの人文学者、プレトン（一三六〇頃—一四五二）が行ったプラトンの講義は、フィレンツェのプラトン熱を高めました。コジモは、プラトンに興味を持っており、一四六二年頃から、マルシリオ・フィチーノ（一四三三—九九）に、カレッジの別荘を与え、プラトンの研究を行わせました。

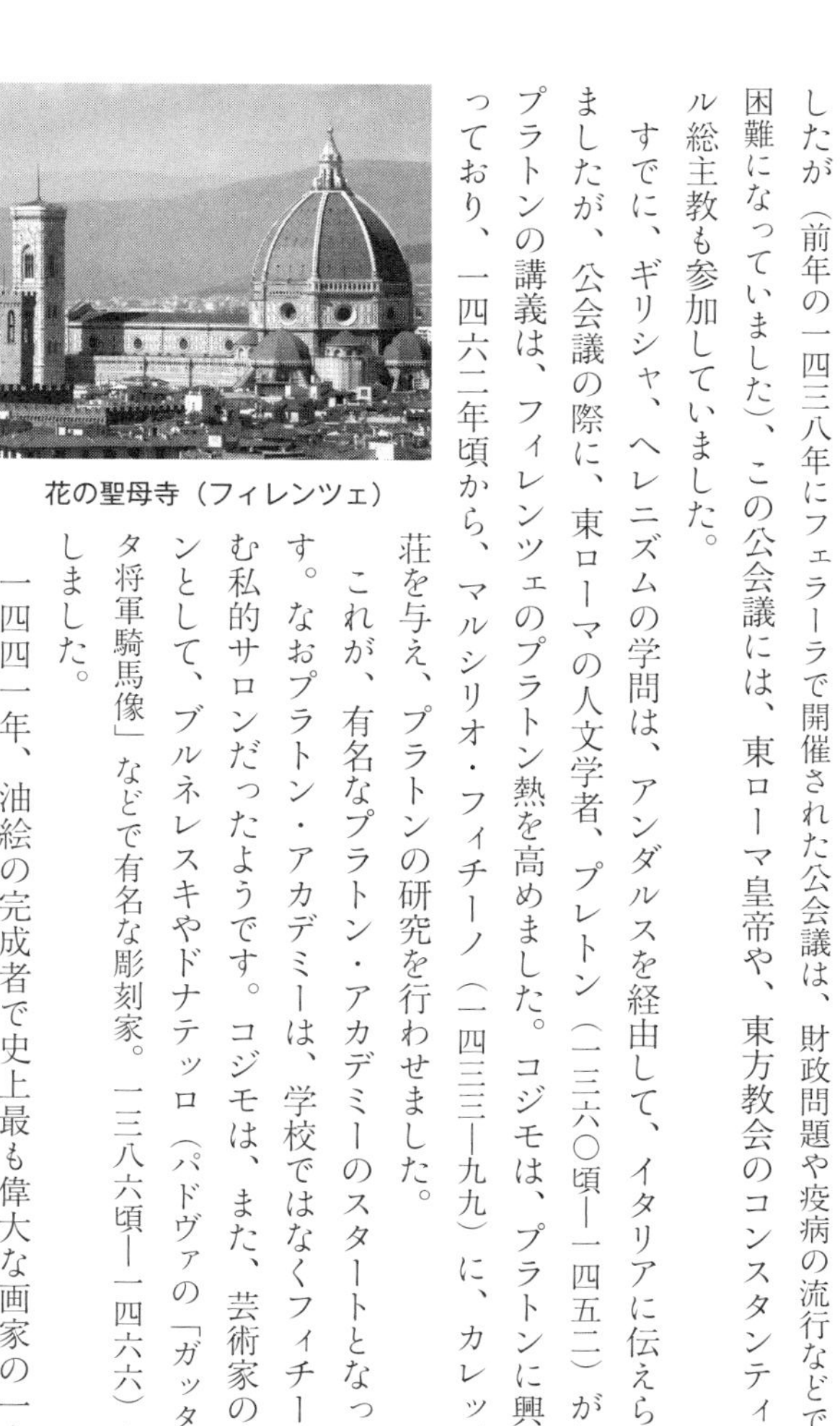
花の聖母寺（フィレンツェ）

これが、有名なプラトン・アカデミーのスタートとなったのです。なおプラトン・アカデミーは、学校ではなくフィチーノを囲む私的サロンだったようです。コジモは、また、芸術家のパトロンとして、ブルネレスキやドナテッロ（パドヴァの「ガッタメラータ将軍騎馬像」などで有名な彫刻家。一三八六頃—一四六六）を庇護しました。

一四四一年、油絵の完成者で史上最も偉大な画家の一人、ヤン・ファン・エイク（一三九六頃―）がブリュージュで没しました。北方ルネサンスの絵画は、すべて、ヤンから生まれているといっても過言ではありません。ルネサンス音楽をリードしたギヨーム・デュファイ（一三九七―一四七四）もフランドルで活躍しました。

ルネサンスの絵画はフランドルとイタリアが張り合いましたが、音楽ではフランドルが圧倒していた模様です。当時の西欧随一の産業地帯、フランドルを抱えるブルゴーニュ公の宮廷は、絵画、音楽、騎士道など中世の秋の実りの真最中でした。

ガッタメラータ将軍騎馬像

ところで、復活したオスマン朝は、瞬く間に、小アジアからバルカンに至るかつての領土を取り戻しました。一四四三年、アルバニアでは、スカンデルベグ（一四〇五―六八）がオスマン朝に叛旗を翻し二五年間にわたって独立を維持しましたが、彼の死によって、アルバニアの抵抗も実質的に終わりを告げました。一四四四年、エンリケ王子の船団は、セネガル川まで到達し、当初の目的であった西アフリカの黄金（や象牙、奴隷）の入手に成功しました。

先進海軍国ジェーノヴァは、金の流通を支配していたイスラーム商人と結託していたヴェネツィアへの対抗上、エンリケを支援していましたが、西アフリカに確かな橋頭堡を築いたポルトガルは、もはやジェーノヴァを頼らなくなりました。

当時エンリケが漁船を改良して開発した三本マストの小型のカラベル船は、時代の最先端を行くものでした。そこで、ポルトガルに袖にされたジェーノヴァは、リスボンと並ぶ港町、セビージャに目をつけて、カスティージャと接近を試みます。ここに、コロン（コロンブス）の伏線が敷かれたのです。

一四四八年、カルマル同盟よりスウェーデンが一時独立しました。カルマル同盟の主デンマーク王クリスチャン一世（在位一四四八―八一）は、スウェーデンのカール八世（一四四八―五七、六四―六五、六七―七〇）と何度も戦って屈服させますが、スウェーデンの支配は不安定なままでした。

カラベル船

イングランドでは、第一次囲い込み運動（エンクロージャー）が、この頃より、盛んとなりました。毛織物輸出国として、さらに放牧地が必要となったのです。しかし、エンクロージャーは、共有地を生活基盤としてきた下層農民のプロレタリアート化を引き起こしました。後に「羊が人間を食う」と、「ユートピア」の作者、聖トマス・モア（一四七八

―一五三五）は評しました。

一四五二年、フリードリヒ三世（ハプスブルク家）が戴冠。ローマで教皇によって戴冠された最後のローマ皇帝となりました。東ローマ帝国の圧力がなくなり、西方の基盤を固め、自立して久しい教皇庁にとっては、皇帝の利用価値は格段に乏しくなっていたのです。

メフメト２世

一四五三年、東ローマ帝国が、オスマン朝によって滅ぼされました。メフメト二世は、征服者と呼ばれるようになります。東方教会は、（やがてイスタンブルと呼ばれるようになる）オスマン朝の新首都、コンスタンティノープルにそのまま居残りました。ズィンミー制度が適用されたのです。イスラームの寛容性が、ここにも読み取れます。

メフメト二世は、コスモポリタン的なローマ帝国の後継者を自任していました。もっとも、一部のギリシャ人は西方に離散しました（ディアスポラの始まり）。同じ一四五三年、百年戦争が終結しました。イングランドには、大陸の所領として、カレー市のみが残されました。

✝薔薇戦争

百年戦争で敗れたイングランドでは、ヘンリー六世に対する不満が高まっていました。ヘンリー六世は、祖父（シャルル六世）の血を受けて、精神疾患に冒されていたのです。これを王位簒奪の好機と見た、第三代ヨーク公リチャード・プランタジネット（一四一一―六〇）は、ランカスター家のヘンリー四世と同じように、王位への挑戦を試みたのです。

百年戦争を始めたエドワード三世には、成人した男子が五人いました。彼らはそれぞれ公爵に叙せられました。イングランドにはノルマン・コンクェストに伴いフランス貴族の爵位制度が持ち込まれましたが（伯爵と男爵）、一三三七年にエドワード三世が皇太子のエドワード黒太子をコーンウォール公に任じ、王位に次ぐ公爵位を創設したのです。ヘンリー六世は、エドワード三世の三番目の成人男子ランカスター公、ジョン・オブ・ゴーントのひ孫にあたります（薔薇戦争をめぐる系図参照）。

ヘンリー6世

リチャード・プランタジネットは四番目の成人男子、ヨーク公エドマンド・オブ・ラングリーの孫にあたるのですが、生母アンが二番目の成人男子、クラレンス公ライオネル・オブ・アントワープのひ孫にあたるので、自分の方が血統が上だと主張したのです。アンの父ロジャー・モーティマーは、一時、リチャード二世の後継者に選ばれたこともありました。

ヘンリー六世は自分の死後、リチャード・プランタジ

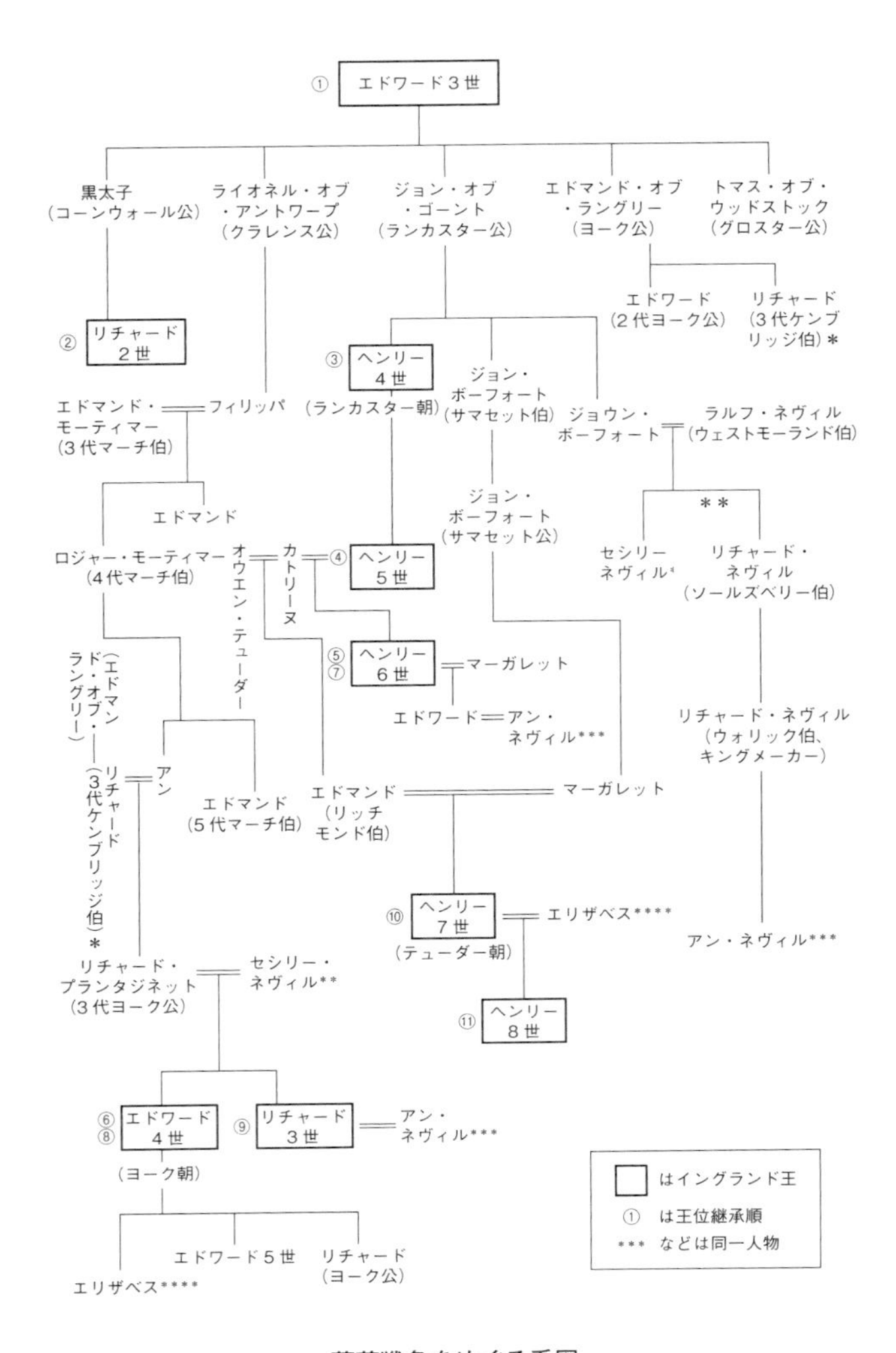

① エドワード3世
黒太子
(コーンウォール公)
ライオネル・オブ
・アントワープ
(クラレンス公)
ジョン・オブ
・ゴーント
(ランカスター公)
エドマンド・オブ
・ラングリー
(ヨーク公)
トマス・オブ・
ウッドストック
(グロスター公)
エドワード
(2代ヨーク公)
リチャード
(3代ケンブ
リッジ伯)*
② リチャード
2世
③ ヘンリー
4世
(ランカスター朝)
ジョン・
ボーフォート
(サマセット伯)
ジョウン・
ボーフォート
ラルフ・ネヴィル
(ウェストモーランド伯)
エドマンド・
モーティマー
(3代マーチ伯)
フィリッパ
エドマンド
ジョン・
ボーフォート
(サマセット公)
**
ロジャー・モーティマー
(4代マーチ伯)
オウエン・テューダー
カトリーヌ
④ ヘンリー
5世
セシリー
ネヴィル*
リチャード・
ネヴィル
(ソールズベリー伯)
(エドマンド・オブ・ラングリー)
⑤⑦ ヘンリー
6世
マーガレット
エドワード
アン・
ネヴィル***
リチャード・ネヴィル
(ウォリック伯、
キングメーカー)
リチャード
(3代ケンブリッジ伯)*
アン
エドマンド
(5代マーチ伯)
エドマンド
(リッチ
モンド伯)
マーガレット
⑩ ヘンリー
7世
(テューダー朝)
エリザベス****
アン・ネヴィル***
リチャード・
プランタジネット
(3代ヨーク公)
セシリー・
ネヴィル**
⑪ ヘンリー
8世
⑥⑧ エドワード
4世
(ヨーク朝)
⑨ リチャード
3世
アン・
ネヴィル***
エドワード5世
リチャード
(ヨーク公)
エリザベス****
□ はイングランド王
① は王位継承順
*** などは同一人物

薔薇戦争をめぐる系図

ネットに王位を継がせると約束しましたが、男勝りの王妃マーガレットは息子エドワードに跡を継がせたい一心で、一四六〇年ウェイクフィールドの戦いでリチャードを敗死させました。しかし、リチャードの息子エドワード四世（在位一四六一―八三）が、ロンドンをコントロールしたキングメーカー、ウォリック伯、リチャード・ネヴィル（一四二八―七一）の支援もあって一四六一年のタウトンの戦い（もっとも熾烈な戦いの一つと伝えられています）で大勝してヨーク朝を開きました。

ウォリック伯は得意の絶頂にあり、フランス王室（ルイ一一世の義妹ボナ・ディ・サヴォイア）とエドワード四世の婚姻を取り持とうと画策しましたが、エドワード四世がエリザベス・ウッドヴィルと結婚し、その一族を重用し始めたため次第に溝が生じ、ついにウォリック伯はランカスター派に寝返りました。そしてウォリック伯は、一四七〇年、エドワード四世をブルゴーニュへ追い落とし、ヘンリー六世を復位させました。

エドワード4世

ウォリック伯はフランス王ルイ一一世（在位一四六一―八三）と昵懇の仲でしたから、ルイ一一世と対立しているブルゴーニュ公シャルル突進公（在位一四六七―七七）は、必然的にエドワード四世に肩入れします。エドワード四世はブルゴーニュ公国の支援を受けてイングランドに上陸し、一四七一年のバーネットの戦いでウォリック伯を敗死させました。

そして続くテュークスベリーの戦いでヘンリー六世の王太子エドワードを敗死させ（エドワードは、史上唯一の戦死したプリンス・オブ・ウェールズとなりました）、王妃マーガレットと王太子妃アン・ネヴィル（キングメーカー、ウォリック伯の娘。やがて、リチャード三世と再婚）を捕虜にしました。間もなく捕らわれていたヘンリー六世も死去したため、ランカスター朝は途絶えたかと思われました。

一四八三年に、エドワード四世が病死すると、幼い王太子エドワード五世を廃して、王弟グロスター公が即位しました（リチャード三世。在位一一四八五）。ところで、薔薇戦争のほぼ全期間を通じて、敗れた方はフランスに逃げ込み、捲土重来を期しました。百年戦争に勝利したばかりのフランスにとって、イングランドの消耗戦は、大いに国益に適うものであったので、フランス側は逃げ込んだ側に対して陰に日向に側面援助を行いました。フランス王家とブルゴーニュ公家は利害を異にしていましたが、（「世界の蜘蛛」と渾名された陰謀好きのルイ一一世は、ブルゴーニュ公領の併呑を狙って、騎士道精神に染まったシャルル突進公を常に挑発していました。）イングランドの疲弊については両家とも望むところだったのです。

ヨーク家とブルゴーニュ公家は、近い関係にあったので、フランス王家は、ランカスター家を標榜するヘンリー・テューダーを支援して、一四八五年、イングランドに攻め込ませ、ボズワーズの戦いで、リチャード三世を敗死させました。この戦闘は、ウィリアム・シェイクスピア（一五六四―一六一六）の史劇「リチャード三世」によって人口に膾炙しています。特に落馬したリチャード三世の名セリフ「馬をくれ、馬を！　馬の代わりにわが王国をくれてやる！」は余りにも有名です。シェイクスピアは、リチャード三世を狡猾で冷酷非道の人物として描きました。

ルイ11世

シャルル突進公

勝利を収めたヘンリー・テューダーは即位して（ヘンリー七世。在位一四八五―一五〇九）、ここにテューダー朝が開かれたのです。ヘンリー・テューダーの王位継承の名分は、生母マーガレットが、ジョン・オブ・ゴーントの後妻の子ジョン・ボーフォートの孫であることでしたが、ジョン・ボーフォートは、リチャード二世とヘンリー四世によって王位継承権を否定されていました。

ヘンリー七世は、エドワード四世の娘、エリザベスと結婚することで、王位を確実なものとしましたが、この簒奪者としての負い目が、リチャード三世を稀代の極悪人に仕立て上げたものと推察されます。史実を組み立てると、リチャード三世は、寛容の精神をもって統治したようにも思われるのです。

廃された幼いエドワード五世とその弟ヨーク公リチャードの二人の王子は、ロンドン塔に移されて消息を断ちましたが、犯人が、リチャード三世であったのか、

ロンドン塔の王子たち（ミレイ）

ヘンリー七世であったのかは、歴史の永遠の謎です。シェイクスピアは、テューダー朝に庇護された人間でした。その史劇は、事実をありのままに伝えているわけでは決してありません。

こうして、一四五五年に始まった内乱がようやく終結しました。後世、薔薇戦争（ランカスター家が赤薔薇、ヨーク家が白薔薇を徽章としたといわれていますが確証はありません）と呼ばれるこの三〇年の内乱で、双方に分かれて争った大貴族は疲弊して、絶対王政への道が開かれました。この頃、ヨハネス・グーテンベルク（一三九八－一四六八）が、ドイツのマインツで、金属活字、印刷機を発明して、聖書を出版しました。一五世紀初頭から、西欧でも紙が普及していましたが、グーテンベルクによって、西洋でも活字印刷がスタートしたのです。

そして、一四九四年、商業印刷の父と呼ばれるアルド・マヌーツィオ（一四五〇頃－一五一

五）がヴェネツィアにアルド印刷所を設立して、西欧に印刷革命をもたらしました。中国に遅れること五〇〇年以上です。マヌーツィオは、初めてノンブル（ページ番号）を付け、八折り判の本を刊行することで、本を持ち歩けるようにしました。こうして、書物が広く普及することになったのです。アルド印刷所については、ハビエル・アスペイティア『ヴェネツィアの出版人』（作品社）という優れた小説が当時の雰囲気をよく伝えています。

†春の載冠

イタリアでは、一四五四年、ローディの和が結ばれました。オスマン朝の膨張に危機感を抱いたコジモが、ミラノ公フランチェスコ・スフォルツァと結んで、五大国（ミラノ、ヴェネツィア、フィレンツェ、教皇領、ナポリ王国）が内に争わず、一致団結して異教徒のオスマン朝に当たることを訴え続けたのが、実ったのです。最も真の仮想敵国は、オスマン朝ではなく、同じキリスト教国のフランスでした。百年戦争に勝利して意気上がるフランスは、シャルル（アンジュー家）伝来のナポリ王国のみならず、ヴィスコンティ家との婚姻を根拠に、ミラノの領有までをも主張していたからです。

ミラノのヴィスコンティ家は、一四四七年に三代ミラノ公フィリッポ・マリーア（在位一四一二―）が没すると一旦途絶え、アンブロジアーナ黄金共和国が設立されました。しかし、一四五〇年にフィリッポ・マリーアの庶出の娘ビアンカ・マリーアと結婚したコンドッティエーレ（傭兵隊長）、フランチェスコ・スフォルツァ（在位一四五〇―六六）がミラノを包囲して共和政を圧殺しました。

ところが、ビアンカは庶出だったので、フランス王家は、初代ミラノ公ジャン・ガレアッツォ・ヴィスコンティの娘、ヴァレンティーナがシャルル六世の王弟オルレアン公ルイ一世に嫁いだことを根拠に、ミラノに触手を伸ばそうとしたのです（フランス王家とヴィスコンティ家の系図参照）。なおビアンカも夫のフランチェスコも共に有能で、ミラノは栄えることになりました。

この和約は、曲がりなりにもコジモの孫、ロレンツォの死まで約四〇年に亘って守られ、イタリアは平穏を取り戻しました。こうして、ルネサンスの舞台が、ほぼ整ったのです。平和でなければ、文化や芸術に耽溺することはできません。コジモとフランチェスコ・スフォルツァの信頼関係が、イタリアの平和（＝盛期ルネサンス）を生み出したのです。

イル・ヴェッキオ（老人）と呼ばれたコジモは、一四六四年に没し、祖国の父の称号を贈られました。痛風持ちのピエロの短い治世を経て、一四六九年、コジモの孫のロレンツォが、メディチ家の統領となりました。同年、カスティージャ王女イサベルとアラゴン王子フェルナンドが結婚し、スペインは統一に向かって最後の一歩を踏み出しました。

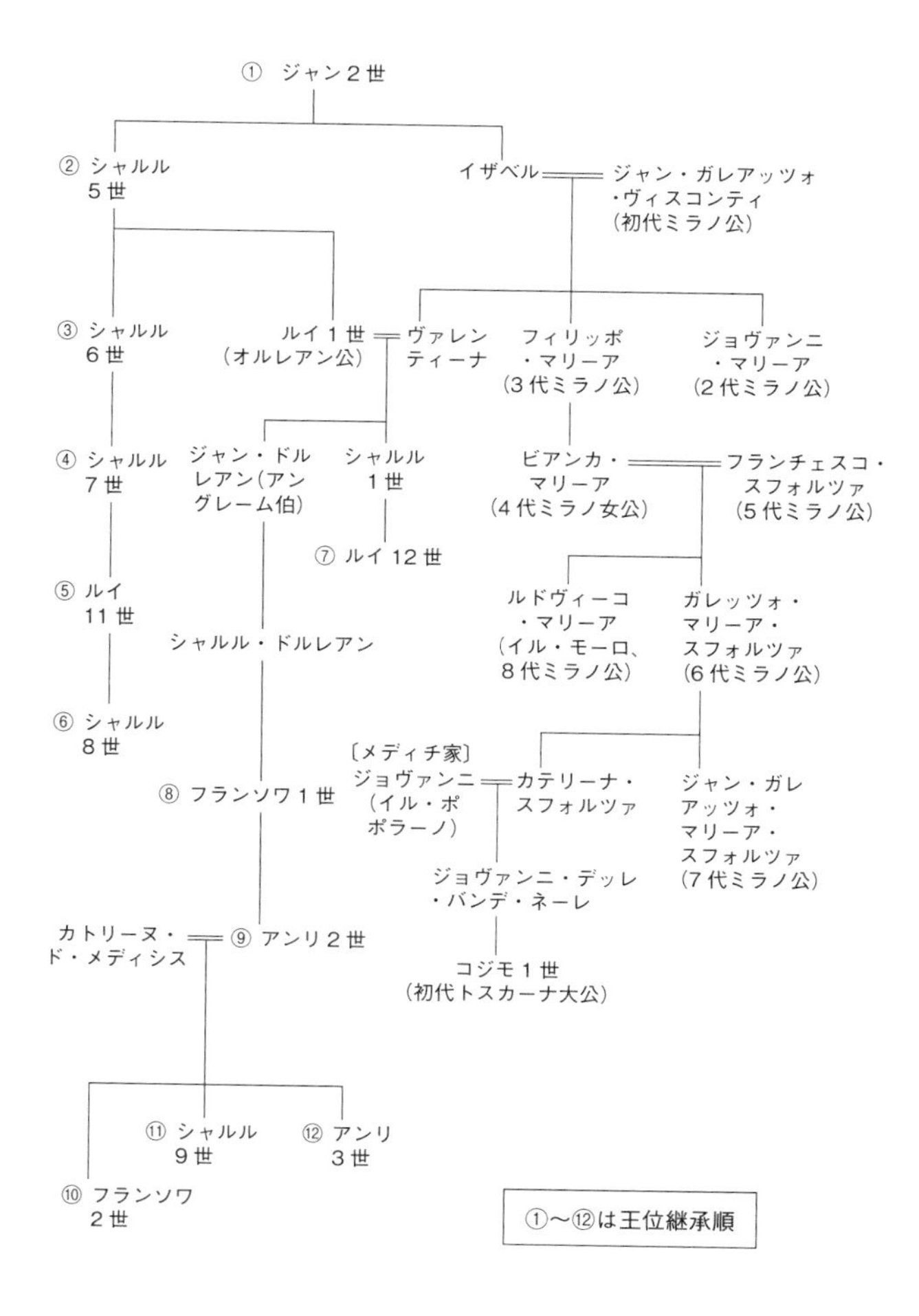

フランス王家とヴィスコンティ家の系図

すでに、父ピエロの時代から、メディチ銀行は傾き始めていました。メディチ家の経済的な凋落に拍車をかけるように、豪華王（イル・マニーフィコ）と呼ばれたロレンツォは、派手な祝祭を催すなどお金を湯水のように使ってイタリア・ルネサンスの黄金時代を現出しました。もちろん、公金にも手をつけざるを得ませんでした。従ってメディチ家の富がルネサンスを生んだというのは必ずしも正確ではないのです。

ところで、盛期ルネサンスといえば、サンドロ・ボッティチェッリ（一四四五—一五一〇）の「春（プリマヴェーラ）」（一四七七—七八頃）や「ヴィーナスの誕生」（一四八五頃）のような異教的、官能的なテーマの絵画が直ちにイメージされます。

このような素晴しい裸体画が公然と描かれるようになった背景には、ロレンツォ・ヴァッラ（一四〇七—五七）の活躍がありました。彼は二つの大きな業績を残しています。まず彼は「コンスタンティヌスの寄進状」が偽書であることを実証しました。

この書状は、ローマ帝国の都をローマからコンスタンティノープルへ遷都したコンスタンティヌス一世（在位三〇六—三三七）が、ローマ教皇に出したといわれるものです。その内容は次のようなものでした。

「私はコンスタンティノープルに隠退します。ついては、ローマを中心とする西方世界はローマ司教（教皇）であるあなたに私と同じローマ皇帝の権力を与えますのであなたが支配してください」

平たくいえば、西ヨーロッパの統治権をローマ皇帝がローマ教皇に譲渡した、そのことを示す寄進状です。これを根拠にしてローマ教皇は、堂々とピピンの寄進を受けて領土を持ち、シャルルマーニュを西のローマ皇帝として戴冠しました。しかし冷静に考えれば、コンスタンティヌス一世がそんな書状を出すはずがないのです。

もともとコンスタンティヌス一世はガリア（現在のフランス）を根拠とし、そこを支配下においていた皇帝です。ローマの司教など、まったく格下の存在でした。第一、当時、ローマ教皇が現在のような形で実在していたかどうかも疑しいのです（五世紀のレオ一世が事実上初代のローマ教皇であるという説も有力です）。この寄進状のような世迷事を書き残すわけがない。けれどもローマ教皇は、コンスタンティヌス一世からお墨付きをもらっているのだと述べて、西ヨーロッパに君臨してきたのです。

この寄進状が偽書であると完膚なきまでに論証したのが、ロレンツォ・ヴァッラでした。彼はコンスタンティヌスの寄進状に使われている単語をひとつひとつ分析しました。その結果、コンスタンティヌス一世が生きていた四世紀には、誰も使っていなかった言葉が寄進状の中にたくさん出てきたのです。そしてロレンツォ・ヴァッラは、自分がローマ教会に仕える身でありながら寄進状は八世紀（ピピンの寄進当時）に作成された偽書であることを論文にして発表

ヴィーナスの誕生（ボッティチェッリ）

したのでした。この行為そのものが、すでにルネサンスの精神を完璧なまでに予告しています。

もうひとつ彼は、大きな業績を残しています。それは『快楽について』（岩波文庫に邦訳があります）という論文を書いたことです。

この論文で彼は、人間の愛を肯定し、性の歓びを認めました。そして女性の体は美しい、だからこれを賛美し、描くことは認められるべきなのだと述べました。愛と美の問題をロジカルに肯定した『快楽について』が書かれてから五〇年後に、ボッティチェッリの「ヴィーナスの誕生」が生まれています。

ルネサンスというと、絵画や彫刻に注意が向きがちなのですが、その前段階として文章（論理学）の世界できちんと神の世界から人間を救い出す、神と人を分離するという大きな運動が存在していたことに留意すべきだと思います。フェデリーコ二世、ダンテ、ペトラルカ、ボッカッチョ、ヴァッラ、そしてフィチーノなどの功績です。

マルシリオ・フィチーノは、一五世紀のメディチ家の時代の人ですが、メディチ家に保護されて古典の教養を積みました。そして前述したように、ほぼ一〇〇〇年前にローマ皇帝ユスティニアヌス一世が閉校したプラトンのアカデメイアに因んだプラトン・アカデミーというサークルを創設して、その中心人物となりました。このサークルにロレンツォをはじめとして、詩人アンジェロ・ポリツィアーノ（一四五四―九四）や人文学者のクリストフォロ・ランディーノ（一四二四―九八）、ピコ・デラ・ミランドラ（一四六三―九四）など多くの哲学者・文学者・芸術家が集まり、ルネサンスの波をイタリア中に広げる拠点になっていきました。

一四六八年には、カマルドリ会系の修道院でフィチーノやレオン・バッティスタ・アルベルティ（一四〇四―七二。建築論や絵画論を著わした万能の天才の一人です）を中心に至高の善をテーマにした討論会が開かれ、ロレンツォも参加しています。

ひとつの家系が起業して成功するとき、創業者は必死に働きます。芸術にお金をかけたり、興味を持つ余裕はありません。創業者が一所懸命に働いて成り上がり、お金持ちになると、自分の子どもには教育を充分に受けさせ、教養や芸術を教えます。生活も贅沢になります。そこで初めて文化を愛し、芸術を楽しめる人間が生まれてきます。つまり、パトロンに最もふさわしいのは、二代、三代の人たちです。トーマス・マンが『ブッデンブローク家の人びと』で描いた通りですが、ロレンツォがまさにそうでした。ロレンツォこそ「カルペ・ディエム」を地で行った人でした。

フィレンツェの文化の最盛期は、コジモの代に経済力のピークを迎え、それが去ったロレンツォの時代にやってきたのでした。ロレンツォにとってはメディチ家の財政よりも、芸術家を育て、素晴らしい作品を創作させることに大きな価値があったのかもしれません。

レオナルド・ダ・ヴィンチ（一四五二―一五一九）、ミケランジェロ・ブオナローティ（一四七五―一五六四）など稀有の天才を、この時代のフィレンツェは輩出しました。遠近法のパオロ・ウッチェロ（一三九七―一四七五）や、画面の構成に画期的手法をもたらした史上最も偉大な画家の一人、ピエロ・デラ・フランチェスカ（一四一二―九二）も同時代人でした。

一四八四年、フィチーノの訳したプラトン全集が刊行されました。ボッティチェッリの名作「春（プリマヴェーラ）」（ポリツィアーノの詩に霊感を受けたといわれています）そのままの世界が確かにそこにはあったのです。コジモの復帰からロレンツォが死亡するまでの約半世紀が、辻邦生の『春の戴冠』（中公文庫）にあざやかに描かれています。

ところで、クアトロチェント（一四〇〇年代）のルネサンスは、掛け値なしに素晴らしいものであり、また、一三世紀前半のフェデリーコ二世の治世も、間違いなく時代を遥かに超えた近代性を有していました。これらを発見し大いに称揚したのは、一九世紀の歴史家ヤーコプ・

ブルクハルト（一八一八―九七）です。しかし、イタリアの特定の時期に焦点を当て過ぎ、他の中世を、まるで暗黒時代のように看做したという批判もまた根強いものがあります。

おそらくブルクハルトは、プロイセンによるドイツ統一という精神の昂揚の中で、過去の栄光を発見したのであって、大英帝国を創り上げた連合王国の史家が、ローマ帝国の栄光の統治の歴史を発見したことと同様の心理的な作用が働いていたのでしょう。

一四七一年、サヴォーナ出身のローヴェレ家のシクストゥス四世が教皇位に就きました（在位一―一四八四）。ネポティズム（縁故主義）に侵されていた教皇は、ロレンツォと対立し、教皇庁の銀行をメディチ家からパッツィ家に鞍替えし、パッツィ家の陰謀に加担しました。一四七八年、花の聖母寺で、パッツィ家の刺客がロレンツォを襲います。ロレンツォの弟、ジュリアーノは死亡しましたが、ロレンツォは危うく難を逃れ、陰謀は失敗します。教皇とフィレンツェは、二年に及ぶ戦争に突入し、ローディの和は危殆（きひ）に瀕しましたが、ロレンツォの巧みな外交によって事なきを得ました。

シクストゥス四世は、スペインの異端審問所に大幅な裁量権を与え、自らの名を冠したシスティーナ礼拝堂を建設したことで、歴史に名を残しました。なお、スペインの異端審問所は、王権を背景に常設の組織として設けられたことが、他国に例を見ない大きな特色です。ドミニコ会出身の初代長官、トマス・デ・トルケマダ（一四二〇―九八）は、在職一八年間に約八〇〇〇人を焚刑に処したと伝えられています。

一四七七年の新春、ナンシーの戦いで、ブルゴーニュ公第四代シャルル突進公が、スイス傭兵に敗死しました。ルイ一一世の陰謀が結果的に実を結んだのです。この戦いによってスイス傭兵は一躍勇名を獲得しました。ブルゴーニュ公国内は大混乱に陥り、ブルゴーニュはフランス王国に吸収されます。フランドルの孤立無援の遺児ブルゴーニュ女公マリー（在位一四七七―八二）は、婚約者のマクシミリアン一世（ローマ皇帝フリードリヒ三世の子供）に手紙を出します。約五カ月後に借金して旅費を工面し、ウィーンから長駆したマクシミリアン一世は、到着した翌日にヘントの聖バーフ大聖堂でマリーと挙式しました。

ブルゴーニュに続いてフランドルの領有を目論むルイ一一世の野望は、一四七九年のギネガテの戦いでマクシミリアン勢に敗れたことで頓挫しましたが、ハプスブルク家とフランスとのブルゴーニュ継承戦争は、一四八二年の二度目のアラスの和約まで続きました。マリーの死後、ブルゴーニュ公位は長男のフィリップ四世（美公。在位一四八二―一五〇六）が継ぎ、マクシミリアン一世はその摂政となりました。やがてフィリップ美公は、スペインのイザベル一世の娘フアナと結婚することになります。

こうして二度の結婚によるハプスブルク家の幸運が始まりました。ハプスブルク家は、アカイメネス朝や東ローマ帝国で使われた双頭の鷲を紋章としていましたが、モスクワ大公国も、イヴァン三世（在位一四六二―一五〇五）以降、双頭の鷲を用いるようになります。

一四七九年、アラゴンとカスティージャが統一され、スペイン王国が成立しました。一四八〇年、モスクワ大公国のイヴァン三世は、アフマド・ハン（在位一四六五―八一）の大軍をウグラ河畔の対峙で撤退に追い込み、ジョチ・ウルスの支配を脱して独立を果しました。

東ローマ帝国の最後の皇帝、コンスタンティノス一一世（在位一四四九―五三）の姪、ゾイ・パレオロギナと再婚したイヴァン三世は、モスクワを第三のローマと呼び、自らを皇帝（ツァーリ）と自称するようになりました。一四八六年、ドミニコ会士で異端審問官であったハインリヒ・クラーマー（一四三〇―一五〇五）が『魔女に与える鉄槌』を著し、魔女裁判という蛮行への道が敷き詰められました。

†一四九二年

一四九二年は、時代を画する年となりました。グラナダのナスル朝の最後の君主、ムハンマド一一世ボアブディル（在位一四八二―八三、一四八七―九二）がアルハンブラ宮殿を引き払い、スペインは統一されました。レコンキスタが完成したのです。グラナダ降伏協定文書には、信仰の自由が約束されていました。

しかし、舌の根も乾かぬ内（三カ月後）に、ユダヤ人追放令が出されて、三宗教（イスラーム教、キリスト教、ユダヤ教）が共存し、絢爛たる文化が咲き誇った幸福なイスラーム・スペインの八〇〇年の歴史は幕を閉じたのです。ユダヤ人は国を出るか、改宗者（コンベルソ）として残るかの選択を迫られました。多くは出国し、オスマン朝などに向かいました。この挽歌は、いずれミゲル・デ・セルバンテス（一五四七―一六一六）が、比類なき傑作（『ドン・キホーテ』）の中に書き残すでしょう。そして、フィレンツェではロレンツォが没しました。ローマでは、政治力に秀でた、スペイン出身、ボルジア家の教皇アレクサンデル六世（在位一一五〇三）が即位しました。

イサベル一世（在位一四七四―一五〇四）の援助を受けたクリストバル・コロン（コロンブス。一四五一頃―一五〇六）は、大都を目指して三隻のカラベル船で大西洋を横断し、バハマ諸島に上陸しました。

アメリカの歴史学者、アルフレッド・クロスビー（一九三一―二〇一八）は、一九七二年に『コロン交換』という本を出版し、コロンの新大陸到達により、アメリカと旧大陸の間で、病原菌や植物、動物などすべてにわたる大規模な交換が行われ、生物学上の均質化が進んだと指摘しました。

特に植物では新大陸のインゲンマメ、カシューナッツ、トウガラシ、ココア、トウモロコシ、ラッカセイ、パイナップル、パパイヤ、ジャガイモ、ゴム、カボチャ、ヒマワリ、サツマイモ、トマト、タバコなどが旧大陸に渡って大勢の人々を救いました。逆に、病原菌や動物（ウシ、ウマ、ブタ、ヒツジ、ヤギ、ネコ、ウサギなど）では旧大陸が圧倒しました。その結果、新大陸の多くの人々は死に絶えることになりました。この顚末は、チャールズ・C・マン他『1493』（紀伊國屋書店）が詳細に描いています。

一四九四年、アレクサンデル六世は、スペインとポルトガルの新大陸における獲得地の境界線を定めました。トルデシリャス条約です。これによって、ブラジル以外のアメリカ大陸では、スペインの優先権が認められました。同じ一四九四年、フッガー商会設立。アウグスブルクを本拠とするフッガー家は、ヤーコプ二世が、一四八五年に銀の先買権を入手し、西欧屈指の金融大富豪にのし上っていました。金融業としてのメディチ家の時代は過ぎ去ったのです。

同じ一四九四年、メディチ家のピエロ（ロレンツォの嫡子）は、失政によってフィレンツェを追われ、サヴォナローラによる神権政治（―九八）が始まりました。フィレンツェには、「ロレンツォはフィレンツェの道徳を乱れさせ、男女の関係を堕落させ、教会を腐敗させる者である」と非難しつづけていたドミニコ会の修道士がいました。それがサヴォナローラです。

シャルル・ダンジューに繋がる王室としてナポリ王国の王位を主張するフランス王シャルル八世（在位一四八三―九八）のイタリア侵入を予言したことで民心を得たサヴォナローラは、虚飾を排するとして焚書（虚栄の焼却）を行い、ルネサンスの精華の多くが灰燼に帰しました。

サヴォナローラの肖像
（フラ・バルトロメオ）

シャルル八世は、翌一四九五年、ナポリで戴冠しましたが、教皇を含む西欧列強がフランスのナポリ王国支配に反対したので、早々に兵を引きました。イタリアを巡る、フランス、スペインの角逐の始まりです。

シャルル八世は、帰国に際してイタリアの美術品を大量に持ち帰りました。以降、フランスの宮廷では、イタリア趣味が幅を利かすことになるでしょう。シャルル八世は梅毒を持ち帰ったと批難されましたが、間違いなく、フランス・ルネサンスの扉をも開いたのです。

ドイツでは同じ一四九五年、ヴォルムスで帝国議会が開かれて永久ラント平和令が発布され、帝国内の私闘（フェーデ）が禁止されました。そして紛争解決のため、帝国最高法院が設置されましたが、一六名の陪席判決人の内、皇帝マクシミリアン一世（在位一四九三―一五一九）の推薦枠は二名に過ぎず、皇帝の選挙制と相俟って、皇帝の権力に制度的な歯止めがかけられました。なお、ラント平和令は何度も出されています。ハインリヒ四世のラント平和令（一一〇三）、フェデリーコ二世のマインツラント平和令（一二三五、ドイツ語）などが代表例です。

この頃から、ドイツ国民の神聖ローマ帝国（この名称の正式採用は一五一二年）と呼ばれるようになったこの帝国（第一帝国）は、中央集権化を目指していたフランスやスペインとは、明らかに違う方向に舵を切ったのです。一四九六年、フィリップ四世美公（スペインの王配としてはフェリペ一世）は、スペインのイサベル一世の娘、フアナ（カスティージャ女王。在位一五〇四―五五）と結婚して、ハプスブルク家は実質的にスペインを入手することになりました。

一四九七年、フィレンツェ人、アメリゴ・ヴェスプッチ（一四五四―一五一二）が、中南米を探検、踏破しました。アメリカの名は、彼に因んだものです。新大陸をアメリカと呼んだ最初は、一五〇七年、ドイツの地理学者、マルティン・ヴァルトゼーミュラー（一四七〇頃―一五二〇）が作成した世界地図でした。

一四九八年、偏狭な独裁を行ったサヴォナローラは、アレクサンデル六世に破門されるやたちまち民心を失って市民の手で火刑に処せられ、フィレンツェは、共和政を取り戻しました。少壮官僚、ニッコロ・マキャヴェッリ（一四六九―一五二七）は、勇躍、共和国の要職に就きました。

†一五〇〇年の世界のGDP

一五〇〇年の世界のGDPシェアは、概ね、以下の通りです。

明……………二五・〇（％）　スペイン……………一・九

インド各国……………二四・五　イングランド……………一・一
フランス……………四・四　インカ、アステカ等……………三・四
イタリア各国……………四・七　オスマン朝……………五・一
ドイツ……………三・三　日本……………三・一

一五〇〇年、明は、第一〇代、弘治帝（在位一四八七―一五〇五）の時代になります。中興の祖と称えられた弘治帝は、北方モンゴル高原のダヤン・カアンに備えながら、北京で政務に励んでいました。デリーでは、ローディー朝の名君、二代、シカンダルが、国内の体制固めに取り組んでいました。南インドの征服を考えていたシカンダルは、いずれ首都をより南方に近いアーグラに移すことになるでしょう。

南インドでは、バフマニー朝から分裂したイスラームの五王国とヴィジャヤナガル王国の争いが依然として続いていました。

分裂したティムール朝やアクコユンル朝（白羊朝）が衰える中、イラーンではサファヴィー教団のイスマーイール一世（在位一五〇一―二四）が、トゥルクマーンの信者（クズルバシュ）を集めて挙兵しました。中央アジアでは、一五〇〇年にウズベク族がシャイバーニー朝を建国して、ムハンマド・シャイバーニー・ハン（在位一五〇〇―一〇）が王位に就きました。いず

れ、この両者の激突は避けられないでしょう。

オスマン朝は、征服者メフメト二世の子、バヤズィト二世（在位一四八一―一五一二）の時代です。一般には、勇猛果敢な父に似ず、凡庸な君主と評されていますが、首都イスタンブルは、スペインを追われたユダヤ人（セファルディム）を大量に受け入れ、益々国力を充実させていました。ローマは一五〇〇年の聖年を盛大に祝っていました。アレクサンデル六世によって、初めて聖年の扉が開かれたのです。

その賑わいの中で、教皇の息子、チェーザレ・ボルジア（一四七五―一五〇七）が、イタリアの統一を真剣に考えていました。フランス王ルイ一二世（在位一四九八―一五一五）は、ミラノ公位を主張してミラノを占領し、イタリア政策の検討に耽っていました。スペインでは、カトリック両王（一四九六年にアレクサンデル六世がイサベル一世とフェルナンド二世に称号付与）の下で、異端審問が荒れ狂い、イスラーム教徒やユダヤ教徒が次々と国を離れて行きました。

アメリカ大陸（インドの一部と考えられていたのでインディアスと呼ばれていました）では、冒険心に富んだスペイン人やポルトガル人の上陸が広まる中で、原住民が大量に死滅しつつありました。旧大陸の病原菌に対して免疫を持たない新大陸の住民は、ひとたまりもなかったのです。一四世紀にユーラシア全土で猛威を奮ったペスト禍が、さらに大きなスケールで再現されようとしていました。

これに対して、旧大陸の得たものは黄金だけではありませんでした。ジャガイモやトマト、トウモロコシなどが、まさに食料革命を引き起こしたのです。イスラーム世界やアフリカからもたらされた、コーヒー、カカオ、砂糖、アジアの米やトロピカル・フルーツなども加わって、ヨーロッパの食卓は、見違えるように豊かになっていったのです。コロン交換がすさまじい勢いで始まっていたのです。

日本では、戦国時代が本格的な幕を開けようとしていました。一四九三年に、半将軍と呼ばれた管領、細川政元（一四六六―一五〇七）は、足利一〇代将軍義稙（一四九〇―九三、一五〇八―二一）を追放し、細川政権（一四九三―一五四九）を成立させました。加賀では、本願寺門徒が中心になって、守護大名の富樫政親を一四八八年に自害に追い込み、信長に敗れるまでの約九〇年間、共和政（百姓の持ちたる国）を敷きました。関東では、伊勢宗瑞（北条早雲）が細川政権と連動して一四九八年に伊豆を平定し（堀越公方茶々丸を自殺に追い込みました）、関東攻略の作戦を練っていました。

（完）

参考文献

1 全集・シリーズなど

『悪の歴史』清水書院　全6巻
『イスラーム原典叢書』岩波書店（刊行中）
『岩波講座 世界歴史』（旧版）岩波書店　全31巻
『岩波講座 世界歴史』（新版）岩波書店　全29巻
『ケンブリッジ版世界各国史』創土社　全12巻
『興亡の世界史』講談社　全21巻
『週刊朝日百科 世界の歴史』朝日新聞社　全131冊
『宗教の世界史』山川出版社　全12巻
『諸文明の起源』京都大学学術出版会　全15巻
『書物誕生』岩波書店　全30巻
『新版 世界各国史』山川出版社　全28巻
『図説 世界の歴史』創元社　全10巻
『世界史史料』岩波書店　全12巻
『世界史リブレット』山川出版社（刊行中）
『世界の教科書シリーズ』明石書店　全45巻
『世界の名著』中央公論社　全81巻
『世界の歴史』（旧版）中央公論社　全16巻＋別巻
『世界の歴史』（新版）中央公論社　全30巻
『世界歴史大系』山川出版社　全28巻
『中国の歴史』（新版）講談社　全12巻
『岩波講座 日本経済の歴史』岩波書店　全6巻
『MINERVA 世界史叢書』ミネルヴァ書房　全16巻（刊行中）
『物語 〇〇の歴史』シリーズ　中公新書（刊行中）
『文選』岩波文庫　全6巻（刊行中）
『ヨーロッパの中世』岩波書店　全8巻
『ヨーロッパ史入門』岩波書店　全10巻
『歴史の転換期』山川出版社　全11巻（刊行中）
『historia』山川出版社　全28巻
佐藤賢一　全著作
塩野七生　全著作
杉山正明　全著作
陳舜臣『中国の歴史』平凡社　全15巻

2 総論

網野善彦2012『歴史を考えるヒント』新潮文庫
石川九楊2012『説き語り中国書史』新潮選書
板谷敏彦2013『金融の世界史』新潮選書
市井三郎1971『歴史の進歩とはなにか』岩波新書
井筒俊彦1991『イスラーム文化』岩波文庫
井波律子2014『中国人物伝Ⅰ～Ⅳ』岩波書店
井上たかひこ2015『水中考古学』中公新書
入江昭2005『歴史を学ぶということ』講談社現代新書
祝田秀全2016『銀の世界史』筑摩書房
上田信2016『貨幣の条件』筑摩選書
上田信1995『伝統中国』講談社選書メチエ
梅田修2016『人名から読み解くイスラーム文化』大修館書店
梅原郁2003『皇帝政治と中国』白帝社
大塚柳太郎2015『ヒトはこうして増えてきた』新潮選書
岡崎正孝2000『カナート イランの地下水路』論創社
小野塚知二2018『経済史』有斐閣
加藤九祚1995『中央アジア歴史群像』岩波新書
北岡伸一、歩平編2014『「日中歴史共同研究」報告書（1・2）』

勉誠出版
黒田明伸2014『貨幣システムの世界史』岩波書店
近藤和彦編2015『ヨーロッパ史講義』山川出版社
阪倉篤秀2015『長城の中国史』講談社選書メチエ
佐藤健太郎2013『炭素文明論』新潮選書
佐藤健太郎2018『世界史を変えた新素材』新潮選書
杉田英明2002『葡萄樹の見える回廊』岩波書店
鈴木大拙1972『日本的霊性』岩波文庫
高島正憲2017『経済成長の日本史』名古屋大学出版会
田家康2013『気候で読み解く日本の歴史』日本経済新聞出版社
田家康2019『気候文明史』日経ビジネス人文庫
田家康2019『世界史を変えた異常気象』日経ビジネス人文庫
檀上寛2016『天下と天朝の中国史』岩波新書
東京歴史科学研究会2017『歴史を学ぶ人々のために』岩波書店
冨谷至2016『中華帝国のジレンマ』筑摩選書
内藤湖南1992『支那史学史（1・2）』東洋文庫
長澤和俊1989『海のシルクロード史』中公新書
西尾哲夫2013『ヴェニスの商人の異人論』みすず書房
長谷川修一他2018『歴史学者と読む高校世界史』勁草書房
羽田正2016『地域史と世界史』ミネルヴァ書房
早坂眞理2017『リトアニア』彩流社
藤井毅2003『歴史のなかのカースト』岩波書店
三谷博2013『愛国・革命・民主』筑摩選書
宮本正興／松田素二2018『新書アフリカ史』講談社
本村凌二2005『多神教と一神教』岩波新書
クロード・アジェージュ2018『共通語の世界史』白水社
ジャック・アタリ2015『ユダヤ人、世界と貨幣』作品社
カレン・アームストロング2017『イスラームの歴史』中公新書

タミム・アンサーリー2011『イスラームから見た「世界史」』紀伊國屋書店
ロイド・E・イーストマン1994『中国の社会』平凡社
H・G・ウェルズ1966『世界史概観（上・下）』岩波新書
I・ウォーラーステイン2013『近代世界システムI～IV』名古屋大学出版会
ジョン・L・エスポジト2005『イスラームの歴史1～3』共同通信社
E・H・カー1962『歴史とは何か』岩波新書
ジョン・キーン2013『デモクラシーの生と死（上・下）』みすず書房
チャールズ・キング2017『黒海の歴史』明石書店
シリル・P・クタンセ2016『海から見た世界史』原書房
マイケル・クック2005『世界文明一万年の歴史』柏書房
グレゴリー・クラーク2009『10万年の世界経済史（上・下）』日経BP社
デヴィッド・クリスチャン他2016『ビッグヒストリー』明石書店
デイヴィッド・クリスチャン2019『オリジン・ヒストリー』筑摩書房
グレゴリー・クレイズ2013『ユートピアの歴史』東洋書林
ニコラス・クレイン2019『ユー・アー・ヒア』早川書房
レイ・タン・コイ2000『東南アジア史』文庫クセジュ
マイケル・コリンズ他2018『旅と冒険の人類史大図鑑』河出書房新社
アラン・コルバン2010『キリスト教の歴史』藤原書店
イヴァン・コンボー2002『パリの歴史』文庫クセジュ
ジェイン・ジェイコブズ2010『アメリカ大都市の死と生』鹿島出版会

ジュリアン・ジェインズ2005『神々の沈黙』紀伊國屋書店
ウォルター・シャイデル2019『暴力と不平等の人類史』東洋経済新報社
シュヴェーグラー1958『西洋哲学史（上・下）』岩波文庫
ポール・ジョンソン2006『ユダヤ人の歴史（全3巻）』徳間文庫
P・D・スミス2013『都市の誕生』河出書房新社
ギヨーム・ド・ベルティエ・ド・ソヴィニー2019『フランス史』講談社選書メチエ
ジェイコブ・ソール2018『帳簿の世界史』文春文庫
ジャレド・ダイアモンド2012『銃・病原菌・鉄（上・下）』草思社文庫
ダーウィン1990『種の起原（上・下）』岩波文庫
リチャード・ドーキンス2006『利己的な遺伝子』紀伊國屋書店
エマニュエル・トッド2016『家族システムの起源（上・下）』藤原書店
ジャン＝フランソワ・ドルティエ2018『ヒト、この奇妙な動物』新曜社
ルース・ドフリース2016『食糧と人類』日本経済新聞出版社
ニーダム1991『中国の科学と文明』思索社
ネルー2016『父が子に語る世界歴史1〜8』みすず書房
ジョン・ジュリアス・ノーウィッチ2016『世界の歴史都市』柊風舎
ジョン・ハーヴェイ2014『黒の文化史』東洋書林
フェルナンド・バエス2019『書物の破壊の世界史』紀伊國屋書店
スティーブ・パーカー2016『医療の歴史』創元社
ニコラス・A・バスベインズ2016『紙 二千年の歴史』原書房
エルヴィン・パノフスキー2002『イコノロジー研究（上・下）』ちくま学芸文庫
ユヴァル・ノア・ハラリ2016『サピエンス全史（上・下）』河出書房新社
イブン＝ハルドゥーン2001『歴史序説1〜4』岩波文庫
ヴァレリー・ハンセン2016『図説シルクロード文化史』原書房
キティ・ファーガソン2011『ピュタゴラスの音楽』白水社
クライブ・フィンレイソン2013『そして最後にヒトが残った』白揚社
ブライアン・フェイガン2016『人類と家畜の世界史』河出書房新社
リチャード・フォーティ2014『〈生きた化石〉生命40億年史』筑摩選書
G・ブルヌティアン2016『アルメニア人の歴史』藤原書店
クリスチャン・ベック2000『ヴェネツィア史』文庫クセジュ
クリストファー・ベックウィズ2017『ユーラシア帝国の興亡』筑摩書房
ヨハン・ベックマン1999〜2000『西洋事物起原㈠〜㈣』岩波文庫
A・M・ホカート2012『王権』岩波文庫
K・ポメランツ2015『大分岐』名古屋大学出版会
ウィリアム・H・マクニール2008『世界史（上・下）』中公文庫
ウィリアム・H・マクニール2014『戦争の世界史（上・下）』中公文庫
ウィリアム・H・マクニール他2015『世界史Ⅰ・Ⅱ』楽工社
ニール・マクレガー2012『100のモノが語る世界の歴史1〜3』筑摩選書
アンガス・マディソン2004『経済統計で見る世界経済2000年史』柏書房
マンフォード1985『歴史の都市 明日の都市』新潮社
ローター・ミュラー2013『メディアとしての紙の文化史』東洋

書林
ヴィクター・H・メア他2017『96人の人物で知る中国の歴史』原書房
マリア・ロサ・メノカル2005『寛容の文化』名古屋大学出版会
イアン・モリス2014『人類5万年 文明の興亡（上・下）』筑摩書房
E・ル＝ロワ＝ラデュリ2019『気候と人間の歴史Ⅰ』藤原書店
ヨアヒム・ラートカウ2013『木材と文明』築地書館
マッシモ・リヴィ－バッチ2014『人口の世界史』東洋経済新報社
ジョン・ルカーチ2013『歴史学の将来』みすず書房
J・ル＝ゴフ2016『時代区分は本当に必要か？』藤原書店
林秀一1967・1969『十八史略　新釈漢文大系（上・下）』明治書院
『詳説世界史研究』2017山川出版社
『詳説世界史図録』2014山川出版社
『世界史小辞典』2004山川出版社
『世界史20講』2014岩波書店
『世界史年表・地図』2018吉川弘文館
『世界史年表』2017岩波書店
『世界人名大辞典』2013岩波書店
『歴史の「常識」をよむ』2015東京大学出版会

3　単行本

阿部謹也1981『中世の風景（上・下）』中公新書
阿部謹也2017『中世の窓から』ちくま学芸文庫
阿部謹也2008『中世を旅する人びと』ちくま学芸文庫
阿部謹也1988『ハーメルンの笛吹き男』ちくま文庫
阿部謹也2006『ヨーロッパを見る視角』岩波現代文庫
天児慧2013『中華人民共和国史　新版』岩波新書
荒松雄1993『多重都市デリー』中公新書
池上俊一2017『原典ルネサンス自然学（上・下）』名古屋大学出版会
石井公成2019『東アジア仏教史』岩波書店
石井美樹子1988『王妃エレアノール』平凡社
大川玲子2017『チャムパ王国とイスラーム』平凡社
小澤重男1997『元朝秘史（上・下）』岩波文庫
川口琢司2014『ティムール帝国』講談社選書メチエ
佐藤彰一2017『剣と清貧のヨーロッパ』中公新書
佐藤次高2011『イスラームの「英雄」サラディン』講談社学術文庫
佐藤次高2008『砂糖のイスラーム生活史』岩波書店
佐藤次高2004『イスラームの国家と王権』岩波書店
白石隆2000『海の帝国』中公新書
白石典之2006『チンギス・カン』中公新書
白石典之編2015『チンギス・カンとその時代』勉誠出版
陶山昇平2019『薔薇戦争』イースト・プレス
高田英樹2019『中世ヨーロッパ東方記』名古屋大学出版社
高山博1999『中世シチリア王国』講談社現代新書
高山博2015『中世シチリア王国の研究』東京大学出版会
檀上寛2012『永楽帝』講談社選書メチエ
永川玲二1999『アンダルシーア風土記』岩波書店
中嶋浩郎・中嶋しのぶ2006『フィレンツェ歴史散歩』白水社
橋口倫介1974『十字軍』岩波新書
服部英雄2014『蒙古襲来』山川出版社
羽田正1999『勲爵士シャルダンの生涯』中央公論新社
藤澤房俊2019『地中海の十字路＝シチリアの歴史』講談社
堀越孝一2017『ジャンヌ＝ダルクの百年戦争』清水書院
堀越孝一2013・2016・2019『パリの住人の日記　Ⅰ～Ⅲ』八坂書房

前川久美子2015『中世パリの装飾写本』工作舎
宮紀子2006『モンゴル時代の出版文化』名古屋大学出版会
宮紀子2007『モンゴル帝国が生んだ世界図』日本経済新聞出版社
宮崎市定1987『科挙史』東洋文庫
宮崎正勝1997『鄭和の南海大遠征』中公新書
村井章介2019『古琉球、海洋アジアの輝ける王国』KADOKAWA
村上陽一郎1983『ペスト大流行』岩波新書
森安孝夫2015『東西ウイグルと中央ユーラシア』名古屋大学出版会
渡辺一夫1992『フランス・ルネサンスの人々』岩波文庫
渡辺金一1980『中世ローマ帝国』岩波新書
アーヴィング1997『アルハンブラ物語（上・下）』岩波文庫
アンナ・コムニニ2019『アレクシアス』悠書館
ハロルド・アクトン2012『メディチ家の黄昏』白水社
イブン・アッティクタカー2004『アルファフリー（1・2）』東洋文庫
ジョルジョ・ヴァザーリ1982『ルネサンス画人伝』白水社
ジョルジョ・ヴァザーリ1989『ルネサンス彫刻家建築家列伝』白水社
ジョフロワ・ド・ヴィルアルドゥワン2003『コンスタンチノープル征服記』講談社学術文庫
ロバート・ルイス・ウィルケン2016『キリスト教一千年史（上・下）』白水社
エラスムス2014『痴愚神礼賛』中公文庫
イリス・オリーゴ1997『プラートの商人』白水社
ガザーリー2003『誤りから救うもの』ちくま学芸文庫
エルンスト・H・カントーロヴィチ2003『王の二つの身体（上・下）』平凡社
エルンスト・H・カントーロヴィチ2011『皇帝フリードリヒ二世』中央公論新社
エドワード・ギボン1997『ローマ帝国衰亡史（全10巻）』ちくま学芸文庫
ポール・キンステッド2013『チーズと文明』築地書館
トビー・グリーン2010『異端審問』中央公論新社
ジョン・ケリー2008『黒死病』中央公論新社
コロンブス2011『全航海の報告』岩波文庫
フィリップ・コンタミーヌ2003『百年戦争』文庫クセジュ
サアディー1964『薔薇園』東洋文庫
フランコ・サケッティ1981『ルネッサンス巷談集』岩波文庫
アラン・サン＝ドニ2004『聖王ルイの世紀』文庫クセジュ
『シェイクスピア全集』白水Uブックス
朱熹　編2015『宋名臣言行録』ちくま学芸文庫
ゲオルク・シュタットミュラー1989『ハプスブルク帝国史』刀水書房
イブン・ジュバイル2009『イブン・ジュバイルの旅行記』講談社学術文庫
ダンテ1953『神曲』全3巻・岩波文庫
チョーサー1995『カンタベリー物語（上・中・下）』岩波文庫
陳高華1984『元の大都』中公新書
ドーソン『モンゴル帝国史1〜4』東洋文庫
オマル・ハイヤーム1979『ルバイヤート』岩波文庫
パオルッチ他2015『芸術の都　フィレンツェ大図鑑』西村書店
ピーター・バーク2005『ルネサンス』岩波書店
チャールズ・H・ハスキンズ2017『十二世紀のルネサンス』講談社学術文庫
イブン・バットゥータ『大旅行記1−8』東洋文庫

アラン・パーマー1998『オスマン帝国衰亡史』中央公論社
ジョナサン・ハリス2013『ビザンツ帝国の最期』白水社
ジョナサン・ハリス2018『ビザンツ帝国生存戦略の一千年』白水社
リュシアン・フェーヴル1996『ミシュレとルネサンス』藤原書店
ベルナール・フリューザン2009『ビザンツ文明』文庫クセジュ
ブルクハルト2019『イタリア・ルネサンスの文化（上・下）』ちくま学芸文庫
マルク・ブロック1998『王の奇跡』刀水書房
ピエロ・ベヴィラックワ2008『ヴェネツィアと水』岩波書店
アンドルー・ペティグリー2017『印刷という革命』白水社
ジュディス・ヘリン2010『ビザンツ』白水社
『ペトラルカ＝ボッカッチョ往復書簡』2006岩波文庫
レジーヌ・ペルヌー他1992『ジャンヌ・ダルク』東京書籍
レジーヌ・ペルヌー1988『中世を生きぬく女たち』白水社
レジーヌ・ペルヌー1977『テンプル騎士団』文庫クセジュ
レジーヌ・ペルヌー他2003『フランス中世歴史散歩』白水社
トマス・ペン2016『冬の王』彩流社
ホイジンガ2018『中世の秋（上・下）』中公文庫プレミアム
ボッカチオ2017『デカメロン（上・中・下）』河出文庫
マルコ・ポーロ1971『東方見聞録1・2』東洋文庫
レジス・ボワイエ2019『ヴァイキングの暮らしと文化』白水社
アミン・マアルーフ2001『アラブが見た十字軍』ちくま学芸文庫
アミン・マアルーフ1989『レオ・アフリカヌスの生涯』リブロポート
マキアヴェッリ1998『君主論』岩波文庫
マキャヴェッリ2012『フィレンツェ史（上・下）』岩波文庫
バーナード・マッギン1997『フィオーレのヨアキム』平凡社
ジョン・マン2006『チンギス・ハン』東京書籍
J・マンデヴィル1964『東方旅行記』東洋文庫
キャヴィン・メンジーズ2007『1421』ソニー・マガジンズ
トマス・モア1957『ユートピア』岩波文庫
孟元老1996『東京夢華録』東洋文庫
モンテーニュ1996『エセー』全6冊・岩波文庫
ジャン・ユレ2013『シチリアの歴史』文庫クセジュ
ブーシュラ・ラムゥニ・ベンヒーダ／ヨゥン・スラウィ2016『文明の交差路としての地中海世界』白水社
S・ランシマン1989『十字軍の歴史』河出書房新社
ルイーズ・リヴァシーズ1996『中国が海を支配したとき』新書館
アシル・リュシェール1990『フランス中世の社会』東京書籍
J・L・アブー＝ルゴド2001『ヨーロッパ覇権以前（上・下）』岩波書店
ジャック・ル＝ゴフ2006『中世の身体』藤原書店
ジャック・ル＝ゴフ2005『中世とは何か』藤原書店
ジャック・ル＝ゴフ2014『ヨーロッパは中世に誕生したのか？』藤原書店
ポール・ルメルル2003『ビザンツ帝国史』文庫クセジュ
ギヨーム＝トマ・レーナル2011『両インド史』法政大学出版局
トレヴァー・ロイル2014『薔薇戦争新史』彩流社
ミシェル・ロクベール2016『異端カタリ派の歴史』講談社
シルヴィア・ロンケイ2019『ピエロ・デッラ・フランチェスカ《キリストの鞭打ち》の謎を解く』白水社

ちくま新書
1287-3

人類5000年史Ⅲ
――1001年～1500年

二〇二〇年三月一〇日　第一刷発行

著者　出口治明（でぐち・はるあき）
発行者　喜入冬子
発行所　株式会社 筑摩書房
東京都台東区蔵前二-五-三　郵便番号一一一-八七五五
電話番号〇三-五六八七-二六〇一（代表）
装幀者　間村俊一
印刷・製本　三松堂印刷 株式会社

ISBN978-4-480-07266-5 C0220

索引

あ行

か行

さ行

た行

な行

は行

ま行